MAÎTRE ECKHART

Du même auteur

Essai

LA RELATION D'ENTRAIDE, Éditions de Mortagne,
Boucherville, Québec, Canada, 1985.

Romans

L'ÂME DÉLIÉE, Stanké, Montréal, Québec, Canada,
1989.

L'ŒIL DE TCHICOHÈS, LA VISION DES BIENHEUREUX,
Éditeq, Rimouski, Québec, Canada, 1991.

Jean Bédard

Maître Eckhart

1260-1328

Stock

À Ilya Prigogine,
un des grands penseurs de cette fin de siècle.

Chronologie

1200   Albert de Lauingen (Albert le Grand) donne à l'ordre des Dominicains un singulier prestige. Il meurt le 15 novembre 1280.

1210   Dans les environs de Liège, c'est la naissance du mouvement de béguinage. Les vœux étaient une déclaration d'intention, non un engagement irréversible à une discipline imposée par l'autorité. Ses membres pouvaient continuer leur travail normal dans le monde.

1225   Naissance de l'Italien Thomas d'Aquin, qui associe l'aristotélisme au christianisme. À trente et un ans, il tient école au couvent Saint-Jacques à Paris, non sans susciter de vives polémiques : en 1255, le couvent dut faire appel à la protection des archers royaux.

1248   Fondation du Studium général de Cologne par Albert le Grand.

1250   Matthieu Paris écrit : «En Allemagne est apparue une multitude innombrable de femmes célibataires qui s'appellent des

9

béguines : un millier ou plus d'entre elles vivent rien qu'à Cologne.»

1259   Thomas d'Aquin quitte Paris pour l'Italie.

1260   Naissance d'Eckhart, d'une famille thuringienne de Hochheim, résidant à Tambach, près de Gotha.

Rêves apocalyptiques de l'abbé calabrais Joachim de Flore. Des visionnaires parcourent la Provence, prêchant la pénitence, tandis que des processions de flagellants sillonnent l'Italie, le sud de l'Allemagne et la Bohême.

1260   Guillaume de Moerbeke traduit les traités d'Aristote et ceux d'autres écrivains grecs, notamment Proclus.

1261   Mort du pape Alexandre IV. Son successeur est Urbain IV.

1267   À la curie de Viterbe, Thomas d'Aquin rédige la *Somme théologique*. On y voit une articulation nouvelle entre la philosophie et ce qu'on appelait alors la «doctrine sacrée» : «Il est impossible que la vérité de foi soit contraire aux principes que la raison connaît naturellement.»

1268   Retour de Thomas d'Aquin à Paris, au moment de la querelle contre les privilèges des ordres mendiants. La faculté des arts est en pleine mutation sous l'impulsion de Siger de Brabant et de Boèce de Dacie, grands maîtres aristotéliciens et brillants défenseurs d'Averroès.

1273   Bruno, évêque d'Olomouc, dénonce une liberté permettant à des filles, les béguines,

d'échapper à la fois à la nécessaire obéissance due aux prêtres et à l'indispensable
«coercition des liens maritaux». D'où le
remède qu'il suggére au pape : «En faire des
épouses ou les expédier dans un ordre
agréé.»

1274   Mort en Italie de Thomas d'Aquin.

1275   Date probable de l'entrée d'Eckhart de
Hochheim au couvent d'Erfurt.

1279   Le chapitre de Paris déclenche une enquête
sur les dominicains qui ont parlé avec irré-
vérence de Thomas d'Aquin.

1285-1286   Premier séjour d'Eckhart à Paris, comme
étudiant en théologie.

1290-1293   Eckhart est bachelier sententiaire de
l'université de Paris. Sa conférence inaugurale, la *Collatio in libros Sententiarum*, est
tenue le 14 septembre et le 9 octobre 1293.

1294   18 avril, sermon pascal d'Eckhart.

1294-1298   Eckhart est prieur du couvent dominicain
d'Erfurt. Il rédige sa première grande
œuvre : *Entretiens spirituels*.

Vers 1300   Eckhart de Hochheim est envoyé à Paris.

1300-1302   Eckhart soutient une «dispute» avec le
maître général des franciscains, Gonzalve de
Vallebona.

1302-1303   À Paris, Eckhart est titulaire de la chaire de
théologie réservée aux dominicains étrangers.

1303   Eckhart quitte Paris.

À la Pentecôte, le chapitre général de
Besançon sépare la grande province

dominicaine d'Allemagne en Saxonia et Teutonia. Le couvent d'Erfurt appartient à la Saxonia. Maître Eckhart est élu provincial de Saxe. À cette époque, la Saxonia regroupe 47 couvents de frères où se retrouvent des religieux de 11 nations différentes. Son siège est à Erfurt. Eckhart y demeurera jusqu'en 1311.

1305-1308 Duns Scot enseigne à Paris.

1307 Chapitre général de Strasbourg. On ajoute aux titre d'Eckhart celui de vicaire général de Bohême.

1309 et 1313 Les chapitres généraux imposent de se conformer à la doctrine de Thomas d'Aquin.

1310 Chapitre général de Plaisance.
Prédication d'Eckhart en langue allemande qui, d'emblée, semble avoir connu un retentissement considérable. Le sermon 9 constitue un véritable manifeste antifranciscain où sont dénoncés les «maîtres à l'esprit fruste».
Le 8 septembre, Eckhart est élu provincial par les dominicains de Teutonia. Cette élection n'est pas confirmée et le chapitre général de Naples l'envoie à Paris pour enseigner. À Paris, le 1ᵉʳ juin 1310, on juge et brûle Marguerite de Porète, béguine de Hainaut, et on jette dans le brasier les exemplaires de son livre écrit en français : *Le Mirouer des simples âmes anéanties.* Elle est brûlée place de Gênes.
Au couvent Saint-Jacques où il réside, Eckhart côtoie Guillaume de Paris, le Grand Inquisiteur qui a obtenu la condamnation

de Marguerite. Une séance capitale du procès s'est déroulée le 3 avril 1310 dans les murs mêmes qui l'abritent. Le cas du *Mirouer* est au cœur des discussions du concile de Vienne, qui aboutiront à la condamnation des Huit Erreurs des béghards et des béguines sur l'état de perfection : «C'est pourquoi nous avons décidé et décrété avec l'approbation du concile que leur mode de vie doit être interdit définitivement et exclu de l'Église de Dieu.»

1313   Eckhart revient à Strasbourg, en Teutonia, appelé par le Général de l'ordre, Béranger de Landora. Il a une mission particulière : assurer la *cura monialium*, c'est-à-dire la direction spirituelle d'une vaste population féminine composée de religieuses dominicaines, de membres des tiers ordres et de béguines.
Les années passées par Eckhart en Teutonia vont être marquées par la persécution des béguines, à Strasbourg comme à Cologne, surtout contre la montée de la secte du Libre Esprit, l'aile la plus radicale du mouvement.

1314   Eckhart est à Strasbourg. Un des meilleurs témoins de l'influence intellectuelle qu'Eckhart a exercée sur les communautés de femmes de Teutonia est le traité : *Telle était sœur Katrei,* et la tradition ajoute : «la fille que Maître Eckhart avait à Strasbourg». C'est un manifeste de la secte du Libre Esprit.

Le duc Louis de Bavière s'est fait élire et couronner roi d'Allemagne contre Frédéric d'Autriche qui maintient ses prétentions au trône. L'Allemagne est une fois de plus divisée par la guerre intérieure.

1316 Le 7 août, élection de Jacques Duèze de Cahors, évêque d'Avignon puis cardinal de Porto, pape Jean XXII.

1322 En compagnie d'un autre vicaire général, Mathieu Finstingen, Eckhart reçoit l'ordre de visiter le couvent dominicain d'Unterlinden, près de Colmar. C'est la dernière trace connue de son séjour en Alsace.

1323-1324 Eckhart est envoyé au Studium général de Cologne pour y enseigner.

1323 Canonisation de Thomas d'Aquin. L'hostilité doctrinale entre franciscains et dominicains s'en trouve aggravée.

1324 Fin du séjour à Strasbourg d'Eckhart. Strasbourg ne compte pas moins de 85 béguinages. L'ampleur du phénomène suscite la réaction de l'évêque de Strasbourg, Jean Ier de Zurich, qui, dès le 13 août 1317, avait entamé une action contre les béghards et les swestriones qui s'appellent eux-mêmes «Frères et sœurs de la secte du Libre Esprit et de la Pauvreté volontaire». Cette attaque est prolongée par le pape Clément V. Le succès de la prédication strasbourgeoise et alsacienne d'Eckhart semble mêlé à la montée de cette spiritualité particulière.

1325 Le chapitre général de Venise signale que la parole de certains prêcheurs allemands risque d'égarer leurs auditoires. Le Général de l'ordre, Barnabé de Cagnoli, s'est lui-même déclaré hostile à la prédication de «subtilités» devant les gens du peuple.

Jean XXII désigne deux «visiteurs» dominicains, Benoît de Côme et Nicolas de Strasbourg, pour remédier aux «abus».

1325-1326 Une action est entamée contre le *Livre de la consolation divine* écrit en 1308. À cette occasion, Eckhart rédige une apologie, le *Tractatus requisitus*, qui sera par la suite elle-même attaquée. Herman de Summo et Guillaume de Nidecke, tous deux dominicains, remettent à Henri de Virnebourg une liste de passages tirés des œuvres du Maître, afin d'étayer une accusation d'hérésie.

1326 Sous l'archevêque Henri II de Virnebourg s'accentue la persécution contre les béghards. Mécontent de l'attitude de Nicolas de Strasbourg, «visiteur» du pape, qui ne sévit pas contre Eckhart, l'archevêque nomme une commission de deux membres pour examiner les propositions apportées par Herman de Summo et Guillaume de Nidecke. Eckhart comparaît pour la première fois devant Reinher Friso et Pierre d'Estate, commissaires épiscopaux chargés de son inquisition. Quelque temps auparavant, on a brûlé ou noyé dans le Rhin un certain nombre de béghards et de béguines.

Le 24 janvier, Eckhart se plaint devant la commission d'enquête que ses juges font traîner son procès en longueur et qu'ils ont accordé audience à des membres de l'ordre suspects. Son secrétaire, Conrad de Halberstadt, fait en son nom appel au pape. Eckhart récuse la validité de la commission, en appelle au siège apostolique, se soumet d'avance à sa décision et réclame ses lettres démissoriales.

Le 13 février, à la fin de son sermon dans l'église dominicaine de Cologne, Eckhart fait devant le peuple sa déclaration d'orthodoxie. Le 22 février, on lui annonce que sa demande d'appel au Saint-Siège a été rejetée comme frivole. Eckhart quitte donc Cologne pour porter lui-même l'affaire devant le pape Jean XXII.

1328   Mort d'Eckhart.

1329   Le 27 mars, le pape Jean XXII condamne comme hérétiques dix-sept propositions extraites des œuvres de Maître Eckhart et en répudie onze autres «tout à fait malsonnantes, très téméraires et suspectes d'hérésie».

PRÉAMBULE

Nous sommes en l'an de grâce mil trois cent quarante-cinq, au mois des premières tulipes. Le soleil rayonne et je m'apprête à partir pour Bruges. Je me décide finalement à retirer la pierre qui, dans le mur de ma cellule, cache depuis quinze ans ces étranges notes compilées par moi-même. Je n'ai pas le courage de les relire. J'y ajouterai simplement ce court préambule et une brève conclusion, après quoi je les replacerai dans leur cachette. Mais je devrais les détruire...

Après que tout fut terminé, lorsque le père général me demanda de lui remettre ces notes qu'il m'avait lui-même ordonné de prendre, je les lui remis en effet, mais non sans en avoir fait une copie. Comme je l'avais prévu, le père général brûla les feuillets sans même les parcourir. Je ne sais pas pourquoi j'ai conservé cette copie, c'est la seule vraie désobéissance de ma vie et il est peu probable, vu mon âge, que j'en fasse d'autres. Bien des fois il m'est venu à l'esprit de retirer la pierre, tantôt pour relire mes notes, tantôt pour les détruire. Finalement je n'ai jamais fait ni l'un ni l'autre.

Mais aujourd'hui je suis mandaté pour une dernière mission à Bruges et je quitte définitivement notre monastère de Cologne. Ne pouvant ni emporter ces parchemins, ni les détruire, je leur ajouterai rapidement un commencement et une fin, et les retournerai à leur cercueil de pierre. S'ils y restent éternellement, ma désobéissance ne me sera jamais imputée et si par malheur quelqu'un les trouve et les lit, il réalisera mon propre refus d'obtempérer et risque ainsi de me faire basculer du purgatoire en enfer. Parce que je n'ai pas immédiatement exécuté l'ordre du Général, il y a un fil qui part de ce récit et vient jusqu'à moi, pour ma perte éternelle si le «trouveur» le lit, ou pour mon salut s'il le détruit. Cependant, il me faut avouer que je ne sais pas vraiment si ce fil me tient uniquement à cause de ma désobéissance ou parce qu'il relate les pensées et les gestes d'un possible hérétique, pensées qui peuvent tordre l'esprit et l'enfermer dans un labyrinthe fatal. Pour être franc, je ne sais même pas si cet homme est hérétique. En tout cas, s'il n'est pas hérétique, il est certainement saint.

Je ne peux donc pas affirmer hors de tout doute que ce fil me relie aux Enfers! Il se pourrait que l'on découvre un jour que l'homme n'était pas dans l'erreur en ce qu'il disait mais simplement parce qu'il le disait trop tôt. Si tel est le cas, il se pourrait que le lecteur me propulse au ciel par la bonne action que j'accomplirais en lui et, à travers lui, dans son siècle et ceux qui le suivent. Par le lecteur, ma copie aura renvoyé la parole du Maître à l'âge où elle aurait dû être entendue. Mon manuscrit aura servi de pont à un homme qui n'était pas né au moment où il aurait dû naître. Il se pourrait alors que ma désobéissance ne me soit pas comptée pour mauvaise, mais pour bonne! Toi seul qui décides de continuer ta lecture ou de jeter mes feuillets le sais. Si tu le refermes amélioré, je contemple le ciel, si tu te perds dans des glus maléfiques, je me tords en enfer. Quoi qu'il en soit, tu me rejoindras là où je suis! Nous sommes liés l'un à l'autre parce que l'ordre du père général m'a rendu éternellement responsable de ce récit.

Je n'ai jamais pu être certain d'un seul de mes choix dans toute mon existence, alors j'ai décidé de marcher un pied sur un côté, un pied sur l'autre, me disant que, si l'une des deux montagnes croulait, il me resterait l'autre. Mais même de ce choix je doute, parce qu'il se pourrait bien que je n'aie finalement mis le pied que dans le vide qui sépare les deux versants de l'existence. Eckhart montrait un versant, le reste du monde montrait l'autre, je n'ai pas été capable de choisir. Si jamais il y a quelqu'un qui touche des yeux ce texte, j'espère qu'il fera le bon choix, qu'il saura ce qu'il faut faire : le détruire ou le donner, incinérer un guêpier ou ressusciter un verbe.

Si je me suis perdu dans le doute, je dois néanmoins en faire l'éloge. J'y ai vécu des moments où le jugement fut à ce point suspendu que tous les possibles s'y trouvaient soudainement à égalité. Cela me ramenait inévitablement à l'un des événements clefs de mon existence. Je devais avoir douze ans lorsqu'un dimanche, en route pour l'église, je me suis retrouvé seul devant une meute de loups tout aussi interloqués que moi. Le temps s'est comme arrêté et j'ai perçu l'égalité de deux trajectoires. Dans la première j'étais dévoré, dans la suivante la meute s'enfuyait. C'était aux loups de décider! Le chef de la meute hésitait de la même manière que moi, je le voyais à la modulation de ses babines tantôt rageantes, tantôt timorées. Ces deux possibilités étaient à ce point égales que ni lui ni moi ne bougions, ni même ne ressentions quoi que ce soit de précis, de crainte d'activer un possible et de détruire l'autre. L'indéterminé régnait dans cet étrange bout d'éternité, quand soudain un homme du village arriva à l'impromptu, faisant culbuter accidentellement une pierre, ce qui fit déguerpir les loups. Le temps reprit sa course de sorte que je me suis mis à trembler de tout mon corps. Curieusement, je ressentais le soulagement en même temps que la terreur et non l'un à la suite de l'autre. L'émotion était si extrême qu'elle enserrait ma vie dans ma conscience, me la rendant tout à coup infiniment précieuse. Plutôt que de m'avoir enlevé la vie, les loups me l'avaient rendue plus chère. J'ai fui sur l'heure les frivolités du monde, je voulus m'assurer de mon futur grâce à une vie retirée. Mon père y consentit et j'entrai au monastère. Mais il n'y a pas de retraite en ce monde et tous les futurs restent possibles.

Le doute est ainsi fait qu'il égalise les possibles, qu'il nous ramène à l'indéterminé, comme si de nouveaux commencements surgissaient sans cesse, dans lesquels le passé ne décide plus de l'avenir et où la Providence fait feu de tout bois. Pour un moment, tous les futurs se présentent libres, l'avenir est affranchi. Cependant il n'exercera cette liberté qu'à la seconde où il basculera du possible dans le réel.

Platon a dit que l'origine était un Bien qui contenait dans ses idées tout ce qui sera. Pour lui, le futur ne pouvait être que la manifestation de ce qui est déjà dans l'éternité. L'éternité décide du futur. Aristote le contredit en faisant remarquer que les effets suivent les causes et que, donc, c'est le passé qui décide du futur. «L'homme, faisait remarquer le Maître, a si peur de l'indéterminé qu'il consacre tous ses efforts à empêcher le futur : la science l'assujettit au passé, la philosophie le soumet à l'être, et la morale le réduit aux conséquences de ses actions. Un futur qui ne surprend pas n'est pas un futur, continuait le Maître. Ce serait simplement la projection du présent et la conséquence du passé. Parce que les hommes craignent le futur, ils craignent aussi les femmes. Chaque femme n'est-elle pas une nouvelle origine dans laquelle mille histoires possibles arrivent à égalité? De même que l'homme cherche à dompter le futur, de même cherche-t-il à contraindre la femme. L'intelligence ressemble à une femme, c'est une dynamique dans laquelle le futur se conserve toujours vivant. S'il y a de l'intelligence en Dieu, alors le futur existe et la science n'est plus l'acte de le soumettre, mais un état de dialogue; la philosophie n'est plus une technique pour le réduire mais l'art de l'attendre; la morale ne consiste plus à tenter vainement de le mater, mais vise plutôt à y participer.»

Il disait cela, mais je ne comprenais pas. Aujourd'hui, je perçois que son projet consistait, entre autres, à tenter de ressusciter le futur. Si Platon avait raison et que les formes préexistent, si Aristote disait vrai et que le futur découle linéairement du passé, il n'y aurait pas d'intelligence dans l'univers, il n'y aurait que de l'être et de la mémoire, il n'y aurait que mimes et machines. Le Maître, lui, disait que le Premier n'est pas englouti dans l'être et que, de ce fait, le devenir conserve l'infinité de ses possibles. En somme, l'univers n'est pas une chose mouvante, mais une intelligence flexible. Dieu ne crée pas des choses, il en est incapable, il crée de l'intelligence, de la créativité, des personnes, parce que rien ne peut l'enfermer. C'est ce que symbolise la femme qui seule porte le Verbe. Dieu n'a pas de nom parce qu'il refuse de se fixer ; au contraire, il a un Verbe qui le meut, un Verbe qui ne peut naître que d'une femme. Eckhart croyait au Verbe qui multiplie les modes, qui invente perpétuellement des expressions, qui se poursuit et se désire sans jamais se laisser contenir. Il croyait à la résurrection du Verbe que le dogme tente de tuer en même temps que le futur. C'est pourquoi il a consacré sa vie à délivrer des futurs qui, dans l'avenir, en multiplieront d'autres. Mais, devant lui, je n'ai pas été capable de suspendre mon jugement comme cela est arrivé lorsque la meute de loups me surprit. Je n'ai pas accepté l'égalité des possibles dans un doute tranquille. Je me suis perdu dans la suspicion. Je voulais tenir le futur en laisse, mais il me rattrapa, car lorsque l'homme ferme une porte, Dieu ouvre une fenêtre.

Aussi, le Verbe ruisselle toujours en moi et je n'ai pas détruit ce texte comme je l'aurais dû, et ce texte dans tes mains laisse tout ouvertes et béantes les deux suprêmes trajectoires : l'enfer et le paradis. Telle une meute de loups, mes notes s'en vont dans l'avenir, oui, je le jure, avec le pouvoir d'ouvrir des futurs dont nul ne connaît l'issue.

CHAPITRE PREMIER

La béguine

En l'an mil trois cent vingt-six, après un hiver particulièrement froid, je prends la plume et commence la rédaction de ces notes sans autre souci que de rapporter les faits dont j'ai été témoin. Dieu veuille me donner le courage de la vérité !

Sous les règnes successifs des papes Clément V et Jean XXII, la principauté ecclésiastique de Strasbourg fut envahie par un nombre considérable de béguinages. Il y en avait plus de quatre-vingt-cinq dans cette seule ville. Chaque béguinage forme un enclos groupant des maisonnettes où des femmes pieuses, mais dangereusement émancipées, tentent l'aventure des saints sur des pistes voisines des pestilentielles hérésies. Elles ne doivent obéissance qu'à la Grande Demoiselle, leur chef, qui ne répond qu'à elle-même. Au lieu de vœux, elles ne font que des promesses, simples déclarations d'intention. Elles se disent vierges, mais quelques-unes servent des prêtres de bas étage dont il faut déplorer l'état des mœurs. Elles vaquent à leurs occupations durant les heures du jour, et les portes de leur enceinte se ferment une heure avant le crépuscule. Qui peut alors vérifier ce qu'elles y font ? Les cérémonies, les préparations, les médicaments, les onguents pour les souffreteux, les égrotants qui transigent les plaies sur leur corps contre des ladres sur leur âme. Ces femmes attribuent leur fondation à sainte Begge, ce qui est imposture puisque celle-ci mourut en 694, plus de cinq siècles avant leur fondation.

Ce mouvement a pour effet d'écarter les femmes de la gouverne d'un mari ou de celle d'un monastère dûment assujetti, comme il se doit, à un ordre masculin. Pitié de voir l'errance qui s'ensuit! Il faut un vase pour contenir l'eau, sinon elle se répand et se perd dans l'indétermination : «Indéterminée et indéfinissable est la femme non assujettie», disait le Philosophe. Et si l'indéterminé pénétrait le temps, pourrait-il aller jusqu'à détruire la Cité de Dieu qui déjà, et sur cette terre, nous attend dans le futur? Elle arrivera, cette grande Cité de paix, les uns l'espèrent pour l'an 1500, les autres plus nombreux l'attendent pour l'an 2000. Elle arrivera... À moins que la femme ne fasse tout basculer. Aujourd'hui, c'est la multitude des béguinages qui inquiète. Déjà, en 1250, Matthieu Paris écrivait : «En Allemagne est apparue une multitude innombrable de femmes célibataires qui s'appellent des béguines : un millier ou plus d'entre elles vivent rien qu'à Cologne.» Dix ans après, poursuit Matthieu Paris, les rêves apocalyptiques de l'abbé Joachim de Flore ont entraîné ces pauvres femmes, par essence innocentes et influençables, dans un délire pernicieux. Il apparaît que la peur de la fin du monde et de l'enfer, si par moments elle maintient les femmes dans l'obéissance de l'Église pour leur salut, produit chez elles des vapeurs dans leurs humeurs incertaines qui les font pivoter dans les ténèbres de Satan. Ces Ève délirantes vont ensuite affubler des hommes chancelants de leur lubricité incontrôlable, et la menace se répand comme une gale dans toute la chrétienté, au risque de faire échouer la trajectoire du temps dans une fosse encore plus profonde que celle dans laquelle nous a enfoncés notre première mère.

Des visionnaires, ou se disant tels, se sont levés et sont sortis de Provence, prêchant la pénitence, tandis que des processions de flagellants parcourent l'Italie, le sud de l'Allemagne et la Bohême. Ils se lézardent tout le corps à grands cris contre leurs péchés. La chair contre la chair! Illusion de repentance. Il ne s'agit que de rituels païens, d'émotivité exaltée, d'infestations veules et débridées d'une peste de l'âme. Certes, il y eut Hadewijch, la béguine des nouveaux poèmes qui sut inspirer Pierre de Dacie, honorable dominicain de Suède ayant étudié à Paris et à Cologne avec notre très grand Albert, mais que de chardons pour une seule rose! Heureusement qu'en 1273 l'évêque d'Olomouc, Bruno, assuma ses responsabilités et dénonça cette licence permettant à des filles d'échapper à la fois à la nécessaire obéissance due aux prêtres et à l'indispensable coercition des liens maritaux. D'où le remède qu'il suggérait au pape : «En faire des épouses ou les expédier dans un ordre agréé.» Alors s'est tenu le concile de Vienne où l'on condamna les erreurs des béguines sur leur prétendu état de perfection. «... C'est pourquoi, affirme Sa Sainteté, nous avons décidé et décrété, avec l'approbation du concile, que leur mode de vie doit être interdit définitivement et exclu de l'Église de Dieu.»

Plus près de nous, en 1317, Jean Ier de Zurich entama, le 13 août, une action contre les béguinages. Lors de révoltes, des fidèles indignés mais peu sages, sans autorisation de l'Église, ont noyé grand nombre de ces malheureuses dans le Rhin. Heureusement, l'évêque reprit l'affaire en main, de sorte que les récalcitrantes furent brûlées avec chance de repentir et espoir de miséricorde plutôt que plongées dans le symbole même de leur sexe pour leur perte éternelle. Les autres se soumirent pour la plupart, et des moines de notre ordre ont redoublé d'ardeur pour leur salut. Il nous faut purger dès maintenant le temps de tout ce qui cherche à en faire osciller la flèche.

S'il est normal que Satan s'attaque davantage à la frange la plus chétive du peuple de Dieu, et par lubricité en avale un grand nombre, il n'est pas plus grande et miséricordieuse œuvre que de tenter de la sauver et ainsi d'assurer l'avenir des hommes. Il est louable que les plus sûrs d'entre nous risquent leur propre salut en s'approchant d'elles pour les rendre à Dieu. Il nous faut cependant les supporter au meilleur de notre vigilance.

Il était donc acceptable, quoique exceptionnel, que le Maître lui-même soit envoyé auprès de l'une d'elles qui a chuté dans l'hérésie et se prépare aujourd'hui à se convertir ou à brûler au bûcher. On dit qu'elle est fort aimée du peuple et se destine à devenir Grande Demoiselle à Strasbourg, à Cologne ou même à Bruges. Il fallait l'arrêter et lui proposer par miséricorde un autre chemin. Le Maître était sans doute le mieux placé pour une si dangereuse tâche. N'est-ce pas à ce Maître, qui enseigna contre les franciscains à l'université de Paris puis au Studium général de Cologne, que fut confié, avec l'assistance du lector Nicolas de Strasbourg, le territoire de Teutonia? Le Général avait insisté alors sur la nécessité d'accorder une attention particulière aux beghardi et aux swestriones qui s'appellent eux-mêmes «frères et sœurs de la secte du Libre Esprit et de la Pauvreté volontaire». Il leur prêcha et en sauva plusieurs. Mais aujourd'hui, l'une d'elles, qui s'est fourvoyée et en a entraîné beaucoup dans sa chute, a été rendue à l'Inquisition. Elle se prépare à renoncer ou à profiter du feu pour purifier son âme de façon à pouvoir, Dieu est miséricorde, attraper dans sa chute la frange du purgatoire et ainsi conserver l'espérance du Ciel.

Étant son secrétaire, moi, Conrad de Halberstadt, signataire de ces notes, j'accompagne le Maître pour qu'il ne soit pas exposé au danger de se trouver seul avec une femme, et pour être témoin de leurs dires afin que la sainte Inquisition puisse sceller hors de tout doute la fin tragique de l'errance de cette femme à l'écart du sentier de l'obéissance.

Nous étions au monastère de Strasbourg entre les Cendres et l'Ascension. Les boues de mars rendaient la geôle infecte et délétère. La frêle swestrione menaçait de mourir de colite ou de dysenterie. Ayant sa garde, je l'avais fait mener au dépôt que nous avions dans les combles de la tour, près d'un pigeonnier. Nous nous y rendions.

Nous avions chanté vigiles, le déjeuner avait été particulièrement frugal, non seulement à cause du carême, mais surtout parce que les réserves de légumes s'étaient gâtées plus rapidement que de coutume. Le matin avait beau se faire superbe, il y avait quelque chose d'insalubre dans l'air, comme une odeur de soufre et de putréfaction. Toute la semaine, j'avais prescrit des décoctions de lupin et de camphre pour purger les excès de bile noire dont souffraient plusieurs. Nous soupçonnions la béguine d'être à l'origine de ces maux.

En traversant la cour, à travers les bruits des bœufs que l'on apprêtait pour les labours, j'entendis comme un gémissement étouffé. Mais ce pouvait être tout autre chose. J'ai réputation d'avoir l'oreille fine ; malheureusement le cri ne se répéta pas et les bœufs n'arrêtaient pas de beugler contre le serrement des jougs à cornes qu'on leur mettait. Un peu distraitement, j'abordai le Maître :

– Il convient que je vous rappelle les conseils d'usage.

L'homme âgé s'arrêta et me fit signe de me taire, comme s'il cherchait à discerner un son particulier à travers le bruit. J'étais surpris car le Maître a l'oreille un peu dure et n'avait sans doute rien entendu d'un cri qui aurait pu être n'importe quoi.

– C'était le cri d'une pie, lui dis-je pour le rassurer, je l'ai vue déguerpir quelque part par là-bas.

Il ne pouvait que se fier à mon oreille qu'il savait fine. Il reprit donc son souffle, redéploya son sourire, mais resta un sourcil froncé et une oreille tendue. Le bruit ne se reproduisit pas. Une bête s'approcha de nous, par inadvertance du convers qui l'attelait. Père Eckhart lui tapota le cou, et de l'index me fit signe de continuer.

– Plus la femme est douce au regard, plus il faut la craindre...

Il me fit signe d'avancer et m'interpella avec une goutte d'impatience :

– Non, non, tout cela tu me l'as répété nombre de fois. Conrad, mon ami, je voudrais plutôt savoir autre chose, tu es médecin...

– Vous en avez aussi les connaissances.

– Non, moi j'ai étudié la médecine il y a si longtemps et ne l'ai jamais pratiquée, alors il faut que tu me renseignes. D'où vient, selon la médecine, le danger de la femme ?

Il accéléra le pas. Je crus qu'il voulait simplement s'empresser et me détourner de mon devoir. Alors je lui répondis :

– Oh ! Ne levez pas la garde, Maître. La médecine confirme ce que la sagesse affirme. « Car la sagesse, dit le proverbe, viendra dans ton cœur et la connaissance fera les délices de ton âme. La réflexion veillera sur toi. L'intelligence te gardera, pour te délivrer de la femme étrangère, de l'étrangère qui emploie des paroles doucereuses. »

– Étrangère, dis-tu.

Je n'étais pas pressé d'arriver à la tour et pris le temps d'élaborer ma réponse.

– Oui, répondis-je, tout est là. La femme est une étrangère. Galien le dit par la science des causes : « Au sud appartiennent le chaud et le sec, le feu, l'été, la bile jaune et les tempéraments colériques. À l'est appartiennent le chaud et l'humide, l'air, le printemps, le sang et le caractère sanguin. L'homme est chaud et humide. À preuve, son organisme est capable de purifier les composantes de son corps pour en faire une semence blanche et générative. Mais à l'ouest appartiennent le froid et le sec, la mort, la terre, l'automne, la bile noire et les mélancoliques. Au nord appartiennent le froid et l'humide, l'eau, l'hiver et le flegme. Les femmes, on le sait, sont plus froides que les hommes. Manquant de feu, elles ne peuvent purifier les constituants de leur corps. Au lieu de semence, elles laissent écouler un flux presque noir incapable de produire la vie, à peine capable de nourrir la semence de l'homme. Et lorsque ce flux fait éruption, il empoisonne, donne la rougeole aux enfants et la peste aux hommes faibles.»

Il s'était arrêté de marcher.

– Mais leur lait n'est-il pas blanc et nécessaire à la vie?

– Pardonnez-moi, Maître, mais je constate que votre mémoire faiblit. Le lait vient directement du sang menstruel; certes, il est plus pur que lui mais il reste non génératif, simplement nourricier. Un célèbre distique de Salerne rappelle que la première étape de l'embryon est comme le lait avant que n'apparaisse le sang, plus flou et indéterminé que lui. Dois-je vous rappeler que la femme est plus près du chaos que l'homme? C'est l'homme qui détermine l'organisation de la vie; la femme ne fournit que la matière indéterminée : menstruelle pour le fœtus et lactée pour le nourrisson. Alors que l'homme donne de son cerveau à travers sa moelle épinière et produit une semence capable de déterminer la vie, la femme n'arrive qu'à porter et nourrir cette semence. Ce que l'homme fait en acte, elle le reçoit en puissance; cela est indubitable puisque le Philosophe l'affirme.

– Il me vient parfois des soupçons...

– Oh, combien je vous respecte, Maître. Ne le prenez pas comme un doute à votre propos, non jamais!, mais c'est mon devoir de vous rappeler que de tels doutes originent de notre pente à tous, et je suis là pour vous soutenir comme vous me soutenez. J'ai à l'esprit un argument qui ne peut que vous redonner la certitude et vous rassurer définitivement. Platon dans son *Timée*, je le tiens d'un manuscrit appartenant à Maître Albert lui-même, déclare : «... C'est cette moelle que nous avons appelée dans nos discours sperme. Elle a une âme et elle respire. L'ouverture par laquelle elle respire lui donne la concupiscence vitale de sortir au-dehors. Et c'est ainsi que la moelle a produit l'amour de la génération.»

– Voudrais-tu dire que notre faiblesse pour la femme nous vient de ce que le Galien définit notre force : la virilité de notre semence?

– Oui, en quelque sorte. Maître Albert, qu'il sied d'appeler Grand, dans la *Question sur les animaux*, soutient la thèse d'Avicenne : le sperme est l'aliment parvenu au quatrième stade de purification, la chaleur lui a donné le pouvoir de génération du feu. Mais la femme ne peut qu'atteindre le troisième stade, et encore uniquement dans son lait qu'elle ne peut produire que si l'homme la féconde. Évidemment, l'homme épuise son cerveau, ses yeux et sa moelle à disséminer son sperme; aussi la chasteté est meilleure pour la santé et la subtilité de l'esprit. L'homme marié s'abrutit, mais son sacrifice permet la perpétuation de l'espèce. Pour cette raison, il y a deux grandes vocations : les hommes chastes qui assurent la reproduction de l'esprit et les hommes mariés qui garantissent la régénération des corps. Le premier est plus près du feu divin, et le deuxième, plus près du froid féminin. Après l'homme chaste et l'homme marié vient la femme chaste et, finalement tout près du froid terrestre, la femme mariée. Peut-il y avoir argument plus convaincant?

– Cela convainc, frère Conrad! Cela convainc! Alors prenez garde à votre pente. Car plus vous avez de feu, plus vous risquez de prendre froid, et comme je vous crois chaste, votre chute pourrait vous donner un fort rhume.

Il esquissa un sourire qui allait basculer dans le rire mais se reprit et continua :

– Pour ma part, je crains que l'âge ne m'ait traversé suffisamment et que cette pente ne me mène ailleurs, à

La béguine

quelque chose de plus froid que la femme. Le terme frappe à ma porte. Est-ce péché de m'y laisser incliner? Quoi qu'il en soit, l'humilité devrait nous faire remarquer que c'est bien davantage notre chaleur qui nous pousse à l'impureté que la tiédeur supposée du corps féminin.

– Oh, que non! Vous connaissez le fœhn des Alpes, ce vent chaud et sec qui descend des sommets vers le sud de la Bavière et de la Souabe. Il éclaircit le temps et donne mal à la tête; parfois, il prend une force étonnante : rien alors ne peut contenir l'air chaud et l'empêcher de se précipiter dans les vallées. C'est une terrible chose qui peut casser le blé, arracher le chaume et causer bien d'autres dégâts. Voilà ce qu'il faut craindre : brûlant dans la chaleur de Dieu, être précipité dans les gorges sans fond d'une femme. Si je n'étais pas médecin pour les villages et les campagnes qui entourent notre saint monastère, je ferais vœu de n'en regarder aucune et craindrais d'être touché par un seul de leurs regards poisons. Car lorsqu'elle n'est pas en fleur, le venin de la femme est encore plus subtil, il sort par ses yeux et s'infiltre dans les pores de la peau. S'il n'inflige pas la maladie au corps, c'est qu'il s'est rendu jusqu'à l'âme pour la mordre et la contaminer. Et cela est un fait démontré par leurs capacités à ternir les miroirs et à tuer leurs enfants par la variole, la dysenterie et bien d'autres pestilences. N'avez-vous pas soigné des hommes malades d'amour? Ils ont les entrailles tremblantes, ont peine à respirer, leurs selles deviennent molles, leur vue s'estompe, ils ont des flatulences malodorantes, n'ont plus de force et vont jusqu'à se laisser toucher par la main abjecte de la femme qui les a séduits. Si jamais elle arrive à les toucher, ne serait-ce que du bout des doigts, ils sont perdus, leur volonté les abandonne et ils glissent dans les abysses de la démence amoureuse. Gentile da Foligno nous avertit que, lorsque l'homme ainsi assujetti se laisse toucher, Alwadi est l'humeur invisible qui est expulsée de son méat sans même qu'il ait eu

31

le temps de la contenir. Il est ainsi, à son insu, vidé de sa substance cérébrale et perd une partie de ses facultés intellectuelles. Abêti, il s'approche dangereusement du rang des femmes. Elle ne lui est plus étrangère puisqu'il a perdu le surplus de cerveau qui le tenait au-dessus d'elle. Il peut en venir à ressentir du plaisir à lui parler, et peut même finir par la comprendre. Rares sont ceux qui peuvent remonter d'une telle chute. La femme est une telle pente qu'elle amène l'homme qui s'en approche à oublier le dégoût naturel pour le sexe. Elle le prend dans son esprit pour l'affaiblir, puis dans son corps pour l'abattre. Ne voyez-vous pas, Maître, que deux chemins du temps se présentent à nous : ou la sûreté masculine ou l'incertitude féminine. C'est du devenir de l'humanité que nous parlons ! Que diront de nous les hommes du deuxième millénaire si au lieu d'une Cité de Dieu, ils se retrouvent dans le chaos ?

– Mais, mon ami, si la beauté des formes féminines n'excédait pas les hideurs que tu dis, c'est l'existence même du futur qu'il faudrait craindre, la disparition de l'espèce humaine ; incapables de nous reproduire, nous n'aurions plus d'avenir du tout. Si l'avenir existe, il est libre de ses modes. Un avenir que l'on pourrait déterminer dès aujourd'hui ne serait pas un avenir, mais un passé continu ; une femme qui serait entièrement déterminée par un homme ne serait plus une femme, mais une statue. Quoi qu'il en soit, c'est le propre de la vie de lier le déterminé et l'indéterminé, et cela s'appelle l'intellect. Il importe de sortir des lieux communs grâce à une véritable intelligence de la spiritualité, sinon ce sera tout l'homme qui éclatera. Il sera mortellement divisé : sur un côté l'hermétisme des sectes et le temps circulaire des éternels retours, et sur l'autre une science devenue linéaire avec son futur en queue de poisson. Deux façons de détruire l'intelligence qui empêche l'ouverture des futurs imprévisibles et de leur multiplication. Tu dois craindre bien plus

La béguine

cette division que le dialogue avec la femme. Il se pourrait que les années à venir nous confrontent à chacun de ces deux écueils : religion giratoire des sectes et science rectiligne des logiciens. Sauras-tu te glisser entre les deux ?
J'étais si décontenancé que je ne pouvais répondre.

– Il y a une seule piste qui nous permet d'avancer en toute confiance dans le futur divin, le vrai futur, celui que l'on ne peut fermer, c'est le dialogue, Conrad, le simple dialogue. En es-tu capable ?
Je haussai les épaules tant la réponse me parut évidente.

– Il faudra peu de temps avant que tu n'aies l'occasion de démontrer que tu en es capable. Pour ma part – est-ce l'âge et l'usure de ma pauvre intelligence ? –, je comprends un peu plus les femmes aujourd'hui que dans ma jeunesse, et j'ai la conviction de m'enrichir auprès d'elles. Quoi qu'il en soit, le Verbe est le Dieu de l'égalité, non de la domination, de l'humilité, non de la prétention, de l'intelligence, non des savoirs.

– Mais, Maître, quelle différence faites-vous entre le savoir et l'intelligence ?

– Tu as peut-être des savoirs sur les femmes, mais tu ne m'en proposes aucunement l'intelligence. On ne peut intelliger la femme, en avoir l'intelligence, sans changer de point de vue, et on change de point de vue en osant converser. Converser, connais-tu ce mot ? Il n'a pas même racine que conversion : *conversari* signifie fréquenter, *conversio* veut dire retourner. L'intelligence nécessite les deux. Les savoirs conservent, l'intelligence se convertit en conversant !

– Mais la vérité !

– Un savoir ne peut pas être vrai, toutefois certains savoirs sont moins faux que d'autres. Mais, Conrad, il faudra que tu me dises un jour pourquoi la crainte des pouvoirs de l'intellect est à ce point associée à la crainte des femmes, à ce point associée que ceux qui combattent l'intelligence du spirituel sont toujours aussi ceux qui

33

combattent l'égalité des femmes! L'Inquisition pourchasse et les béguines et les philosophes, elle pourchasse ce qui peut induire de l'incertitude dans le temps, c'est-à-dire l'intelligence et l'art. Si elle détruit l'intelligence et l'art, c'est la division de l'homme... Mais je t'ai déjà dit cela bien des fois.

Il donna une tape amicale sur la fesse d'un bœuf qui fit un soubresaut et nous éclaboussa de vase en quittant la cour pour le champ. Le Maître s'esclaffa d'un grand rire d'enfant comme il en faisait de temps à autre depuis que l'âge avait commencé à ronger sa mémoire, et continua sur un autre ton :

– Que ton discours, frère, nous vienne en aide à tous les deux. Dieu nous garde de nos faiblesses qui, je crois, résultent davantage des images que nous entretenons sur nous-mêmes et sur les êtres que de la température des corps. Si l'âge nous rend un peu plus froids, nous avons moins de chance d'être emportés par le bas, n'est-ce pas?

– C'est rassurant, mais...

Je n'eus pas le loisir de continuer, il m'interrompit :

– En effet, il n'est pas dans la nature du froid de se précipiter dans le froid. En revanche, l'âge peut figer les idées et obstruer le chemin. Au tard de la vie, nous devons davantage nous méfier des idées qui se cristallisent que des feux qui s'éteignent. Allons rencontrer sans inquiétude cette femme. Pour ta consolation, Herman de Summo, qui lui a enseigné le catéchisme alors qu'elle n'avait pas encore sept ans, m'a affirmé qu'elle apprenait plus vite qu'un garçon...

– Elle est simplement plus curieuse...

Il me fit signe de me taire, mais cette fois en serrant les mâchoires sous l'effet d'une de ses rares manifestations d'impatience.

– Le proverbe ne dit-il pas, frère Conrad : «On peut hériter de ses pères une maison et des richesses, mais une femme intelligente est un don de l'Éternel»? Dans ce corps que l'on dit un peu plus froid que le nôtre existe une fille de Dieu. C'est elle qu'il nous faut consoler.

– Consoler! Que dites-vous! Mais cette femme est...

Il se retourna, leva le doigt avec autorité pour me faire taire à nouveau. Cependant il m'était impossible d'arrêter mon esprit de plus en plus agité. Mon Maître ne semblait pas comprendre que cette «fille de Dieu», comme il disait, était non seulement une femelle, mais aussi une hérétique et peut-être même une chiromancienne, une thaumaturge, une sorcière, voire une Circé vendue au diable. On le dit! Ne connaît-il pas leurs pouvoirs? Leurs yeux et leur langue peuvent enjôler le plus preux. Dans leur chair en apparence saine se cache non seulement la mort mais aussi les premiers souffles de l'enfer. Ces misérables sont déjà larvées de vers et d'asticots, elles bougent et s'agitent non par elles-mêmes, elle n'en ont plus la force, même sous le pouvoir de Satan. Il ne faut jamais briser leur enveloppe corporelle avant de les brûler de peur que leurs entrailles à demi décomposées ne se répandent entraînant partout la peste ou le typhus. Mais cela n'est rien à comparer de leur pouvoir sur l'intellect dont elles tordent la logique même. Elles peuvent rendre raisonnables les pires contradictions et aveugler l'homme devant les plus évidentes affirmations des Pères ou même des Évangiles. Un homme ainsi affecté peut en arriver à enchaîner des tirades à formes syllogistiques mais qui mènent à l'inanité du monde, à la défroque de Dieu, à la vassalité de l'homme à ses plaisirs. À l'inverse, il n'arrive plus à comprendre des raisonnements aussi simples que ceux de Galien au sujet des femmes...

Il s'arrêta, nous étions dans les escaliers de la tour. Je sentis qu'il souhaitait prendre un moment de silence. Ce qu'il fit. Il sembla s'absorber dans une étrange méditation, esquissa peu à peu un discret sourire de ses yeux délicatement bridés et presque noirs. Son regard plongeait à travers un créneau de la tour d'où il semblait retirer des merveilles.

– Respire un peu, mon ami. Regarde comme le printemps est merveilleux et doux.

Je m'approchai pour regarder à mon tour dans l'archère. Je haussai les épaules, il n'y avait rien que la campagne.

– Certains aiment imaginer Dieu, continua-t-il, moi je préfère le boire et le manger.

– Mais il n'y a rien dehors. Des champs, des paysans, c'est tout, lui répondis-je.

– C'est bien cela. Il y a ce que tu dis, mon frère, et c'est beau comme le ciel !

On dit que le Maître est un saint et qu'il a des visions. Sans doute a-t-il vu un ange ou peut-être la Vierge Marie...

– Que Dieu te garde de l'envie, frère Conrad, poursuivit-il, comme s'il avait deviné mes pensées. Les apparitions sont la nourriture des incroyants, la majesté de l'univers est un bien meilleur menu.

Il ouvrit la porte, une lame de lumière le força à fermer un moment les yeux. Le matin était vraiment superbe. Je me retournai immédiatement afin que le regard de la femme ne me touchât pas, et je m'assis sur la dernière marche, dos à la pièce. Il me suffisait d'entendre et de noter, en priant les saints de préserver mon âme. Lui hésita un instant, sans doute à cause de la lumière ou par simple prudence. J'entendis la femme gémir, mais si subtilement qu'il fallait être fin d'oreille pour discerner la plainte à travers les piaillements des pigeons que l'on avait sans doute dérangés. Il pénétra finalement dans le dépôt et poussa un cri qu'il aurait sans doute voulu contenir. Sans réfléchir je me levai pour voir : la jeune femme était nue, son blioud à ses pieds.

– Apporte-moi immédiatement de l'eau, me demanda-t-il.

– Mais rhabillez-la, Maître, lui dis-je presque en criant.

– Ne vois-tu pas ces lacérations qui lui couvrent tout le dos ? Est-ce toi qui l'as fait battre ainsi ?

– Mais, Maître, il est coutume d'affaiblir une prisonnière avant qu'elle ne rencontre son confesseur.

– Est-ce la manière ? demanda-t-il. Ils ont battu cette femme avec une discipline à boules de fer.

– Non, non, j'ai ordonné simplement de la battre au crin sans la déshabiller ainsi. Son sang aurait pu éclabousser les frères que j'ai envoyés pour l'affaire et provoquer une épidémie. Déjà la fièvre mine nos forces, il ne faudrait pas y ajouter la peste ou la lèpre...

– Tais-toi et apporte de l'eau.

Il y avait près d'une corniche un vase servant à la faire boire. Il m'ordonna de laver ses plaies, mais je tremblais à l'idée qu'elle puisse jeter son regard sur moi ou que je sois souillé de son sang. Il continua lui-même l'opération en m'enjoignant d'aller chercher des huiles et des onguents. Je me précipitai à l'officine pour revenir le plus rapidement assister le Maître qui dut un long moment affronter seul le danger. De retour, il alla à la fenêtre pendant que je mis les onguents sur les blessures de la femme. Je voulus recouvrir sa nudité, mais il prit lui-même la robe et recouvrit la jeune femme avec une douceur hors de convenance. Une larme glissa sur sa joue, il semblait triste et presque abattu. Il ne cessait de répéter :

– Pourquoi ? Pourquoi ? Quelle folie ! Quelle sottise !

Je sortis le plus tôt possible et repris ma place sur la dernière marche de l'escalier. J'étais prêt à noter tous les détails de la confession, mais ils ne parlaient ni l'un ni l'autre. Finalement, c'est elle qui ouvrit la bouche en premier.

– Vous êtes bien, je l'espérais tant, le Maître qui vint nous enseigner, il y a déjà trop longtemps, à notre béguinage.

– Tu n'es en rien obligée de me parler ma fille. Reprends plutôt ton souffle et apaise ton cœur, répondit le Maître.

−Vous nous aviez dit de si belles choses.

Dans l'obscurité et le silence, avec un peu d'attention, on pouvait ouïr des sons d'une extraordinaire subtilité qui venaient dessiner des images plus intérieures, plus justes que les faits eux-mêmes. Je percevais le Maître qui plongeait dans les souffrances de la femme comme un canard dans un lagon. Il s'y enfonçait pour en resurgir avec des alevins pleins d'espoir qu'il lui donnait. On eût dit qu'il voulait lui montrer le chemin des fosses qui, au plus profond de nos douleurs, foisonnent d'aliments. Il prit une voix très douce :

− C'était un si bel endroit et la Grande Demoiselle, si fidèle à la prêche! Mais le supérieur général, Barnabé de Cagnoli, préférait que je limite mes visites...

Le Maître devait pleurer, je n'en étais pas sûr, mais il y avait quelque chose de si triste dans le silence qui éloignait les phrases les unes des autres, qui les dispersait comme une volée d'oiseaux, qui les défaisait comme de la laine emportée par le vent. Ils se parlaient à même le silence, en agitant la tristesse pour en faire des mélodies car, devenue musique, l'amertume éveille de nouvelles joies. Mais était-ce de la tristesse d'homme ou bien la simple mélancolie naturelle des femmes dans laquelle le Maître risquait de se perdre? Moi-même je tremblais sans trop en connaître la raison. Pouvait-elle m'emporter dans sa langueur? L'hiver avait été très dur pour mes rhumatismes, et mon devoir m'apparaissait en ce jour si accablant. Non, je devais faire confiance au Maître, il connaissait les femmes et leur bile noire; il pouvait vaincre des mélancolies et des atrabiles encore pires. Il fallait beaucoup de charité pour un tel risque et de la charité, il en avait. Il y avait même quelque chose de sacré dans ce qui se passait là, dans ce silence. Je me demandais si vraiment je devais tout noter! Par moments cela m'apparaissait sacrilège. Heureusement l'obéissance me ramenait à mon devoir. Le général m'avait bien dit de tout noter, jusque dans les moindres détails.

C'est elle qui semblait maintenant consoler le Maître :

– Ne soyez pas triste, doux Maître. Oh non! Réjouissez-vous plutôt.

– Mais regarde-toi mon enfant, tes blessures…

– Oubliez ces souffrances, lui répondit-elle. Souriez plutôt avec moi, il y a longtemps que la coupe a débordé et que j'ai lâché prise. Je ne souffre plus. Souffre-t-on d'une piqûre de mouche lorsque l'on a été transpercé d'un glaive! Je suis devenue, avec l'aide de Dieu, étrangère à mon corps, étrangère à ce monde. Le monde ne sert à rien. Ce n'est pas le monde qui a été sauvé. Voyez vous-même : la peste et les rats, la haine et la folie, la guerre et le sang… Non, ce n'est pas le monde qui a été sauvé, c'est le cœur des hommes et des femmes qui reçoivent Dieu. La souffrance nous purifie, nous aide à nous détacher du corps afin que nous puissions retourner chez nous, dans l'esprit, car Dieu est esprit. Un être pur ne revient plus ici dans cette chair et dans cette souffrance.

C'était tout à fait le discours de la secte du Libre Esprit, exactement ce qu'il me fallait noter et rapporter au Général qui, lui-même, le transmettrait à l'Inquisiteur. Mais le Maître s'en rendit compte et intervint :

– Que racontes-tu là, mon enfant! Tu ne sais pas ce que tu dis! La fièvre t'emporte. Tu répètes sans rien y entendre le manifeste de la secte du Libre Esprit. N'en sais-tu pas le prix?

Je perçus un bruit, comme si elle s'était laissée choir à genoux dans la paille, et peut-être osa-t-il lui chuchoter à l'oreille les raisons de ma présence.

– Repose-toi un moment, finit-il par dire.

Elle ne voulut pas de ce repos et continua :

– Qu'importe que l'on me condamne comme on a condamné Jésus. Qu'ils achèvent ce sacrifice commencé dès ma naissance! Je veux boire la coupe et ne plus revenir.

– Je vois que tu es blessée bien plus profondément qu'il n'apparaît. Que t'ont-ils donc fait?

– En ce monde de péché, une fille n'échappe que rarement à la brutalité, répondit-elle.

– Surtout lorsqu'elle est gratifiée d'une beauté dont on parle dans tout le canton.

– C'est bien pour souffrir davantage.

– Que les hommes ont de faiblesse et de violence!

– Le corps n'est qu'une tombe, et si parfois le cercueil donne belle apparence, ce n'est que traquenard...

Il y eut un long silence.

– Grâce à cette souffrance, répondit-elle enfin, j'ai traversé de l'autre côté. La beauté périssable a été pour moi une calamité, mais cette calamité s'est transformée finalement en bénédiction, elle m'a poussée du côté éternel des choses. Cette vallée de larmes ne m'attire plus, je n'y reviendrai pas...

– Crois-tu vraiment qu'il y ait deux côtés?

– Vous nous l'avez enseigné. Vous parliez d'une cime de l'âme. Cette cime est si totalement simple, si transcendante à ceci et à cela, à tout mode corporel ou même incorporel, que ni puissance, ni femme, ni homme ne peut jamais y jeter un regard, à moins de s'être perdu lui-même...

– Tu as bonne mémoire, mon enfant, cependant tu répètes simplement, tu répètes sans comprendre...

– Mais, Maître, j'en ai fait l'expérience.

– Je crains que tu ne confondes l'expérience spirituelle avec l'expérience émotive. Les souffrances peuvent amener les femmes comme les hommes à des états étranges, jusqu'à la dissolution momentanée de leur conscience du réel, mais cela n'a rien de spirituel. La véritable spiritualité n'est pas un état d'ivresse, mais au contraire de pleine lucidité.

– Il y eut un temps où je souffrais beaucoup, mais j'ai appris à quitter ce corps.

– Chut! chut! marmonna-t-il, je ne suis pas seul.

Le Maître faisait tout pour la ramener au bon sens et lui éviter de se dénoncer elle-même, mais elle continuait de plus belle :

– C'était l'œuvre de Dieu, non de la nature.

– Il aurait fallu penser le contraire...

– Non, non. Cette délivrance est de Dieu. La sensation ne m'a donné ni l'espoir de vivre ni l'espoir de mourir. Dans cet état où le vivre et le mourir ne sont plus séparés comme dans cette vie charnelle, je fus remplie du sentiment de la sainte Passion. Je souhaitais que les souffrances de Jésus devinssent miennes, avec compassion et soif de Dieu. Je voulais être immolée en holocauste pour le salut des hommes. Je désirais être flagellée, battue et humiliée. Je souhaitais souffrir avec Lui autant que Dieu m'en ferait grâce...

– Qui t'a donc blessée à ce point qu'aujourd'hui te voilà si confuse et emmêlée? Je t'en prie, restes-en là pour le moment! Repose-toi, mon enfant. Je veillerai à ce que l'on ne vienne plus t'importuner.

Et il se retira sur-le-champ. Pourquoi n'avait-il pas continué l'interrogatoire? Dans sa confiance, elle aurait sans doute raconté tout le reste : les rituels, les incantations, les cérémonies, les transes, les embrassements des démons, l'accouchement des avortons du diable, l'effilochage de la raison dans l'humeur féminine, la dissolution de l'humanité dans la fange océane des Enfers...

Il attendit d'être dans la cour avant de parler. Il regarda tout autour, et lorsqu'il fut certain qu'il n'y avait personne :

– Conrad, mon secrétaire, tu es de ceux en qui j'ai confiance.

– Je ne vous trahirai jamais, répondis-je sans même attendre que les mots aient le temps de toucher quelque fond de vérité.

– Je ne suis pas certain que tu comprendras mes faits et gestes dans les jours qui viennent. M'as-tu déjà compris? Mais tu me seras loyal, n'est-ce pas?

– Je sers l'Église.

– L'obéissance chez toi est rassurante. Je te prie d'être discret en tout et de ne parler à personne de la démarche que je te demande.

– Mais quoi donc, Maître?

– Cette femme n'a pas seulement été sauvagement battue, ceux qui l'ont frappée ont profité d'elle.

– Que dites-vous là, Maître?

– Ne fais pas mine de ne rien comprendre.

– Vous croyez qu'elle a réussi à entraîner un de nos moines dans sa lubricité...

– Ouvre les yeux, Conrad, ouvre donc les yeux. Deux hommes sont montés, peut-être avant laudes, ils ont battu et violé cette femme non à cause de sa concupiscence à elle, mais à cause de la leur, à eux.

– Mais ce que vous dites n'a aucun sens...

– Qu'importe, je t'ordonne d'enquêter sur ce crime. Tu me rapporteras les noms des coupables, et veille à ce que cela ne se reproduise plus, tu entends? Tu as la garde de cette femme et je t'en tiendrai personnellement responsable.

Il me fut aisé de vérifier les événements de la veille mais je n'en dis rien au Maître. Le lendemain, assis sur la dernière marche de la tour, je prenais note de la suite de la confession. Il vérifia la santé de la prisonnière, la consola un court moment. Les onguents l'avaient soulagée, elle se sentait plutôt bien. Il lui permit cependant de s'asseoir, ce qu'elle fit. Puis elle vint pour s'élancer naïvement dans sa confession, c'est alors qu'il la retint encore :

– Katrei, je te prie, cesse d'attiser un feu qui pourrait te perdre. Les souffrances que l'on s'impose font horreur à Dieu.

– Je suis prête pour ce sacrifice, je veux ressembler à Jésus, à Jésus crucifié qui est venu nous sauver. Ce corps mérite de souffrir, il est une honte. Jésus a-t-il eu pitié de son corps? Non, il a voulu souffrir et souffrir encore pour nous sauver de nos péchés. Moi aussi je dois pâtir et me laver avec mon sang. Je veux brûler sur le bûcher. Qu'on me brûle, qu'on en finisse! Je ne reviendrai plus, je serai libre.

– Ô Dieu du ciel, qu'avons-nous fait du Verbe, du Logos, de l'Intelligence divine! Qui a bien pu pervertir à ce point la signification de sa vie, l'inverser aussi radicalement! Lui qui est la sagesse est devenu la folie, lui qui est la justice est devenu l'injustice, lui qui est la bonté est devenu la débilité. De l'aigle on a fait un mouton! Sa mort ne fut pas un rituel d'immolation en vue de satisfaire la vengeance d'un dieu à la barbe blanche et aux colères de feu. Il a été victime de notre peur du Verbe. Ce n'est pas par des rites sacrificiels que tu sauveras qui que ce soit, ni toi-même ni ceux qui ont abusé de toi! C'est une insulte à Dieu et au simple bon sens. Embrasser le christianisme, c'est accepter de passer par le Verbe pour aller jusqu'aux profondeurs du spirituel; cela veut dire traverser la plus pure perspicacité et non se laisser emporter par une émotivité blessée; cela veut dire passer par la plus solide rigueur et la plus courageuse science pour rejoindre ce qui les dépasse. Mais toi, tu veux y arriver en immolant le Verbe en toi, le désir de vivre, la nécessité de penser!

– Mais, Maître, je n'ai plus besoin de réfléchir avec ma tête...

– Tu as appris par cœur toutes les leçons de Marguerite Porète qui fut brûlée à Paris un terrible après-midi de 1310. J'étais là, c'était horrible : une biche ligotée dans le feu. Elle non plus ne s'était pas ligotée elle-même, d'autres l'avaient ligotée en manipulant son esprit. Je sais bien que tu ne parles pas de toi-même, tu répètes simplement. À travers tous les siècles et malgré la diversité des modes, les sectes servent trop souvent de refuge aux éclopés du cœur; elles proposent une spiritualité du cœur en rupture avec la raison, mais c'est en fait une perversion du cœur...

Il s'arrêta soudain, fit quelques pas nerveux et continua :

– Tu es envoûtée, absente de toi-même. Alors, pour le moment, réponds simplement à mes questions, sans plus.

Il dut s'asseoir juste en face d'elle. Sans doute plongeait-il ses yeux sombres et profonds dans les siens comme il le faisait parfois avec ses élèves, sans aucune complaisance, mais avec une bonté parfaitement droite :

– De quelle façon t'es-tu retrouvée à l'école du monastère? interrogea-t-il.

– Ma mère est morte tout de suite après la naissance de mon frère Albéron, je n'avais pas tout à fait cinq ans. C'était en juillet, je m'en souviens, il y avait une crevasse dans la colline juste au nord de la chaumière; j'y ai couru, m'y suis cachée. J'étais si perdue, j'avais si peur. J'ai pleuré je ne sais pas combien de temps. J'ai dû m'endormir. Au cri du coq, je n'avais plus de larmes. Je crois que je n'ai plus jamais pleuré. C'est là que j'ai eu le don.

– Le don! s'étonna le Maître.

– Il y avait une chatte qui devait mettre bas, je voyais ses petits dans son ventre et leur couleur aussi. Je le dis à ma grande sœur, et quand la chatte a accouché, elle a eu très peur parce que tout ce que j'avais dit était vrai. Si une femme porte un bébé, je vois la position du bébé. Une vache est-elle sur le point de vêler, je peux dessiner les taches de la toison de son veau.

– Un don n'est rien en soi, interrompit le Maître, ce qui importe c'est son usage...

– On m'a encouragée à développer ce don et à l'utiliser toutes les fois que c'était possible, répondit-elle.

– Qui donc?

44

– Herman de Summo et aussi Guillaume de Nidecke, ceux qui m'ont enseigné. Ils voulaient m'aider à développer ce don.

– Ils voulaient plutôt te rendre suspecte de sorcellerie dès le départ. Est-ce eux qui t'ont demandée à ton père?

– Mes sœurs étaient bavardes; avant mes sept ans, tout le comté connaissait mon don. Les sages-femmes faisaient appel à moi. De sorte qu'un moine vint pour vérifier si mes visions venaient du diable ou de Dieu.

– Et quelles furent les questions du moine?

– Il me demanda l'origine du don. Je lui ai répondu que je m'étais cachée dans une petite caverne, du côté du septentrion, parce que j'avais perdu ma mère. Une odeur suave, celle de ma mère, se répandit dans l'antre. Je fus si transportée de joie que je me suis mise à rire. Maman me dit: «Toujours tu me verras et bien d'autres choses invisibles aussi.» Je ne vois jamais maman, mais je sens très souvent son odeur et j'ai d'étranges visions. Le moine me dit qu'il ne savait pas si mon don venait de Dieu ou du diable, mais que, s'il venait de Dieu, j'allais le suivre et l'écouter, et s'il venait du diable, j'allais fuir et le trahir. Alors je l'ai suivi.

– Ce moine était bien Herman de Summo, dominicain comme moi? interrogea Eckhart.

– Oui, évidemment.

– Mais il est rare qu'une enfant soit prise gratuitement au couvent, et surtout une fille.

– J'avais le don, c'est pour cela qu'ils m'ont instruite. Il fallait presque chaque jour vérifier si j'étais possédée du diable ou de Dieu. Mon père ne pouvait nous faire tous vivre, mon frère, mes deux sœurs et moi. Il était heureux de me savoir en sécurité. Il est venu quelquefois dans l'espoir de me rencontrer, mais les pères ne lui en donnaient jamais la permission. Ils disaient que c'était un rustre et qu'il pouvait gâcher mon instruction.

– Et que faisaient-ils pour vérifier si le don venait de Dieu ou des démons?

Elle ne disait rien, ne bougeait plus, ne respirait plus, je n'entendais que la respiration fibreuse du Maître.

– Je suis un vieil homme, Katrei, et ne crains plus la réalité toute crue. Le monde des hommes m'apparaît un point de départ bien bas et bien pauvre, mais pourtant bien plus solide et bien plus valable que n'importe quelle illusion. Alors parle-moi franchement. Une aussi jolie petite fille quelque peu déséquilibrée par le décès de sa mère n'est pas forcément entrée au catéchisme par la bonne charité de moines désintéressés.

Ces dernières paroles s'étaient enfoncées dans un silence qui prit une lourdeur effrayante. Ce silence mortel se prolongea un temps qui me parut interminable. Les pigeons avaient fui, le bruit des labours n'était plus audible, le vent semblait se retenir, la respiration du Maître s'effaçait. On aurait dit que le temps s'était solidifié et qu'il en sortait des souvenirs de pierre. Ma plume restait suspendue et une goutte d'encre tomba sur le parchemin. La tache était effrayante et, pourtant, je n'arrivais pas à m'enlever l'image de la jeune fille nue et si frêle dans la lumière. J'étais prieur au couvent lorsque Herman et Guillaume y enseignaient. Le démon connaît toutes les ruses. Par un charme, la petite fille avait dû subtilement s'introduire en eux et les avait vaincus. Dieu sauve leur âme! Et maintenant elle était dans mes entrailles à moi comme un cheval de Troie. La beauté de son emballage risquait sans cesse de dévider dans mon cœur ses troupes et ses meutes maléfiques : désirs et concupiscences les plus hideuses. Dieu me préserve! Malheureux! J'ai refusé de voir la chute de mes propres frères Herman et Guillaume. Aujourd'hui, puis-je tenir mes yeux grands ouverts et rester fermé aux femmes! Il me serait plus facile de vaincre les diables sous l'apparence de Turcs ou de Maures que dans une voilure si douce. Que Dieu nous préserve de la femme! Le Maître interrompit ma rêverie :

– Que faisaient-ils?

– Je ne sais pas, finit-elle par dire en pleurant, je n'étais pas tout à fait là lorsqu'ils le faisaient.

– Ils mettaient un bandeau sur tes yeux, continua-t-il à sa place, et quand ils relevaient ta robe, tu avais si peur que tu perdais connaissance de la suite.

– Vous avez le don, Maître!

– L'âge et l'observation des hommes peuvent aisément compenser l'absence de don. Mais réponds-moi encore, qu'est-ce qui leur permettait de savoir si tu étais habitée d'un diable ou d'un ange?

– Les diables, il faut les fuir, ils sont dans le corps, ils se tortillent dans le corps qui n'est que saleté. Si je veux rester bonne, je les laisse châtier mon corps, mais ne les laisse jamais entrer dans mon esprit. Ils ne faut pas que je les voie, que je porte attention à leur présence. En plus, les démons parlent toujours et disent des choses obscènes, des choses qui ne se peuvent pas, alors il ne faut jamais les répéter.

– Si je comprends bien, les démons pénétraient dans ton corps, mais il ne fallait pas que tu le dises, il ne fallait même pas que tu te l'avoues à toi-même.

– Si on se l'avoue à soi-même, c'est qu'ils ont pénétré dans l'esprit, et s'ils pénètrent dans l'esprit, ils y transportent des images horribles et sales.

– Tu peux me décrire une de ces images?

– Non, je ne les ai jamais écoutés, je n'ai jamais laissé une image se former.

– Alors fais attention à ceci : ce ne sont pas les démons qui te pénétraient et qui te châtiaient, ce sont eux, Herman et Guillaume. Ils t'ont menti pour que tu ne les dénonces pas. Ils ont profité de ton innocence. Ils ne voulaient pas que tu les voies, ils ne voulaient pas que tu saches que c'étaient eux. Mais tu le sais! Au fond de toi tu t'en souviens car on ne ligote jamais totalement la conscience, il y a toujours quelque chose qui sait.

Le discours du Maître devenait incompréhensible. C'est elle qui pénétrait d'abord dans ces deux pauvres moines, qui attisait leur concupiscence. C'est elle qui les faisait agir ainsi. Elle les utilisait pour se donner des plaisirs ignobles. Pourquoi le Maître cherchait-il à étouffer les nombreux péchés de cette femme, une hérétique qui s'était agrippée à la robe de saints moines pour les faire tomber dans ses propres vices... Aurais-je eu les yeux ouverts au moment où il le fallait que je l'aurais châtiée moi-même au fer et au feu...

C'est Katrei finalement qui corrigea le Maître :

– Mais, Maître, répondit-elle, je vous l'ai dit, Dieu m'a donné un don, mais la nature, une tare. S'il y a un creux dans une cour, l'eau vient s'y transformer en boue. C'est la beauté de mon corps qui les attirait. Ce sont eux qui étaient envoûtés par mon corps de femme. Il fallait blesser ce corps, le punir.

– Quelle honte pour notre communauté! Comment ont-ils pu aller jusque-là dans leurs brigues et leurs machinations, prendre et conserver ainsi tant d'emprise sur toi. Et voilà que toi, tu t'accuses de leurs péchés à eux, et si je n'arrive pas à te faire entendre le bon sens, tu risques de te condamner toi-même devant un tribunal qu'ils ont saisi eux-mêmes. Tu te laisseras brûler pour sauver leur pauvre âme. Mais si tu veux vraiment les sauver, donne-leur la vérité, ne perpétue pas leur mensonge. Ce mensonge les a chassés d'eux-mêmes, c'est la pire des calamités. Si tu es encore capable d'un peu de pitié pour ces misérables, donne-leur leur vérité et leur responsabilité.

Elle dut se rendre compte du non-sens des paroles du père Eckhart et se tut. Au bout de quelques instants, le Maître sortit sèchement; il semblait furieux. Je ne l'avais jamais vu ainsi. Ce n'était pas un simple souffle d'autorité qui l'animait comme il en avait parfois pour imposer par crainte ce qu'il ne pouvait faire comprendre par raison. Non, c'était un volcan qui semblait vouloir brûler et ensevelir tout le monastère et peut-être le monde entier. Il prit de profondes respirations, du moins les meilleures qu'il put à travers un début de phtisie qui se faisait de plus en plus oppressante. Tout en bas de l'escalier, dans l'espoir de réduire sa colère, j'osai lui chuchoter :

– Cette femme n'est pas si folle. Elle connaît sa faute et nous évitera le déshonneur.

C'est alors qu'il empoigna ma soutane avec une force terrifiante. Mais il prit une respiration, une autre encore plus profonde et une autre, et finit par dire :

– Tais-toi, Dieu du ciel, tais-toi, tu ne sais pas ce que tu dis. Un homme n'est pas un tronc mort qui tombe par la simple force de son poids, ni une feuille détachée d'un arbre et qui virevolte dans des tourbillons qui ne vont nulle part. Un homme c'est une terrible liberté, et si grande qu'il peut choisir de s'abjurer lui-même. Ces criminels se sont d'abord niés avant de la nier. Ce n'est pas cette femme qui a péché, c'est nous tous par l'épaisseur d'argile qui nous recouvre les yeux. Ce n'est pas elle qui portait le bandeau, c'est nous, et je vois bien que tu le portes encore. Va me chercher ces deux-là. Non seulement ils ont profané cette enfant, mais ils ont perverti sa pensée au point où elle ne peut plus se défendre ni devant les hommes ni devant le tribunal qui s'apprête à la condamner.

Je n'osai répondre, mais priai Dieu de tout mon cœur pour qu'il assiste le Maître et le redresse dans sa chute. Elle était sur le point de l'emporter avec elle. Dans ma prière, il y avait l'image de la jeune femme attachée au poteau dans une lumière dont je ne comprenais pas l'impertinence, une lumière qui aurait dû la fuir. Heureusement, l'image fut brève et tout de suite la raison me replaça sur mes gardes.

La veille de Pâques, le Maître insista pour que je précipite l'enquête sur les moines qui avaient succombé au charme de Katrei en la châtiant un peu plus qu'ils ne le devaient. Et il exigea que Guillaume de Nidecke et Herman de Summo lui soient amenés. Il insista avec une telle autorité et une telle urgence que j'ai dû lui annoncer la veille ce que je devais lui apprendre le lendemain, après la messe du saint Jour.

– Maître, lui dis-je, le supérieur général vous fait demander à Cologne dès que possible.

– Je termine ma visite ici et rentre à Cologne le mois prochain comme prévu.

– Il vous faudra, je crains, partir dès votre messe de Pâques terminée, c'est l'ordre écrit du supérieur général.

– Il me faut rencontrer ceux qui ne sont pas dignes de notre ordre et voir à ce qu'ils soient chassés; de plus, il me faut continuer d'entendre la jeune détenue avant qu'on ne la condamne. Est hérétique non celui qui se trompe de route, mais celui qui, en connaissance de cause et après avoir été correctement instruit s'entête sur un chemin de déchéance et en entraîne d'autres avec lui. Katrei est innocente, mais son âme est confuse et mérite consolation et rectification. C'est mon plus grand devoir. Alors je pars pour Cologne à la date prévue.

– Maître, cela est impossible!

– Et pourquoi donc?

– Ceux que vous désirez chasser, ce sont ceux-là qui vous font demander à Cologne. Ils ont produit une demande à l'archevêque, Henri II de Virnebourg, pour que soient étudiés certains de vos enseignements suspects. Ils vous attendent là et vous devrez vous justifier devant eux.

– Jamais! répondit-il sèchement.

Il prit une respiration si profonde et si lente que je crus qu'il allait s'effondrer. Il fut un moment comme paralysé. Il reprit doucement son souffle. Au bout de quelques instants, il enfonça son regard dans le mien et le fit si longtemps que je ne pouvais plus le supporter. Il semblait capter en moi des images que je ne voyais pas moi-même. Finalement, il rompit sa contention :

— Le paysage s'éclaircit, oui, il s'éclaircit et se montre enfin. Dis-moi, tu avais ordre de prendre note de l'interrogatoire non seulement pour sa condamnation à elle mais aussi pour la mienne, n'est-ce pas ?

— Maître, j'ai obéi à mon supérieur général comme vous le faites chaque instant. En aucun cas, je n'ai craint pour vous, et pas même après avoir entendu vos hésitations devant la diablesse. Herman de Summo et Guillaume de Nidecke vous en veulent parce vous n'avez cesse de leur faire reproche sur tout.

— Ils méritaient pire, et autant toi que moi sommes coupables d'une tolérance bien plus insane que chrétienne. Le résultat de cette tolérance est là, dans la tour, et remet en question nos lieux communs, nos conceptions de la nature et nos opinions morales.

— Mais ils ne peuvent rien contre vous. Vous avez une conduite irréprochable depuis toujours, vos prêches, quoiqu'un peu emportés par moments, sont d'une orthodoxie incontestable. Ce n'est là qu'une occasion d'affirmer vos idées et de les faire confirmer et si...

Je voulus retenir le reste de ma phrase mais il ne me le permit pas.

— Si... si par malheur et sans mauvaise volonté de votre part, certaines expressions sont jugées malsonnantes, il vous sera facile d'en ajuster le propos. Par ailleurs, votre position favorable aux béguines, ennemies de l'Église et du pape, donne l'impression – je dis bien l'impression – que vous pourriez condescendre aux opinions de Louis de Bavière sur le rôle de l'Église et de l'État. Il vous faudrait simplement accepter de temps à autre...

— Que de tortillons et surtout que de naïveté pour un homme de loi et de science comme toi ! La politique est comme le vent : tantôt elle va dans un sens, tantôt, dans un autre. Celui qui suit le vent marche forcément en zig-zag, et à force de chercher à éviter un vent de face, finit par frapper des murs de pierre. La vérité parle d'elle-même et n'a besoin que de pureté pour être comprise. Veille simplement à cette pureté et tu reconnaîtras par toi-même le juste de l'injuste. Comment peux-tu faire confiance à ton supérieur si tu ne peux pas juger par toi-même de la valeur de ses dires et de ses conduites ? À partir de quoi choisiras-tu ton guide si tu n'es pas capable d'entendre à l'intérieur de toi celui qui te le recommande ? L'obéissance ne consiste pas à tenter vainement de donner aux autres nos responsabilités les plus fondamentales.

Il regarda un long moment le ciel. Les étoiles scintillaient avec force. Il prit un autre grand souffle et puis un autre. Un nuage passa devant la lune et couvrit peu à peu tout le ciel. Je me retirai sans qu'il donne indice de l'avoir remarqué. De ma cellule je le voyais encore, il était toujours là.

Dès les premières cloches de l'aube, je le rejoignis à sa cellule. Je remarquai sur son visage cette profonde ride entre les sourcils qui ne se formait que lorsqu'il avait veillé toute une nuit. Il me prit par l'épaule avec une étrange force et, après s'être délié la gorge par quelques toux sèches :

– C'est une belle journée, n'est-ce pas, mon ami ?

– Pâques est un jour de gloire.

– La gloire de Dieu peut inonder les gouffres les plus profonds et les déceptions les plus grandes. Ce sera mon dernier sermon ici à Strasbourg où plus de femmes que d'hommes apparaissent recevoir la parole de Dieu et en être transformées…

– Et dont plusieurs hélas sont béguines ou même sœurs du Libre Esprit.

Il fit une pause et plongea son regard dans mes yeux. C'est alors seulement que je compris qu'il avait bien pesé le mot «dernier». Il vit que j'avais saisi, il continua :

– Nous les aimons comme il se doit, chacune d'elles. Je célébrerai ici au monastère et non à la cathédrale encore encombrée d'échafauds. Il y aura beaucoup de monde, la cérémonie aura lieu dans la cour, en direction sud, devant le mur qui joint la tour au réfectoire...

Il prit une autre bonne respiration et me saisit par les deux épaules :

– L'obéissance a ses priorités, n'est-ce pas ?

– Que voulez-vous dire, Maître ?

– Que tu me dois obéissance tant que cette obéissance ne te met pas en contradiction avec notre Général Barnabé de Cagnoli.

– C'est exact.

– C'est toi qui as la garde de Katrei la béguine. Je veux qu'elle soit amenée avec nous à Cologne.

J'hésitai un moment. Devais-je l'informer de ce fait ? Je n'arrivais pas à évaluer l'importance de l'injonction que j'avais reçue d'ailleurs. Finalement, j'en sous-estimai la signification et lui dis naïvement :

– L'ordre m'en a déjà été fourni par ceux qui nous demandent là-bas.

Il écarquilla les yeux et parut lire dans mon regard ce que je n'ai appris que bien plus tard, puis il se recueillit un moment.

– Tu viens de confirmer la hauteur de la montagne qu'il nous faudra gravir et me souffler un dernier vœu. Tu veilleras à ce que le père de Katrei puisse entrer au monastère et visiter sa fille, seul à seule, avant la messe. Je voudrais aussi que le seigneur chevalier Gauthier de Bruges et sa femme, qui sont de passage à Strasbourg, me soient présentés immédiatement après déjeuner. Tu leur diras que c'est urgent, ils viendront et tu nous laisseras seuls.

Il me sourit en fronçant les sourcils et continua :

– Et c'est un ordre. Tu diras à ceux qui sont venus frapper la prisonnière pour qu'elle m'implique dans sa propre condamnation, qu'ils n'étaient pas obligés de la souiller parce qu'elle refusait de se parjurer. Tu ajouteras, et j'insiste, que cette femme jeune, frêle, fragile et naïve montre un courage dont ils ne seront jamais dignes. Quant à toi, Conrad, il n'était pas nécessaire que tu me caches cette bassesse de mes accusateurs puisqu'il ne s'agissait en rien d'un ordre du supérieur général, mais simplement d'une initiative de Herman de Summo avec complicité de Guillaume de Nidecke, et sans doute avec l'approbation tacite d'Henri de Virnebourg.

J'étais atterré, comment avait-il su?

– Mon frère, il n'y a là que simple déduction dont ta mine me prouve maintenant le fondement. Que tu obéisses au Général, cela va de soi, mais à Virnebourg, rien ne t'y oblige, il faudra que tu t'en accuses à Barnabé de Cagnoli.

Il était pour le moins inusité de faire cérémonie face à la chapelle plutôt qu'adossé à son immense et magnifique mur tangent appuyé de collatéraux et percé de magnifiques mais sobres vitraux. C'était pour que la voix résonne sur ce colossal rempart, disait-il. Mais c'est en participant aux préparatifs que je compris que le Maître voulait se faire entendre par l'hérétique. La tour se trouverait juste à gauche du prédicateur et, des combles où elle était, elle pourrait tout entendre et peut-être même apercevoir celui qu'elle osait appeler son Maître. J'en fis alors remarque au prieur qui me répondit assez sèchement :

– Dominique, notre saint fondateur, avait prêché avec les cisterciens en pays cathare et avait constaté la nécessité de proposer des modèles spirituels en accord avec les nouveaux problèmes de notre monde marqué par certaines gens d'Église qui se servent d'elle plutôt qu'ils ne la servent et qui, se faisant, scandalisent le peuple. Les pauvres gens ne reconnaissent plus le Jésus défiguré dans la hiérarchie de son Église terrestre. Il fonda notre communauté sur un strict retour à la pauvreté et à la prédication de l'Évangile, afin de contrer par l'exemple et la raison la déchéance des pouvoirs de l'institution ecclésiale. C'est ainsi que, après avoir créé à Prouille le premier couvent de femmes – je dis bien de femmes, et de femmes cathares –, il établit au cœur du pays albigeois reconquis, à Toulouse plus précisément, sur la base de la règle augustinienne et des coutumes de Prémontré, la première maison de frères prêcheurs pour le salut des hérétiques. Jamais il ne fut en faveur des méthodes oppressives et des persécutions qui n'encouragent qu'à fuir l'Église plutôt qu'à s'en approcher. N'est-il pas normal qu'un des plus grands instructeurs de notre ordre suive notre plus fondamentale tradition et cherche à convertir les béguines en faisant appel à leur intelligence! Sache d'ailleurs qu'elles ne sont pas toutes hérétiques, et qu'en bien des points elles forment presque un tiers ordre de notre communauté.

– Mais, père prieur, lui répondis-je, elles se refusent à officialiser cet assujettissement à notre communauté et se tiennent à distance.

– Dis-moi, en quoi sommes-nous dignes d'elles? Nous avons plus d'une fois trahi nos propres vœux en les déshonorant, elles vivent plus pauvrement que nous, elles se consacrent aux miséreux et consolent bien des femmes bafouées. Nous aurions avantage à les côtoyer, mais notre perversité nous l'interdit. Notre père Eckhart est un de ceux qui se sont montrés plus que dignes de leur confiance, et il me fait pitié de te voir placé ainsi en travers de son chemin. Je te pardonne parce que tu ne connais pas ceux qui te manipulent. La messe sera entendue par Katrei et tu la placeras de façon qu'elle voie le Maître de la tour. Ne déroge pas à cette sommation. Veille davantage à te nourrir d'esprit plutôt que de règles et de conventions. C'est porté par l'esprit de notre saint fondateur qu'en moins de cinq ans notre ordre fut constitué en huit provinces administratives. L'as-tu oublié ? La France, l'Allemagne, l'Angleterre, l'Espagne, la Hongrie, Rome, la Provence et la Lombardie auxquelles il faut maintenant ajouter la Terre sainte, la Grèce, la Pologne et la Dacie. Ce n'est pas en établissant des murs que l'on croît, mais au contraire en ouvrant des fenêtres et des portes.

J'avoue n'avoir rien saisi sur le moment de cette remontrance du prieur. Quoi qu'il en soit, sous un soleil radieux et malgré une fraîcheur qui venait du Rhin, la messe eut lieu à l'endroit et au moment prévus. La foule était immense : on était venu de la ville et des campagnes, les enfants s'accrochaient à la robe de leur mère, les hommes formaient des petits groupes et discutaient sans doute de l'avancement des labours et des semences. Certaines gens s'étaient déjà agenouillés et priaient le ciel, d'autres se hissaient sur la pointe de leurs pieds et cherchaient le Maître du regard. Le père et la famille de Katrei étaient dans l'assistance. Le rustaud avait rencontré sa fille plus d'une heure. Mais que faisaient le seigneur Gauthier de Bruges et sa noble femme Jutta d'Anvers si près de ce robuste gaillard mal débarbouillé, aux yeux écartés comme ceux d'une bête, dont le nez aplati tombait sur son épaisse lippe rouge hérissée de dents jaunes ? Il y avait là quelque chose de déplacé qui choquait, de contraire à l'ordre naturel. Les nobles de la ville se tenaient loin d'eux et détournaient leurs yeux en élevant le nez. Sans les règles de l'hospitalité pour ces étrangers que l'on savait protégés par Louis de Bavière lui-même, certains n'auraient pas retenu leurs enfants de leur lancer, en catimini, des pierres ou des fientes.

À l'avant, Tauler discutait avec Suso, du couvent de Constance, de passage chez nous. Inévitablement, ces inconditionnels du Maître devaient spéculer sur le prêche qu'il ferait. Ils se préparaient à boire ses paroles sans trop de discernement. Ne se rendaient-ils pas compte que le Maître devrait freiner ses ardeurs, non à cause de sa doctrine, mais du fait de certaines impulsions ou images dissonantes pour les oreilles grossières des femmes et des campagnards ? Le Maître attirait l'attention dans toute l'Allemagne alors même qu'il nous fallait être discrets. Il enseignait en langue vulgaire à tous ceux qui voulaient l'entendre : béguines, hérétiques, miséreux, fripons ou seigneurs, abbés, nobles… Il insistait sur la pauvreté en pointant du doigt les clercs et même les évêques, il exacerbait de cette façon la hargne naturelle des miséreux contre le noble clergé. Cela donnait à penser aux esprits grossiers qu'il critiquait le pape et de ce fait tolérait les assauts de Louis de Bavière contre Avignon. Des femmes transcrivaient ses dires en dialectes du Nord et du Sud que l'on répandait sans distinction dans tout le pays. D'autres les traduisaient en latin et, de cette façon, ils allaient écorcher les oreilles des franciscains jusqu'en Angleterre. La rivalité de cet ordre mendiant déjà exacerbée par la canonisation, il y a moins de trois ans, de notre illustre père Thomas d'Aquin ne faisait que grandir. Il aurait fallu s'en tenir à lui et faire en sorte que le Maître (je ne doute pas de sa bonne volonté) accepte d'obéir à l'ordre des chapitres généraux de 1309 et 1313, et se conforme en tout aux enseignements du savant théologien. Que pourrons-nous si le pape et l'ordre le plus fidèle à l'Inquisition se liguaient contre nous ?

Néanmoins il est infiniment regrettable, je m'en rends compte aujourd'hui, que Herman de Summo et son fielleux acolyte se soient mêlés de cette affaire. Le supérieur général aurait mieux réussi son dessein sans l'intention de vengeance de ces ambitieux perfides et de leur affiliation à un archevêque aux conduites douteuses, pour ne pas dire détestables. Pourquoi donc ai-je obéi à cet indigne archevêque ?

Ma pensée vagabondait en toutes les directions, et lorsque le Maître monta sur la tribune de bois improvisée pour l'occasion, je fus fort contrit de n'avoir rien entendu du *Kyrie* et du *Gloria*. Je sortis ma plume pour prendre note du sermon.

Il rassembla ses forces qui étaient encore considérables, le silence couvrit l'assemblée qui sembla soudain se rendre compte de l'importance du moment, et il commença ainsi :

– Mes très chers amis, nobles gens et vous, honnêtes paysans encore courbatus par les labours et les semailles, réjouissez-vous de ce que le Seigneur ressuscité ait été reçu par une pécheresse et une femme de rien avant de s'être présenté à ses apôtres dont le plus élevé socialement l'a trahi. Il est écrit dans l'Évangile : «Notre-Seigneur Jésus monta à un petit château fort et fut reçu par une vierge qui était une femme.» Il y a juste derrière moi une tour qui se termine par une toiture conique pointée vers le ciel. N'est-ce pas une belle représentation du petit château fort tout en haut de notre âme dont parle le Seigneur? Eh bien! prêtez maintenant attention avec zèle à ce mot : il faut de nécessité qu'ait été vierge l'être humain par qui Jésus fut reçu. Vierge n'est pas d'abord un qualificatif charnel. Il faut nous élever plus haut. Vierge veut dire rien de moins qu'être dépris et délié de tout. La vierge court librement non dans les imageries de la religiosité, mais dans la réalité de ce monde.

Vous pourriez demander : comment l'être humain peut-il être aussi dépris et délié de toutes images que lorsqu'il n'était pas? Prêtez attention à la distinction que je veux vous exposer. Même doué d'intellect, si j'étais sans attachement propre pour aucune image au point que, dans ce maintenant présent, je me tienne libre et dépris, en vérité je serais alors vierge aussi vraiment que je l'étais alors que je n'étais pas. Et cela même si ma chair avait connu le plaisir de procréer ou la souffrance d'être profanée. L'entendez-vous, la virginité est une attitude de liberté par rapport aux attaches mentales, à ses murs de préjugés, à ses échafaudages d'idées toutes faites. Quel sot s'attacherait à une vague sur la mer qui tantôt surgit, tantôt s'affaisse? La vierge se réjouit du mouvement des vagues mais ne se laisse prendre par aucune.

Je dis en outre : que l'être humain soit vierge, voilà qui ne lui ôte rien de rien de toutes les œuvres qu'il a jamais faites; il se tient là, virginal et libre, sans aucune entrave en regard de la vérité suprême, comme le Verbe est dépris et libre, et en lui-même virginal. De ce que disent les maîtres, que seules les choses égales sont capables d'union – vous m'entendez bien, seules les choses égales sont capables d'union –, il s'ensuit qu'il faut que soit intact, vierge, l'être humain qui doit accueillir le Verbe créateur. Car il faut être égal au Verbe pour le recevoir, il faut donc qu'il nous ait rendus à notre égalité originelle, libres et déliés de toutes chaînes et images.

Mais en ce moment, prêtez considération à ceci! Si l'être humain était vierge pour toujours, aucun fruit ne proviendrait de lui. Doit-il devenir fécond, qu'il lui faut de nécessité être une femme. Femme est le mot le plus noble que l'on peut attribuer à l'âme, et il est bien plus noble que vierge. Que l'être humain reçoive Dieu en lui, c'est bien, et dans cette réceptivité il est intact. Mais que Dieu devienne fécond en lui, c'est mieux; car la fécondité du don est la seule gratitude du don, et l'esprit est une femme dans la gratitude qui engendre là où Dieu engendre son Verbe, dans le cœur paternel. L'âme déliée par son attitude vierge n'a de valeur qu'ancrée dans la chair, qu'elle doit féconder et rendre glorieuse.

Bien des dons de prix sont reçus dans la virginité sans être engendrés en retour dans la fécondité de la femme, avec louange de gratitude en Dieu. Ces dons se gâtent et vont tous au néant, en sorte que l'être humain n'en devient jamais plus heureux ni meilleur. Alors sa virginité ne lui sert de rien, parce que à la virginité il n'adjoint pas d'être une femme en toute fécondité. C'est là que gît le dommage. C'est pourquoi j'ai dit : «Jésus monta à un petit château fort et fut reçu par une vierge qui était une femme.»

Sa voix forte et vibrante frappait sur le mur nord de la chapelle qui s'élevait aussi haut qu'un cap, de là elle faisait écho, encore plus claire et tonnante, sur toute l'assistance. Aussi, lorsqu'il marqua une pause et reprit son souffle, on réentendit, plus sonore encore : «... reçu par une vierge qui était une femme». Le Maître continua en ajoutant plus de douceur à sa voix.

– Sont peu féconds ceux qui, avec attachement propre, sont liés aux prières, aux jeûnes, aux veilles et à toutes sortes d'exercices extérieurs, y compris à la virginité de la chair. Un attachement propre, quel qu'il soit, à quelque œuvre que ce soit, qui enlève la liberté d'atteindre à Dieu maintenant, voilà ce que j'appelle une année; car alors notre âme, par sa résistance, ajoute au temps. Mais tant que par liberté nous sommes féconds et donnons du fruit, l'année ne passe pas et nous restons jeunes dans l'instant. L'année mesure l'hésitation à donner le fruit. Moins il y a de résistance, plus l'instant nous tient dans sa percée d'éternité. Plus il y a d'hésitation, plus nous passons dans l'année et dans le siècle comme un navire emporté par le vent et, alors, le fruit est minime car il a procédé d'attachement à l'œuvre et non de liberté. Ceux-là donnent peu de fruit.

Une vierge qui est une femme, celle-là est libre et déliée, sans attachement propre, elle est en tout temps également proche de Dieu et d'elle-même. Elle donne beaucoup de fruits et ils sont grands, ni plus ni moins grands que Dieu lui-même. Ce fruit et cette naissance, c'est cela que cette vierge qui est une femme fait naître, et elle donne du fruit tous les jours cent fois ou mille fois, et même au-delà de tout nombre, enfantant et devenant féconde. À partir de là, elle devient co-engendrante. Car le Verbe – la lumière et le reflet du cœur paternel – est uni à elle et elle à lui, et elle brille et rayonne avec lui comme un unique Un et comme une lumière limpide et claire dans le cœur paternel, comme une lumière pure dans le cœur de Dieu.

J'ai dit en outre qu'il est une puissance dans l'âme que ne touche le temps que pour danser librement avec lui ; elle flue hors de l'esprit et pourtant demeure dans l'esprit et est en toute manière spirituelle. Dans cette puissance, Dieu toujours verdoie et fleurit dans toute la félicité et dans toute la gloire qu'il est en lui-même. Là est telle félicité du cœur, et si inconcevablement grande que personne ne peut le dire. Car le Père éternel engendre son Verbe éternel dans cette puissance sans relâche, de sorte que cette puissance co-engendre le Verbe du Père, et soi-même comme le même Verbe dans l'unique puissance du Père. Voilà la résurrection du Verbe à chaque instant qui roule déliée sur la mer de l'éternité. L'esprit serait-il en tout temps uni à Dieu dans cette puissance que l'homme ne pourrait vieillir ; car l'instant où Dieu créa le premier homme et l'instant où le dernier homme doit disparaître et l'instant où je parle sont égaux en Dieu et ne sont rien qu'un instant. Voyez maintenant, cette âme habite dans une seule lumière avec Dieu ; c'est pourquoi ne sont en elle ni peine ni succession, mais une égale éternité. Cette âme est délivrée en vérité de toute peur, et toutes choses se trouvent en elle de façon essentielle.

Il s'arrêta un instant. Les gueux à l'arrière semblaient le comprendre, mais ce n'était qu'apparence due à l'envoûtement qu'exerçait la voix du Maître. Les femmes évidemment souriaient et jubilaient presque, oubliant que le Maître parlait par symboles :

– Il est encore une puissance qui est également incorporelle ; elle flue hors de l'esprit et demeure pourtant dans l'esprit et est en toute manière spirituelle, c'est-à-dire essentiellement dynamique et vive. Dans cette puissance,

Dieu sans relâche harde et brûle avec toute sa richesse, avec toute sa douceur et avec toutes ses délices. En vérité, dans cette puissance sont si grande félicité et délices si merveilleuses, sans mesure, que personne ne peut en parler pleinement. Mais je dis : y aurait-il une âme qui là, un instant, contemplerait les délices et la félicité qui s'y trouvent : que tout ce qu'elle pourrait pâtir, cela lui serait tout entier peu de chose, et même rien de rien.

«Jésus monta à un petit château fort et fut reçu par une vierge qui était une femme.» Je vous ai dit que Jésus fut reçu; mais je ne vous ai pas dit ce qu'est le petit château fort, je veux maintenant en parler.

Sa voix avait littéralement emporté la plus grande partie de l'assistance. Ce n'était pas tant ce qu'il disait qui les atteignait, peu sans doute le comprenait, non, c'était la résonance de sa voix qui engageait tout son être. Il se projetait entièrement dans sa voix, il prêchait, il se laissait emporter par son verbe et son verbe pénétrait encore plus profondément dans les cœurs que la lumière du jour dans les yeux. C'était Pâques et il réussissait à faire ressusciter le Verbe dans chacun qui l'écoutait vraiment. Il avait épousé l'ordre des Prêcheurs et il était le prêcheur, l'activateur de la résurrection du Verbe. La plupart des femmes, surtout parmi les paysannes, avaient des larmes plein les yeux. Une joie semblait les illuminer. Plusieurs paysans restaient la bouche ouverte et les yeux comme émerveillés. Il aurait pu les emporter jusqu'en Terre sainte pour y sacrifier leur vie, mais il s'éleva comme toujours à un niveau si incompréhensible qu'il ne pouvait rien résulter de concret de ses sermons.

– J'ai dit parfois qu'il est une puissance dans l'esprit qui seule est libre. Parfois j'ai dit qu'elle est un rempart de l'esprit; parfois j'ai dit qu'elle est une lumière de l'esprit; parfois j'ai dit qu'elle est une petite étincelle. Mais je dis maintenant : ce n'est ni ceci ni cela; pourtant c'est quelque chose qui est plus intérieur encore. C'est pourquoi je nomme maintenant cette puissance de plus noble manière que je ne l'ai jamais nommée. Et elle se rit de la noblesse et de la manière et est au-dessus de cela, mais surtout plus intérieure à tout cela. Elle est libre de tous noms et démunie de toutes formes, déprise et libre tout comme Dieu est dépris et libre en lui-même. Elle est aussi pleinement une et simple que Dieu est un et simple, de sorte que d'aucune manière l'on ne peut y jeter le regard. Si vous pouviez la voir avec mon cœur, vous comprendriez bien ce que je dis, car c'est vrai et la vérité le dit. Et si vous connaissiez cette puissance, vous sauriez que le Père engendre maintenant le Verbe en vous et vous seriez remplis de joie qu'une telle Vie, qu'une telle Intelligence créatrice vous habite.

Je dois maintenant partir pour Cologne afin de justifier ce qui est simple pour le simple mais tordu pour le retors. Il est probable que ce soit mon dernier voyage car je me sens fatigué de ce monde. N'ayez crainte et gardez la Vérité qui demeure en vous et croît comme le printemps. Amen.

Le reste de la messe se déroula dans un silence inexplicable vu la foule, les artisans, les paysans, les enfants, les femmes, les gueux, les estropiés, les tarés et sans doute, cachés sous toutes sortes d'apparences, les hérétiques, les possédés et les déments. Fermant un moment les yeux, je vis Katrei l'hérétique marcher sur des braises en souriant et fuir sur un cheval à robe noire. J'entendis ces paroles de l'Apocalypse : «Quand le dragon vit qu'il avait été précipité sur la terre, il poursuivit la femme qui avait enfanté l'enfant mâle. Et les deux ailes du grand aigle furent données à la femme, afin qu'elle s'envolât au désert, vers son lieu, où elle est nourrie loin de la face du serpent.» Lorsque j'ouvris les yeux, mon cœur était comme effrayé. Je ne pouvais saisir la signification de cette étrange vision.

Après la cérémonie, ils furent nombreux à rester pour le départ du Maître. Le vieillard donnait l'impression d'être au meilleur de sa forme, saluait les uns, conseillait les autres, avait un bon mot pour chacun. Plus ils étaient pauvres et longs à s'exprimer, plus il leur accordait d'attention. À un moment, il alla jusqu'à jouer avec un groupe d'enfants comme s'il avait complètement oublié l'urgence du départ et la gravité de la situation. Impatient, j'attendais que le prieur le presse, mais il n'en fit rien. Au contraire, le prieur me demanda d'aller chercher le père Tauler et il lui confia, à lui qui venait tout juste de terminer sa théologie, le soin d'assurer la sécurité du Maître et de la béguine. J'en fus décontenancé et lui indiquai que, vu la situation, le Maître devrait avoir meilleure escorte. Ce sur quoi il ne broncha pas.

Tauler est un homme trapu, costaud, au nez carré et plat bien enfoncé dans son large visage énigmatique. Il est particulièrement doué et, il faut bien le dire, en tout irréprochable. Il avait été choisi pour aller se parfaire au Studium de Cologne et, éventuellement, être envoyé à Paris. Cologne constitue notre plus illustre foyer intellectuel. Il a été fondé par le plus sage des nôtres : Albert le Grand, le premier, après les Pères de l'Église, à s'intéresser aux manuscrits païens de la Grèce antique et même aux écrits arabes d'Avicenne et d'Averroès que l'on rapportait de temps à autre des croisades. Il caressait le rêve d'une synthèse de la philosophie et de la théologie. C'est à Cologne que son élève Thomas d'Aquin avait mûri ses premières tentatives d'unification de l'essentiel des spéculations d'Aristote avec le christianisme des Pères. Il avait été envoyé à l'université de Paris pour affronter et contrer la pernicieuse philosophie des franciscains qui risquait d'écarteler définitivement l'intelligence et le tout, de séparer la science et la foi. Et voilà que le prieur ordonnait à Tauler, un disciple du Maître, certes intelligent mais naïf, d'aller parfaire sa formation à Cologne. Tauler se refusait à

Thomas d'Aquin et n'avait d'écoute que pour Johannes Eckhart, il ne pouvait donc qu'exacerber les esprits. J'avoue avoir éprouvé une de mes nombreuses crises de jalousie, moi qui fus bon élève mais ne pus jamais étudier à si noble école.

La foule ne se dispersa que tard l'après-midi, et même ensuite, grand nombre d'hommes mais surtout des femmes, parmi lesquelles devaient se trouver maintes fraticelles sympathiques à la cause de Katrei, s'attardaient autour de l'éducateur. Le prieur m'envoya, sans doute pour m'éloigner un peu, aider Tauler à ses préparatifs. Dans la cour, le Maître était toujours là, des femmes lui avaient apporté du pain et du fromage, il mangeait et discutait. Le prieur paraissait ravi de tout ce qu'il voyait. Ce n'est qu'à la dernière cloche que l'on se résigna à le laisser. Il était visiblement épuisé, il s'endormit près du puits où le supérieur alla doucement le chercher pour le reconduire à sa cellule. Le lendemain, après avoir chanté matines et laudes, nous partîmes enfin dans une petite embarcation en direction de Cologne.

Sur le quai, le prieur semblait particulièrement anxieux. Il n'était pas difficile d'augurer que le départ du Maître allait accentuer la division des moines : les uns favorables au prieur qui, d'évidence, se montrait sympathique à la pensée et à l'action d'Eckhart, et les autres, ses ennemis jurés, qui craignaient les sévérités autant du roi que du pape si, par mégarde, les dominicains se rangeaient autour de l'indéfendable position du Maître. Heureusement, le supérieur général de l'ordre veillait et s'en tenait, quant à la philosophie, à la logique d'Aristote et quant à la politique, à l'allégeance au pape. À tout cela, sans doute, s'ajoutaient des passions plus violentes. Pour certains, choisir Eckhart, c'était choisir la rigueur de pensée et d'action; s'en éloigner, c'était glisser peu à peu dans la médiocrité. Pour d'autres, le monastère était un lieu de protection contre l'insécurité du siècle plutôt qu'un lieu d'engagement spirituel, et il était téméraire de demander à tous les moines égal soin dans la perfection. Pour ceux-là, le départ du Maître allait enlever un obstacle qui les empêchait de réclamer la tête du prieur. Comment cimenter un minimum d'unité nécessaire à l'harmonie du couvent alors que se retirait l'autorité du Maître qui, tout en étant occasion de division, assurait l'équilibre précaire des parties?

Deux mercenaires habillés en paysans avaient été demandés par Tauler pour nous accompagner. Ils cachaient des armes de poing en cas de nécessité. Suso venait puisqu'il allait, lui aussi, parfaire ses études quelque temps avant de retourner à Constance. Selon la convenance, on avait désigné une femme pour nous accompagner, étant donné la présence de Katrei. Nous l'attendions en bavardant dans la barque. Elle arriva enfin. Le capuchon de son manteau de laine brune et rugueuse voilait presque entièrement son visage. Elle avait une drôle de démarche pour une paysanne. Mais lorsque le Maître prit sa délicate main pour l'aider à franchir le rebord du quai, je la reconnus; loin d'être paysanne, la dame n'était nulle autre que Jutta d'Anvers, l'épouse du seigneur Gauthier. Nous éloignant, je vis que plusieurs, le prieur particulièrement, avaient les yeux gorgés d'eau.

CHAPITRE II

Le prêtre hérétique

La barque glissait sur le fleuve, la vallée prenait vie sous l'effet du printemps. Ballons touffus de forêts, collines hérissées de boqueteaux, vallons couverts de cultures ou de prés, adrets tapissés de vignes semblaient s'incliner devant le fleuve, s'inverser dans ses eaux vertes, car il était tranquille et confiant dans son cours. Ici et là, la fumée des chaumières ou des sols que l'on écobuait, les pleurs d'un bébé qui perçaient entre ceux des bêtes, une cloche qui rappelait Dieu, et puis des berges sauvages et silencieuses qui recouvraient pudiquement la sombre fertilité de la terre. Tantôt une barge chargée de bois ou de marchandise poussée par de puissants rameurs, tantôt la somptueuse barque d'un seigneur qui prenait son faste dîner en compagnie de dames joyeuses et frivoles. La variation du monde s'écoulait en périphérie de nos regards inclinés par la règle et la prière. Il fallait saisir la permanence du divin dans les sillons du siècle, de peur d'être emporté comme les ondes dans la diffusion de l'esprit.

Le père Tauler avait préparé le voyage avec soin. Grâce à un petit cadran solaire qu'il consultait régulièrement, nous chantions et priions les heures, nous respections les temps de silence et d'oraison, et nous faisions nos lectures aux repas. Sauf pour le mouvement du paysage, nous gardions l'essentiel de l'invariabilité monacale qui nous préservait des extravagances du monde. Il aurait pourtant fallu faire plus, car l'oscillation du panorama multipliait les occasions de faute. Tauler fit moins. Il accepta de laisser Katrei et sa compagne chanter avec nous, et toutes mes doléances pour l'en dissuader n'y purent rien. Il faut avouer que les deux femmes possédaient de fort belles voix et connaissaient parfaitement les prières, les hymnes et les psaumes. J'arrivais à contenir mes yeux selon la règle, mais des parfums d'ambre et de civette s'engageaient dans l'embrasure de mon capuchon, ce qui embrouillait ma vue et, par moments, ma concentration se dissolvait au point que je me trompais dans les prières les plus simples. J'ai eu beaucoup à faire pour lutter contre les tentations de la chair, et lorsque nous avons chanté : «Heureux tout homme qui craint l'Éternel... Sa femme est comme une vigne féconde à l'intérieur de sa maison...», j'avais tendance à imaginer le corporel plus que le figuré. À quarante ans, il m'arrivait des doutes et des soupçons au sujet de ma vocation que je devais combattre en serrant mon cilice et en implorant le ciel.

Le Maître connaissait mon combat et cherchait à attirer mon attention sur des particularités de la nature, un arbre singulièrement pittoresque, un oiseau étonnamment agile, un cerf gracieux qui bondissait sur la rive. Cela me soulageait un instant. Le père Suso maintenait son regard si égal, paraissait si renfoncé en lui-même qu'on eût dit qu'il se maintenait dans la permanence éternelle alors même que l'espace séduisait et que le temps délectait. Avait-il seulement conscience de ces deux femmes? Quant au père Tauler, il s'était sans doute réfugié dans une autre limbe, il présentait une lippe étrangement jobarde, la bouche entrouverte et le regard nulle part. Sentait-il leur odeur? Tous deux étaient vraiment moines, indifférents aux femmes. Mais moi, les entendre, les sentir, les entrevoir me faisait entrer dans d'étranges et effrayantes vapeurs. Je ne pouvais plus aligner un seul *Pater* sans y insérer par mégarde une des syllabes de leur nom. Les diablesses s'insinuaient en moi, amollissaient ma volonté aussi bien que mon intellect. Quelle honte! L'un des hommes de main semblait même plus insensible à elles que je ne l'étais! L'autre regardait Katrei avec toute l'innocence d'un frère pour sa sœur. Étais-je vraiment moine, ou bien m'étais-je simplement réfugié dans un monastère afin de fuir ce qu'un paysan pouvait affronter mieux que moi? Le Maître, lui, souriait, parlait aux femmes avec un cœur si léger qu'on aurait pu le croire père de chacune d'elles. Entre deux phrases où il faisait remarquer aux deux femmes le jeu de la lumière dans l'onde, il me lança, sans avertissement :

– Mon ami, regarde cette petite goutte qui roule allégrement sur cette ride, voilà ce que je veux dire par «être dépris»; délié cela veut dire danser, jouer sans résistance et sans crainte sur la vie sans se laisser engloutir par des peurs et des inquiétudes inutiles. Le mal, disait saint Augustin, est de l'absence d'être, et si tu t'amuses de l'être, tu n'offriras que peu de prise aux images que tu produis toi-même.

Je restai muet et caché dans mon capuchon. Perçut-il l'inexplicable larme que sa parole fit couler sur ma joue? Il n'en dit mot. Je tentai d'observer sans souci, comme les autres, tout ce qu'il nous décrivait sur un millier de détails qui s'offraient à nous.

– Comme la vie est belle! s'exclamait-il par moments. Jésus a dit : «Je suis la Vie…», le Verbe est la Vie et moi j'ai plaisir à le voir, à le palper, à le rejoindre. La femme qui toucha le vêtement de Jésus fut guérie parce que le Verbe l'a tenue au-dessus des vides et des absences qui l'emportaient. Le verbe lie chaque mot pour éviter qu'il ne s'enfonce dans les intervalles qui séparent, en apparence, les idées. Le verbe sauve l'individualité du mot par la signification globale de la phrase. La Vie est le Verbe de l'univers.

Il prenait de l'eau avec sa main et la buvait. J'étais scandalisé de ce qu'il semblait mélanger deux choses aussi différentes, la vie mortelle des choses corporelles et la Vie éternelle de Dieu. Il dut le deviner à mon regard sceptique :

– Mon ami et fidèle frère, si tu es perdu dans la forêt, le meilleur chemin est de continuer en direction de ton choix, sinon, tu iras à gauche, puis à droite et à gauche encore de façon à allonger ta route ou, pire, à tourner indéfiniment en rond. Chaque personne ne peut exprimer qu'une seule manière de vivre. Et il ne sert généralement à rien de regretter un choix. Que chacun conserve sa voie, il y fera entrer toutes les autres voies et il mettra dans sa voie tout ce qui est bien dans toutes les autres voies. Tu peux être fécond dans ta voie, c'est cela qui importe. Je te dirais autre chose : les hommes et les femmes peuvent bien avoir peur et se décourager à l'idée que la vie de notre bien-aimé Seigneur et celle de plusieurs saints ont été si dures et si pénibles que nous ne pouvons les égaler. Si tu trouves que ta voie ne passe point par beaucoup d'œuvres, par de grands travaux ou de grandes privations (cela n'a d'ailleurs pas d'importance), si tu ne trouves pas tout cela en toi, tranquillise-toi et ne t'en inquiète pas. Dieu considère également ce qui semble petit et ce qui semble grand.

Ce qui fit rire tout le monde, car ce qui me restait de cheveux pouvait se compter d'une seule main et pourtant, dès que j'étais distrait ou inquiet, je glissais ma main dans mon capuchon pour les lisser ou les friser. Jutta restait cependant songeuse et posa sa propre question :

– Mais moi je suis noble, riche et mariée. J'ai de beaux enfants, j'adore mon mari et j'ai plaisir à vivre, alors je m'inquiète de mon salut. Devrais-je me retirer du monde ?

– On m'a posé cette question bien souvent, répondit le Maître : bien des gens aimeraient se retirer du monde et vivre dans la solitude pour y trouver la paix. Serait-ce là ce qu'il y a de mieux à faire ? Je réponds non ! Celui dont l'attitude est droite se trouve bien en tous lieux et avec tout le monde. Mais celui qui manque de rectitude se trouve mal en tous lieux et avec tout le monde. Ce qui importe, ce n'est pas tant d'avoir fait le bon choix que la manière avec laquelle on l'accomplit. Un mauvais choix assumé avec consécration et rectitude conduit à la joie, alors qu'un bon choix vécu dans la médiocrité ne mène nulle part.

Plus le Maître parlait, plus je me sentais minable et méprisant. Je me promettais dix coups, non, vingt coups de discipline avant de me coucher sur ma haire de chanvre. Mais le Maître continua de parler à Jutta en ces termes :

«Il est deux espèces de repentir : l'un est temporel et sensible ; l'autre, divin et surnaturel. Le repentir temporel enfonce l'homme dans une détresse qui a tout du désespoir. Là, le repentir est confiné dans sa souffrance : il exclut tout progrès et il n'en sort rien. Mais le repentir divin est tout différent. Dès que l'homme prend conscience du mal en lui, aussitôt, il s'élève vers Dieu pour être saisi par Lui.

Cette phrase qui m'était en fait destinée ne me secourut point, au contraire, elle m'enfonça davantage. Si bien que mon imagination sombra dans une agitation d'images où femmes et démons se succédaient, chacun me dévorant un morceau du cœur. Par moments, je frappais l'une de ces démones, à d'autres je lui effleurais tendrement la main. Lequel de ces gestes constituait le pire crime? Brisant ma méditation, un des deux hommes de main, le plus jeune, hasarda naïvement cette question :

— Est-ce vrai ce que l'on dit, qu'une bonne mère qui rend l'âme en donnant naissance a bonne chance de gagner le ciel?

— C'est pure cohérence! Tu vois, mon ami, toute la beauté de ce monde, toute l'intelligence qui déborde de ce monde. Alors dis-moi, comment il serait possible que, dans un monde aussi merveilleux, il existe quelque chose d'aussi atroce que la mort d'une maman?

L'homme osa répondre au Maître sur un ton familier :

– Mais il y a des mamans qui meurent à la naissance de leur enfant, cela n'est pas merveilleux du tout. Le monde n'est pas si merveilleux.

– Tu en as certainement grandement souffert et je vois bien que cela te révolte. Cette révolte a peut-être été ta première réaction spirituelle...

– Ce n'était pas spirituel. Je rageais contre Dieu, riposta-t-il.

– Cette rage n'était possible que parce que tu percevais que cela n'était pas en accord avec la justice. Tu en étais scandalisé parce que tu saisissais au fond de toi-même ce qui aurait dû être. L'invisible se confrontait au visible, la justice à l'injustice, alors il y avait comme une tache dans la majesté de la nature. La révolte contre Dieu est nécessaire à notre existence, elle nous permet la distance nécessaire à la formation de notre être propre. Mais c'est aussi une invitation à changer de point de vue. Si l'on se fixe obstinément sur une façon de voir, on perd de vue l'ensemble et c'est l'ensemble qui rachète le particulier. Après la révolte, il est bon de reprendre le dialogue, d'accepter le dialogue qui, entre l'invisible et le visible, tisse la sagesse. Le monde est si grand, si intelligent, si majestueux que les fautes qu'on y voit ont plus de chances d'être des erreurs de point de vue que des scandales d'incohérence. Je ne te demande pas de croire que le monde est beau, je t'invite à le découvrir en renouant le dialogue.

Katrei ne put se retenir de continuer là où le Maître s'était arrêté :

– C'est certain que si tu crois que notre mère n'est plus, le monde n'est pas merveilleux du tout pour toi, c'est un monde où la cruauté l'emporte. Mais alors c'est dans ton esprit que maman continue d'être morte...

L'homme de main n'était nul autre qu'Albéron, le jeune frère de Katrei. Comment Tauler avait-il bien pu permettre... ?

Le lendemain après-midi, nous avons débarqué sur le quai de bois d'un hameau niché dans le fond d'un méandre particulièrement profond du Rhin. Le ciel était gris et une éminence rocheuse formait une muraille qui assombrissait encore davantage les lieux. Nous étions près de Bingen, mais je ne connaissais pas ce village. Le cimetière se trouvait sur un adret verdoyant donnant sur le fleuve et on y enterrait un petit enfant. L'attroupement dépassait en nombre ce que la cérémonie justifiait. Tout naturellement, nous nous sommes approchés pour participer à l'événement. L'hiver avait dû être cruel pour le prêtre des lieux : il présentait un déplorable visage amaigri et sa soutane rapiécée cachait mal son état de maigreur extrême. Je me rendis compte que, dans une mesure moindre, mais considérable tout de même, la plupart des paysans avaient dû en souffrir tout autant. Le curé de campagne, que tout le monde appelait simplement Walter, haranguait la foule d'une voix rauque frémissante :

– L'enfant que nous enterrons ajoute une pierre de plus sur nos cœurs brisés. Trop d'innocents petits sont morts cet hiver parce que le cens, le champart, la taille, le tonlieu, le chevage et quoi encore, payés au seigneur pour ses droits de ban, nous ont laissé déjà très peu. À cela il faut ajouter la dîme et le pouillé pour l'évêque qui vit dans le luxe, la gourmandise et le péché de la chair. Si le seigneur du fief utilise nos sueurs et nos bras pour son bien-être et notre protection, l'Église, elle, le fait pour sa honte, car elle utilise le fruit de notre travail non pour la gloire de Dieu mais pour contrefaire la vie de son fils Jésus. Elle double la part de César plutôt que de nous en consoler. Il ne reste plus au paysan qu'un manse trop petit pour nourrir sa famille. Voilà la vérité : l'Église achève ce que le seigneur a commencé, elle tue là où il blesse.

Devons-nous nous courber au point d'entrer en contradiction avec le devoir de vivre et de perpétuer le message du Christ? Si nous laissons nos enfants mourir de faim, que restera-t-il de la foi que nous transportons de père en fils et de mère en fille? Je ne dis pas cela pour vous pousser à une révolte qui nous conduirait à une mort encore plus immédiate. Pensez à ce qui est arrivé aux paysans qui ont voulu croiser la faucille contre l'épée! Non, je l'exprime comme une plainte à la face de Dieu pour qu'il nous entende. Je pleure à la manière de Job, impuissant et malheureux. Si notre Église, celle que Jésus a donnée aux pauvres comme une tour d'espérance, est emportée dans la tourmente du monde et de l'injustice, si elle ajoute au seigneur la crosse et la mitre, si elle trahit les indigents que Jésus aimait, que nous restera-t-il? Nous sommes plongés dans ce monde sans lui appartenir. Aussi nous en acceptons la folie, c'est notre épreuve et notre défi, mais nous appartenons à l'Église et nous l'aimons; c'est pourquoi nous réclamons qu'elle se corrige. Nous ne pouvons sauver le monde emporté dans la mort par les tourbillons de ses fautes, mais nous devons sauver l'Église qui émergea des flots comme une arche pour nous arracher du monde avant qu'il ne s'écroule.

Il est écrit dans Job : «Depuis que l'homme a été placé sur la terre, le triomphe des méchants a été court. Quand il s'élèvera jusqu'aux cieux par orgueil, et que sa tête touchera aux nues par une illusion de science, il périra pour toujours comme une ordure. Il s'envolera comme un songe, et on ne le trouvera plus. Il disparaîtra comme une vision nocturne. Ses fils seront assaillis par les pauvres, et ses mains restitueront ce qu'il a pris par violence.» Voilà ce qui arrivera inévitablement aux puissants de ce monde et à l'Église si elle ne se rectifie pas. Schismes par-dessus schismes elle se désarticulera, et puis elle séchera comme un arbre coupé de ses racines et alors, il suffira d'une génération pour la renverser. Déjà l'Église d'Orient s'éloigne de nous et menace de rupture parce que le pape ressemble davantage à l'empereur de Rome qu'au successeur de

Pierre. Jean dit dans l'Apocalypse : «Je ferai mourir de mort ses enfants ; et toutes les Églises connaîtront que je suis celui qui sonde les reins et les cœurs, et je vous rendrai à chacun selon vos œuvres.» Que rendra-t-il à celui qui pratique la simonie et, pour payer au roi et au pape une charge d'évêque ou d'archevêque, opprime les fidèles de l'Église de Dieu ? Si nous étions le bras de cette punition, aurions-nous à craindre le jugement ? Est-ce péché de corriger le péché ? Est-ce mal de s'indigner devant le mal ? Ne serait-ce pas au contraire péché que de se soumettre aux vices des imposteurs qui nous ont volé notre Église et qui en font une caverne de voleurs ?

Mes frères, mes amis, regardez le visage de cette mère qui pleure son dernier enfant, regardez le visage de toutes les mères qui pleurent avec elle un enfant ! Si cette souffrance nous était venue de Dieu par de mauvaises saisons, de la vermine ou des rats, elle coulerait comme une rivière jusqu'à la mer qui redonne vie. Mais la souffrance de ces femmes ne s'apaise pas, elle résiste, elle se retourne dans le cœur, dans les entrailles ; on voudrait la honnir, la maudire, la vomir, parce qu'elle n'est pas venue de Dieu, mais des hommes, et, pire, elle est venue par des hommes qui se disent de Dieu et qui pourtant, dérobant notre nourriture dévorent la vie même de nos enfants, la vie de notre futur, la vie de la véritable Église...

Le prêtre n'avait pas repris son souffle que Katrei, notre prisonnière, continua dans sa lancée avec force de voix comme il n'est pas possible d'une femme normale :

– La véritable Église est formée des saints de Dieu et non d'une hiérarchie d'imposteurs qui l'accablent. Il y a la grande Église, celle de Dieu et des saints, celle de ceux qui ont tout quitté, c'est elle qu'il faut suivre. Il y a la petite église, celle des brigands évêques et des voleurs archevêques dirigés par l'Antéchrist pape, cette petite église est pitoyable et nous n'avons rien à faire avec elle. Ayez confiance et priez Dieu, ces imposteurs et filous déguisés en évêques n'en ont plus pour longtemps. Il est encore écrit dans l'Apocalypse de Jean : «Jusqu'à quand, Maître saint, tardes-tu à juger, et à tirer vengeance de notre sang? Une robe blanche fut donnée à chacun d'eux; et il leur fut dit de se tenir en repos quelque temps encore, jusqu'à ce que fût complet le nombre de leurs compagnons.» Il nous faut nous vêtir de la robe blanche, de la pureté du cœur...

Sur ces mots et sans avertissement, une garde formée de quatre cavaliers en cottes de mailles, armés de fléaux et de matraques, et une dizaine d'archers avec arc court et dagues à la ceinture nous cernèrent. Il sommèrent Walter de les suivre. Katrei voulut intervenir, mais cette fois le père Tauler lui mit solidement la main sur la bouche et le Maître intercéda :

– Il faut excuser cette femme que nous accompagnons jusqu'à Cologne...

– À Cologne! répéta le chef du groupe du haut de son cheval. Mais ne seriez-vous pas justement le dominicain que l'on amène à l'archevêque Henri de Virnebourg pour répondre d'enseignements douteux, et cette femme ne serait-elle par l'hérétique qu'on dit vous être chère?

Sur ces mots, les archers se mirent à ricaner des plus grossièrement. Albéron voulut riposter mais son compagnon le retint. Tauler prit la relève d'Eckhart :

– J'ai la responsabilité d'amener le Maître et cette femme à Cologne. Le moine qui vient de vous parler est parmi les plus grands théologiens du monde chrétien, il enseigna à Paris et si ce n'était de sa miséricorde, il pourrait vous tenir rigueur pour vos propos. Moi-même, je pourrais rapporter vos paroles, mais je remarque simplement que vous avez été mal informé. Le Maître se rend à Cologne par obéissance à son général et non à l'archevêque. Quant à la femme, nous l'amenons devant l'Inquisition qui la veut vivante et apte à répondre de ses gestes et de ses dires. J'ai ici l'ordre de mon supérieur général Barnabé de Cagnoli, je ne voudrais pas qu'un retard le contrarie...

En réponse au regard impératif de son commandant, un soldat s'approcha de Tauler et appuya fortement sa dague sur son dos. Nous avons dû les suivre jusqu'au château où on nous enferma dans la tour alors que Walter fut jeté au cachot.

Le modeste manoir était niché sur un promontoire près de Rupertsberg, à quelques lieues du monastère fondé par Hildegarde. De la fenêtre on pouvait observer, dans les eaux du Rhin, la «tour aux souris» sur une île rocheuse. On raconte partout que l'évêque de Mayence, Hatto, y avait entassé des réserves de céréales en temps de disette, et que, exaspéré des réclamations et des plaintes des pauvres et des affamés qui l'assaillaient, il les fit enfermer dans une grange à laquelle il mit le feu. «Entendez-vous siffler mes souris?» disait-il en écoutant leurs cris. La nuit même, des foules de souris envahirent son palais; il se jeta dans le Rhin pour leur échapper, mais elles le poursuivirent et le dévorèrent vivant. Aussi, à la vue du rocher, Katrei se mit à vociférer, comme si elle pouvait faire encore davantage pour sa propre condamnation :

– Dieu dévora Hatto parce qu'il aime son Église, et il veut la purifier des escrocs et des orgueilleux auxquels vous obtempérez. Lorsque nous aurons surmonté l'épreuve de leur joug et que nous en aurons tiré de la force, ce sont tous les vrais chrétiens qui écraseront le serpent épiscopal.

Ce à quoi les gardes répondirent en hurlant et en tapant à coups de matraque sur la lourde porte de bois :

– Faites-la taire sinon nous l'égorgeons sur-le-champ.

Et un autre d'ajouter :

– Nous la brûlerons avec Walter l'hérétique.

Albéron se précipita vers la porte en criant :

– Il faudra d'abord me tuer.

– Tout de suite si tu veux, répondirent-ils en ouvrant la grille.

Katrei se jeta sur son frère pour le faire reculer tandis que Tauler s'approcha d'eux en ripostant avec force :

– L'Inquisition n'entend pas à rire. Qui s'interpose sur le chemin de l'Inquisiteur prend le risque de se retrouver parmi les suspects !

Tauler soutenait leur regard sans broncher, ils refermèrent la grille. Il se retourna vers Katrei et l'avertit sèchement :

– Que tu cherches le bûcher pour toi-même, cela t'appartient. Mais si tu entaches le Maître et l'entraînes avec toi dans le feu, tu jugules et entraves la parole de l'Église véritable dont tu parles. Si tu aimes le Christ, prends garde et pense à ton frère qui risque de te rejoindre. Quant à toi, Albéron, souviens-toi du serment auquel je t'ai obligé avant de t'accepter parmi nous.

Ces mots les saisirent tous deux et il n'a jamais plus été nécessaire de les répéter. Katrei se retrancha derrière le silence qui convient aux femmes.

Des trois jours qui suivirent nous n'avons jamais rencontré le seigneur des lieux. On nous dit simplement qu'il était parti en voyage. Il nous fut tout aussi impossible d'adresser du courrier et toutes nos menaces ne servirent à rien. Nos geôliers nous fournissaient eau et nourriture mais restaient muets sur les raisons de notre emprisonnement. Il fallut se contenter d'attendre. Au rythme des cloches, nous continuâmes nos prières conformément à notre règle.

Le Maître n'apparaissait préoccupé que du salut de Katrei à qui il consacrait tous ses temps de parole. Ayant été privé de plume et de parchemin, je ne peux transcrire ici, de mémoire, que certaines bribes de leur conversation.

– Ma fille, dit-il à un moment, pourquoi veux-tu à ce point détruire ton corps ? Quelqu'un fait-il ici la différence entre la chair et le corps ?

Il n'eut de chacun de nous qu'un silence interrogateur, alors il continua.

— Il peut être utile de distinguer, sans les séparer, l'âme et le corps, sinon la mort nous laisserait sans espérance, mais il est fort dangereux, dans cette vie comme dans l'autre, de séparer la chair et l'esprit.

Nous étions tous interloqués, ne pouvant rien saisir des paroles du Maître. Comme il en restait là, Jutta se fit notre porte-parole et le questionna :

— Mais l'Apocalypse ne dit-elle pas : «Et je vis un ange qui se tenait dans le soleil. Et il cria d'une voix forte, disant à tous les oiseaux qui volaient par le milieu du ciel : Venez, rassemblez-vous pour le grand festin de Dieu, afin de manger la chair des rois, la chair des chefs militaires, la chair des puissants, la chair des chevaux et de ceux qui les montent...» Dieu ne détruit-il pas la chair des méchants, ne détruit-il pas leur corps?

— Tu connais bien les textes, alors cherche avec moi leur signification. Pourquoi l'auteur insisterait-il tant sur la destruction du corps? Elle est naturelle et personne ne peut y échapper. Mais la destruction de la chair résulte du péché et du plus grand des péchés, le péché contre l'esprit. Elle ne touche que le méchant.

— Mais, répondit Jutta, ne lit-on pas dans les Actes des Apôtres : «Cet homme ayant acquis un champ avec le salaire du crime est tombé, s'est rompu par le milieu du corps, et toutes ses entrailles se sont répandues.» Ici on parle bien du corps.

J'étais des plus impressionné. Jutta faisait preuve d'une connaissance étonnante des Textes. Comment une femme pouvait-elle converser ainsi avec le Maître?

— Ce que l'auteur voulait sans doute signifier, c'est que le péché, celui de Judas en l'occurrence, sépare et divise la chair et l'esprit alors que la mort, elle, touche simplement la relation du corps et de l'âme. Le péché consiste essentiellement à séparer alors que la vertu consiste à unir.

Nous étions tous étonnés, jamais personne n'avait tenu pareil enseignement. Il le comprit et fit un pas de plus.

«Le Verbe est l'égalité et le péché rompt l'égalité. Prenons pour exemple l'attachement à un acquêt. Pour s'approprier dix arpents de terre, il faut d'abord les séparer du reste du comté, il faut regarder ces terres de façon différente de la contrée qui les entoure, il faut rompre l'égalité du regard. La racine du péché consiste à perdre l'égalité du regard propre aux petits enfants. Nous devenons propriétaires d'un sol lorsque nous pouvons dire de ce sol qu'il est nôtre, c'est-à-dire lorsque nous affirmons que le reste n'est pas à nous. L'appropriation d'une petite chose est d'abord le renoncement à une grande chose. De cette façon, nous nous privons de l'infinité du reste et nous nous contentons de ces misérables arpents de terre. Le riche est infiniment pauvre de tout ce qu'il ne possède pas, le pauvre a pour maison toute la terre et tout le ciel, autant qu'il peut en voir. La séparation et la privation que le riche s'impose à lui-même brise l'intégrité du monde si bien qu'il ne peut ni saisir ni comprendre la majesté du cosmos. Il ne peut comprendre la signification d'une chose ou d'un événement parce qu'il a coupé les fils qui relient cette chose et cet événement à la totalité vivante. Judas a vendu le Verbe pour le prix de quelques arpents, il a donc produit une fracture dans sa vision de l'univers. Par le fait même, le monde a perdu tout sens. Ne comprenant rien, il s'est senti perdu, abandonné et infiniment seul. Ce misérable a donc eu les entrailles brisées et déchirées, son angoisse était extrême vu que l'univers n'avait plus de sens pour lui. Celui qui sépare la terre qui est devant lui du Verbe qui est en lui divise sa chair et son cœur.

– Mais qu'est-ce que la chair dont vous parlez? interrogea Jutta.

– La chair est la pente qui pousse l'homme à se séparer de l'univers et à dire «moi». Elle capture le corps pour en faire sa terre. «Je ne suis pas tout mais simplement ceci, affirme la chair, je renonce à être tout pour devenir ceci.» À partir de là, «ceci» devient le centre. La chair me fait exister en réduisant mon existence à presque rien. C'est une pente nécessaire mais périlleuse, parce que si l'on s'imagine que tout ce que l'on voit existe pour répondre à ce petit paquet d'appétits que l'on nomme «moi», on est rapidement déçu du monde et il n'est pas long avant de le trouver cruel et même dément. Et si je vois le monde cruel et dément, je le deviens moi-même forcément. Heureusement l'esprit, c'est-à-dire l'unité, reste primordial. La division présuppose l'unité, la chair présuppose l'esprit. L'esprit traverse la chair comme l'eau traverse les vagues. Il produit une attraction contraire à la chair, une attraction vers l'Unité, vers la Source, vers le Fond. Les Actes des Apôtres que tu citais ne racontent-ils pas plus loin : «Dans les derniers jours, dit Dieu, je répandrai mon Esprit sur toute chair; vos fils et vos filles prophétiseront, vos jeunes gens auront des visions, et vos vieillards auront des songes»? L'esprit glorifie la chair, il relie ce que la chair sépare, il relie l'intérieur et l'extérieur, le passé et le futur afin de redonner au monde son véritable sens et qu'il puisse témoigner de la grandeur, de la bonté et de la majesté de Dieu. On peut lire encore plus loin dans les Actes : «Aussi mon cœur est dans la joie, et ma langue dans l'allégresse; et même ma chair reposera avec espérance, car tu n'abandonneras pas mon âme dans le séjour des morts, et tu ne permettras pas que ton saint voie la corruption.» La chair échappe donc à la mort. La chair est une pente dans l'âme qui résiste juste assez à l'attraction de Dieu pour m'assurer une existence propre. Elle m'est nécessaire dans la mesure où elle ne m'emporte pas dans ses illusions. Sans elle, nous retournerions si immédiatement dans l'unité de Dieu qu'il ne resterait plus rien de nous. Par sa distance, elle produit l'espace; par son hésitation, elle donne le temps. La chair est la courbure du regard qui rend possible la conscience.

– Tout cela est si obscur, répondit Jutta.

– Tu as des enfants et ils sont grands maintenant, continua le Maître.

– Oui, j'ai un fils et deux filles, dont l'une a fait ses promesses à Bruges.

– Tu les aimes plus que toi-même, alors tu devrais chercher à ce qu'il reviennent dans ton ventre et qu'ils s'y dissolvent à nouveau...

– Non, Maître, je ne l'ai jamais souhaité. Au contraire, j'ai toujours désiré que chacun d'eux soit différent, qu'ils prennent leur envol, qu'ils suivent leur voie, car j'aime les regarder vivre.

– Tu es une mère sage et aimante, Jutta, et je devine quel sacrifice tu peux faire pour tes enfants. Dieu ne peut t'être inférieur et souhaiter la dissolution de ses enfants dans son sein, c'est pourquoi il nous laisse la chair. Sais-tu ce que signifie «Israël»?

– Je me souviens de ce passage de la Genèse : «Dieu lui dit : Quel est ton nom? Et il répondit : Jacob. Il dit encore : Ton nom ne sera plus Jacob, mais tu seras appelé Israël; car tu as lutté avec Dieu et avec des hommes, et tu as été vainqueur.»

– C'est cela, ma fille, Israël signifie «fort contre Dieu». L'homme doit être fort contre Dieu, donc avoir une chair qui s'oppose à lui, afin d'être tenu loin de l'équilibre, à une distance suffisante pour exister en tant que lui-même. Mais si la chair l'emporte, c'est la séparation, la coupure, la rupture des entrailles, la division du cœur, la folie, le guerre et la mort. J'ai parlé dans mon dernier sermon de la fécondité. La fécondité de Dieu suppose la chair.

Nous entendîmes des cris dans la cour. Il s'y était rassemblé une vingtaine de paysans et quelques femmes du même rang. Ils clamaient :

– Libérez Walter, libérez notre prêtre...

Le prisonnier les entendit et se mit à hurler du fond de sa geôle :

– Allez-vous-en. Allez-vous-en. Ils vous tueront.

Mais la parole du prêtre produisait l'effet inverse. Ils s'enflammèrent, se dévêtirent le dos et se mirent à se flageller avec force. Les gardes s'en gaussaient plutôt que d'en avoir pitié. L'un deux prit lui-même l'un de leurs fouets de corde et se mit à frapper sur une des femmes en criant :

— Tu veux le fouet, viens que je te montre comment il faut faire.

Et il la frappait avec une violence outrancière. Elle tomba par terre et il frappait toujours. Un des hommes, peut-être son mari, sauta sur le garde. Il reçut un coup de masse d'armes sur le crâne et tomba raide mort. Il s'ensuivit une échauffourée des plus lamentables, ceux qui ne furent pas tués du premier coup furent flagellés jusqu'à leur dernier souffle. Ne sachant pas quoi faire des corps, on les chargea dans la charrette qui les avait amenés jusqu'au manoir, et on frappa le cheval qui courut sans doute jusqu'à la bourgade du misérable curé.

Nous étions tous atterrés, incapables de parler, incapables de prier, comme plongés dans une méditation profonde où se mélangeaient crainte et incompréhension. Pourquoi de telles vésanies, aussi sanguinaires, aussi gratuites ? Jusqu'où peut aller l'homme dans la négation de lui-même et dans la haine de son semblable...

Ce n'est que le lendemain que nous avons pu reprendre notre conversation sur la chair et l'esprit. Cette fois, c'est Suso qui aborda Katrei :

— Dès mon entrée au monastère, j'ai demandé la permission de me donner la discipline chaque soir. On me permit une seule journée par semaine. Je me demande aujourd'hui ce qui me distingue de toi, Katrei, qui veux tant détruire ton corps. J'aimerais, père Eckhart, que vous continuiez votre leçon d'hier.

— La négation du corps, depuis les premiers temps de l'Église, est la plus grande hérésie. Saint Augustin a particulièrement été tourmenté par cette hérésie qui lui venait du manichéisme de son père. Suso, tu connais pourtant bien les textes...

Suso continua en citant Muhammad ben Iahâq :

— «Mâni était fils de Fataq Bâbak. On dit que Mâni fut évêque de Qunâ et des Bédouins du clan de Huha et qu'il avait une jambe torse.» C'était, je crois, au début du IIIe siècle, continua-t-il. Or, on raconte qu'un jour, Mâni entendit une voix forte qui l'appelait depuis l'autel : «Ô Mâni, ne mange pas de viande, ne bois pas de vin, n'aie pas de rapports avec les femmes.» Le manichéisme prétend apporter la Connaissance fondamentale, la Gnose, qui révélera à l'initié le commencement, le milieu et la fin de toutes choses. Les gnostiques considèrent en effet que la Vérité est proprement inénarrable et ineffable, intraduisible. Elle nécessite attente et médiation, contemplation extatique, immersion dans la Vérité de Dieu, fusion dans la Substance primordiale...

— Pour eux, continua Eckhart, la matière est le contraire de l'esprit, le corps est l'ennemi de l'esprit. Ils identifient la chair et le corps. C'est pourquoi ils disent que la virginité et la chasteté parfaites est ce à quoi devraient aspirer tous les hommes. Mâni considérait que le corps n'était qu'une prison, une souillure qui brouille la vue de l'âme et l'empêche d'accéder à la connaissance. «La pureté, disait-il, la pureté la plus juste, c'est celle qui est atteinte par le moyen de la Gnose. La Gnose délivre l'âme de la mort et de la destruction.» Il voulait dire que la connaissance venait du détachement du corps. Il fit là une très grave erreur.

— Mais, reprit Suso, n'avez-vous pas dit dans votre sermon pascal que l'âme devait être détachée du corps?

— Voilà que tu trahis ma pensée, mon frère. Mais je sais bien que tu le fais sans malice. Néanmoins tu te malmènes beaucoup et te fais scrupule de rien. Puis-je te parler franchement?

— Je le souhaite de tout cœur, répondit Suso.

Je savais à quel point Suso s'inquiétait de tout. Il m'avait déjà confié qu'il se croyait perdu parce que son père avait acheté une dispense pour qu'il puisse entrer au couvent avant ses quinze ans.

— Mon ami et l'un de mes meilleurs élèves, poursuivit Eckhart, je voudrais tant que tu retiennes ceci : nous ne pouvons détruire notre pente naturelle par un combat à mort contre nous-mêmes. Au contraire, cela nous épuise et risque d'exacerber nos tendances naturelles. La peur nous rend simplement plus vulnérables. Non, je n'ai pas parlé de cette forme de détachement qui n'est qu'acharnement. Non, j'ai dit dans mon sermon qu'il fallait être dépris, délié dans ce monde, pas coupé de lui. Que dirais-tu d'un cavalier qui ferait jeûner son cheval, qui le frapperait durement? Ce n'est pas ainsi qu'il déliera sa monture du sol et la fera courir librement à travers champs! Être délié, au contraire, c'est faire corps avec notre chair, non pas pour qu'elle nous entraîne dans le gouffre de son égoïsme, mais pour remonter à sa source comme un poisson remonte une rivière, comme un cheval s'élance dans la prairie et va jusqu'à la cime.

— Mais comment remonter la chair? demanda Jutta.

— Par l'égalité. Au contraire du seigneur qui veut dix arpents de terre pour lui-même, le pauvre en esprit regarde en toute égalité, il aime également tout ce qui se trouve sous ses yeux. Dieu se plaît tant en cette Égalité qu'il y fait circuler tout ensemble sa Nature et son Essence. Il éprouve la même joie que celui qui fait courir un cheval sur une lande verte, là où elle est entièrement plate et égale. Ce serait la nature du cheval de s'élancer de toutes ses forces et de bondir dans la lande; ce serait sa joie et cela correspondrait à sa nature. De même, c'est pour Dieu joie et délectation que de trouver l'égalité, parce qu'il y peut déverser tout ensemble sa Nature et son Essence.

– Mais Maître, dit Katrei, Paul ne dit-il pas : «Qui me délivrera de ce corps de mort»?

– Ce même Paul dit aussi : «Car lorsque nous étions dans la chair, les péchés provoqués par la loi agissaient dans nos membres, de sorte que nous portions des fruits pour la mort. Mais maintenant, nous avons été dégagés de la loi, étant morts à cette loi sous laquelle nous étions retenus, de sorte que nous servons dans un esprit nouveau, et non selon la lettre qui a vieilli. Sans loi, le péché est mort. Pour moi, étant autrefois sans loi, je vivais; mais quand le commandement vint, le péché reprit vie, et moi je mourus.» Voilà ce que dit saint Paul. La loi brise l'égalité. Mais celui qui est délivré de la loi ressent certes l'appel de son égoïsme, mais aussi l'attraction de l'esprit qui l'appelle et l'attire par amour. L'homme alors ne combat plus autant le péché, il accepte plutôt de se laisser entraîner dans une histoire d'amour. Katrei, ma chère enfant, ce corps t'est donné pour que tu le portes avec joie et plaisir. Ne détruis pas la chance qui t'est donnée de te dépasser dans ce corps. Ne connais-tu pas cette parole célèbre d'Hildegarde, qui a vécu pas très loin d'ici : «L'âme et le corps sont un avec leurs forces particulières et leur nom; de même que la chair et le sang; et par eux trois, c'est-à-dire par le corps, l'âme et l'esprit, l'homme se trouve accompli et produit des œuvres»?

Cette nuit-là fut torride. On se serait cru au cœur de l'été. Il y avait de la poussière partout; un relent lugubre et mystérieux, sauvage, aride et ténébreux s'insinuait dans la pièce. Je me sentais lourd et particulièrement épuisé. Le vent qui s'engouffrait par les ouvertures sifflait sur les lames de fer des grilles. Il semblait apporter avec lui du sable couvert du sang et des sueurs des Maures qui, en terre sainte, tuent et souillent la chrétienté. À moins qu'un feu, allumé par des gardes, ravage villages et vignes, forêts et pâturages. La cause restait insaisissable, mais une sorte d'exhalaison ignée nous engourdissait dans un étrange sommeil bilieux, ensorcelant et inextricable. Une sécheresse venait-elle en riant pour détruire les pousses sitôt sorties de terre? La peste allait-elle faire résurgence? Des barbares allaient-ils se jeter sur les châteaux, brûler et détruire, écorcher, massacrer, exterminer? Tant d'images se bousculaient. Ma volonté croulait, mon imagination remuait des obscurités terribles et bientôt honteuses. Je le sentais. Je respirais à peine comme si, en suspendant mon souffle, je pouvais ravaler mes tourments. Et voici que je courais à travers les flammes. Je tenais une belle jeune femme par la main, des enfants suivaient. Je portais robe de paysan et elle, haillons si misérables qu'ils se défaisaient. J'avais sous le bras un gamin couvert de suie et un autre sur mes épaules. Mes pieds s'écorchaient sur les cailloux. Nous courions de toutes nos forces mais, épuisés, n'avancions que lentement. Un terrible cavalier noir nous rattrapa. Il était assis sur une cuirasse sombre et luisante et flagellait sa monture. Le barbare n'était vêtu que d'une cotte de mailles charbonnée et de lanières de buffle. De grosses veines sillonnaient ses énormes épaules et le sang suintait sur ses bras puissants. Il brandit un terrible marteau d'armes qui alla se ficher dans le cou de ma compagne. Elle poussa un terrible hurlement...

– Aaaah! s'écria en même temps Katrei.

J'éclatai en sanglots et me réveillai en sueur. Le Maître était déjà près d'elle. Mes larmes de douleur se transformèrent en larmes de joie de la voir vivante et plus belle que jamais. J'étais désemparé, soudain angoissé et coupable. Mon ventre me faisait mal, le désir et la douceur de ce désir étaient si profonds, comme intérieurs à mes os et à la moelle de mes os. Je repris lentement mes esprits, priai Dieu de me délivrer de la femme, et de me donner assez de souffrance pour m'arracher à ses crocs.

Le Maître rassurait Katrei qui était recroquevillée sur la paille, la tête presque sur ses genoux. Elle était transie comme si elle venait vraiment d'échapper à l'horreur. Non pas à la mort, la mort elle s'en moquait, non, à quelque chose de beaucoup plus terrifiant, l'enfer sans doute, et dans l'enfer à des spectres ombreux et effroyables. On dit que les succubes sont si cruels qu'ils ne dévorent pas leurs victimes avant de les avoir attendries par toutes sortes d'espérance et de lumière. Lorsque leurs victimes sont toutes en confiance, l'âme comme ouverte, elles les pénètrent, traversent leur corps qui se déchire avec grandes douleurs mais se reconstitue pour de nouvelles tortures.

Le Maître posa sa large main sur le milieu de son dos. La femme s'apaisa un peu. Il dit doucement :

– Parle, si tu le désires, je t'écoute.

Elle se dressa sur ses genoux. Son visage exprimait une terreur indicible. Ses paroles semblaient sécher comme une cendre dans sa bouche, elle ne pouvait que balbutier et avec grand-peine :

– Un ciel, un firmament bleu, sombre mais doux. Voilà le commencement. Sous l'étendue azur, une plaine verte, une prairie, un herbage à perte de vue, océan souple et ondulant partout où allait le regard. L'horizon séparant le ciel bleu de la prairie infinie formait une ligne de feu vif qui brûlait les pieds sans pourtant nuire le moins du monde à l'herbe qui croissait. Il y avait un cheval blanc. Non, plus que blanc ! Éclatant comme une lumière immaculée, un soleil à son zénith. Ses sabots et ses yeux, noirs comme le graphite, perçaient et pénétraient dans toutes les directions. Je montai sur le cheval et nous courûmes sans retenue, je le dis, sans retenue, comme un ouragan. Le cheval avait les membres si prestes et habiles, si puissants et précis, les gestes si immédiats, l'obéissance si subtile et parfaite qu'il semblait voler sur le feu sans jamais toucher l'herbe, aller au-devant de mon désir de pureté bien avant que je ne lui en donne l'impulsion. Ma robe ivoire et mes longs cheveux argent couvraient derrière moi tout l'horizon, s'étendaient comme de la flamme dans le ciel et sur la prairie, les unissaient dans un même lait de lumière. J'étais si libre et si vibrante. Une joie pénétrait tout mon corps. Mon corps était devenu mon âme tant il était léger et prompt à suivre. Mais j'existais tout de même, j'existais unie au ciel et à la terre, je les unissais même, je les unissais dans mon étreinte. J'étais incorporée à l'univers, mais je sentais que j'étais incorporée. J'avais la couleur de toutes les couleurs, l'odeur de toutes les odeurs, la forme de toutes les formes, mais je percevais le mouvement de mon âme dans le mouvement de la vie.

Soudain, horreur! Une flèche frappa la cuisse du cheval qui culbuta en m'emportant avec lui. Tout l'univers apparaissait faire corps avec le cheval de sorte que le ciel azur, la prairie verte et le feu qui les séparait et mes cheveux qui les unissaient furent emportés avec le cheval en un terrible tourbillon. Le tourbillon s'engouffra dans le vide qui se formait au centre, comme si le temps était rappelé à son origine et que tout ce qui existe ne tenait plus qu'à un minuscule trou noir. Ce trou était dans le milieu d'un crâne. Il n'existait plus que ce crâne, inerte. Le firmament n'était plus qu'une image dans ce crâne; la prairie, une illusion dans ce crâne; la liberté, une impression dans ce crâne. De l'univers, il n'existait que ce crâne d'homme. Le crâne n'était même pas dans un espace vide et tranquille, il n'existait que dans son propre imaginaire. L'espace n'était qu'une idée dans ce crâne et le crâne lui-même n'était qu'une pensée. Alors j'ai senti que cette pensée était en train de geler et qu'en gelant, il ne resterait plus rien, pas même la conscience de ce rien. En gelant, le crâne allait emporter tout et rien dans son propre néant. Il ne resterait plus rien de rien. Mais je n'étais pas la seule à avoir été entraînée par ce retournement de l'univers. Il me semblait que des millions et des centaines de millions de consciences avaient été anéanties dans ce désespoir du désespoir. Je me disais que l'enfer n'était rien à côté de cela, puisque c'était quelque chose. Quand tout fut terminé, il ne subsista que l'angoisse, simplement l'angoisse, juste l'angoisse.

Katrei pleurait abondamment, au début par anxiété, puis par souffrance. Peu à peu, elle apparaissait goûter à cette souffrance, jusqu'à y prendre plaisir comme d'une chose qui certifie notre existence. Elle était tout abandonnée dans les bras du Maître et elle pleura des heures. Il n'y avait pas de fin à ses larmes. Je ne savais pas qu'il y avait tant de larmes dans une femme. Je restais blotti et silencieux de peur de rompre cet éboulement des souffrances dans un cœur de femme. Puis une lueur d'aube toucha sa chevelure avant même le chant du coq. Les autres, déjà réveillés par le cri, se levèrent doucement pour chanter matines. Mais père Eckhart fit un signe pour que le silence ne soit pas rompu.

Katrei écarta les mains de son visage et elle sembla un instant comme pétrifiée. On eût dit une pierre sur une sépulture. Alors le Maître lui toucha la main.

– J'ai l'impression d'un enterrement.

Elle se remit à pleurer, encore plus inconsolable qu'auparavant. Alors je me suis souvenu de quelque chose que je n'avais pas vu, plutôt que je n'avais pas voulu voir. Je tremblai dans tout mon corps. Allait-elle le dire? Allait-elle faire éclater cette horrible vérité au grand jour? Fallait-il cette confession? Ce péché devait-il sortir de l'ombre? Je l'avais enfoui à jamais. Il n'existait plus pour moi, moi qui étais alors le préfet de ces deux moines. Alors je laissai échapper :

– Non!

Mais sitôt je me repris :

– Oui, dis-le, dis-le, Katrei.

Il y eut un grand silence, le hiatus d'un de ces moments où tout s'apprête à passer du possible au réel.

– Ils m'ont enlevé mon bébé, le bébé qu'ils m'ont fait, ils me l'ont enlevé, ils l'ont égorgé devant moi en disant que c'était le diable et ils l'ont englouti dans les détritus.

En disant ces mots, sa souffrance se transforma en une rage singulière et ses doigts et ses ongles pénétraient dans l'épaisse soutane du Maître. Et moi, je me frappais le front de la main. J'avais entrevu la scène mais refusé d'y faire face. Herman de Summo et Guillaume de Nidecke avaient assassiné leur propre enfant. Au fond de mon cœur, dans un sillon inavouable, j'avais fermé les yeux. Mon péché valait leur péché, c'était un péché de lâcheté, un épouvantable péché de médiocrité comme l'avait été toute ma vie.

Quand la rage de Katrei s'adoucit et qu'elle s'abandonna dans les bras du Maître, Tauler commença matines. Nous priâmes tous ensemble. La voix de Jutta sembla un moment contenir toutes les autres et chasser peu à peu l'air suffocant qui s'était engouffré dans notre cellule. Tout s'apaisa. Quelque chose de serein et de tranquille s'installait peu à peu. Comme après l'orage, l'air assaini par le tonnerre et les éclairs, par l'averse et le vent entre plus vif dans nos narines, chasse le mal et avive l'esprit. Cet air nous rasséréna. Alors Jutta osa une première question :

– De quelle flèche est mort le cheval ?

Le père Eckhart fit cette simple réponse :

– Je crois que le cheval est mort de sa propre image.

– J'avoue bien humblement ne rien comprendre, réagit Suso, après un moment de silence. Pourriez-vous nous en faire leçon ?

– Si chacun le désire, ajouta-t-il.

La lumière de ce prime matin était déjà si belle et la paix qu'elle contenait si douce, qu'il paraissait que seule une leçon pouvait convenir à un aussi beau jour.

– Mes bons amis, ouvrez bien votre intelligence, nous demanda-t-il. Au sermon de Pâques, je vous ai parlé de la virginité. Je vous ai demandé de comprendre ce mot au-delà de la chair. Quelqu'un se souvient-il de ce que j'ai dit?

– Vous avez dit, je crois, répondit Suso, dont la mémoire ne défaillait que rarement : «La personne par qui Jésus fut reçu ne pouvait qu'être vierge, c'est-à-dire une personne libre de toute image étrangère, aussi disponible qu'avant sa naissance.»

– Fort bien répondu, reprit le Maître, mais qu'est-ce qu'une image?

– L'image permet à une chose d'être ici tout en restant là-bas, répondit Suso.

– Cela est juste, Suso. Maintenant, allons un peu plus loin. Le soleil est brûlant, l'image du soleil ne l'est pas autant. Il y a une différence entre le soleil et son image. Mais comment pourrait-on distinguer deux images parfaites du soleil?

– On pourrait très bien remplacer l'une par l'autre sans que personne puisse se rendre compte de la différence, répondit Tauler dont l'intelligence était un peu plus concrète.

– En effet, nul ne pourrait voir la différence, pas même Dieu. Les images sont égales entre elles. L'image invente l'égalité. La virginité consiste en une transparence permettant au soleil de produire des images parfaites et égales. Si la bonté entre dans un cœur pur, ce cœur devient bon de toute la bonté et sa bonté est égale à celle du Verbe. Pour cela, l'intellect doit se tourner vers la bonté et non vers la conscience de lui-même. Si la conscience se retourne sur elle-même, elle brouille la lumière. Il n'y a qu'une faute, c'est l'égoïsme; c'est ce qui se produit lorsque la chair se retourne vers la chair, soit pour s'y complaire, soit pour la détester. Haïr la chair est aussi néfaste que d'en être obnubilé. Le cheval de la vision de Katrei est une image et, lorsque le cheval s'admire ou se hait, il se complaît en lui-même. C'est comme si l'on plaçait un miroir face à un miroir, le deuxième miroir s'interpose entre le miroir originel et le soleil, de sorte qu'il empêche la lumière. Voilà ce qui nous arrive, à toi, Katrei, et à nous tous, chacun selon la mesure de notre attention à nous-mêmes.

— Mais, Maître, je cherche uniquement à me fondre en Dieu, tenta de se justifier Katrei.

— Oui, je sais que ton intention est pure, mais je crois que tu te trompes. Lorsque le cheval, c'est-à-dire l'image, est déliée d'elle-même, elle court librement et sans retenue entre le ciel et la terre. Elle unit le ciel et la terre conformément à sa nature, car la nature de l'intelligence est d'unir. Mais lorsque le cheval veut n'être qu'uni, ne goûter qu'à cette unité, cela lui vient de ce qu'il désire davantage l'effet que la cause. Par la cause, le cheval unifie et tant que son regard est tourné vers la lumière, il unifie le ciel et la terre, l'esprit et la chair. C'est sa nature. Tant que l'on est tourné vers la vérité, la bonté, on est actif; on travaille sans relâche à faire entrer l'esprit dans son propre mouvement. C'est le corps qui purifie l'âme et non l'inverse. La lumière est un flux et, si on la retourne sur elle-même, on la fige et elle meurt.

— Je suis moi aussi, comme Katrei, à la recherche d'un état d'unité parfaite, avoua Suso.

— C'est là une grande tentation. Désirer cette unité, c'est très bien, à condition que tu ne retournes pas ce désir sur lui-même. Vouloir l'unité qui est la nôtre, c'est-à-dire une unité toujours dynamique, toujours vivante, toujours désirante, c'est se laisser pénétrer d'esprit. Mais vouloir une unité définitive, statique et sans vie, c'est une fuite, un refus de ce qu'est Dieu en vue de la poursuite d'une chimère que l'on prétend être Dieu. Katrei a été blessée comme pas un d'entre nous, et il est compréhensible qu'elle cherche à s'élever hors de la prairie verte pour voler sans réserve dans le ciel. Mais ce n'est pas sa nature. Sa nature, c'est l'intelligence dynamique qui unit dans l'amour sans fusionner dans la mort.

– Mais quelle est la signification du crâne dans le rêve de Katrei? demanda Jutta.

– Si la foi est coupée de l'intelligence, elle n'existe plus, parce que la foi est un état de l'intelligence. Lorsque la foi disparaît, apparaissent les croyances. Mais les croyances disparaissent inévitablement devant la raison. Cela condamne la raison à se suffire à elle-même, à se suffire d'elle-même. Comme la raison n'est qu'une image, elle ne peut alors que s'anéantir. Si l'homme tente de raisonner l'univers, il ne peut en avoir l'intelligence. La science est le dialogue entre l'intelligence de l'homme et l'intelligence de l'univers, la religion est le dialogue entre l'intelligence de l'homme et l'intelligence de Dieu. C'est l'intelligence qui peut raisonner et non le raisonnement qui peut intelliger. L'intelligence enveloppe la raison comme l'éternité enveloppe le temps. La raison ne peut être qu'un instrument. Sans la finalité de l'intelligence, il se pourrait que la raison n'ait d'autres rapports avec l'univers qu'un rapport d'utilité et d'exploitation; utiliser l'univers et l'exploiter pour tenter en vain de combler les appétits de la chair, ce serait terrible! Terrible serait le sort d'un peuple qui n'aurait que ce souci, il ne pourrait que se dévorer lui-même, poussé par l'angoisse de l'absurdité d'un monde qu'il a lui-même rendu incompréhensible et absurde. L'intelligence seule peut saisir le sens de l'intelligence divine qui se manifeste dans la nature.

– Mais, Maître, que dois-je faire? interrogea anxieusement Katrei.

– Ce que tu devais faire, tu l'as fait cette nuit, mon enfant. À un moment, la peur de la souffrance a délié son cordon et la douleur a été rendue à sa liberté. Déliée, elle s'est écoulée et s'écoule encore et s'écoulera sans doute encore bien longtemps, mais une souffrance déliée perd peu à peu sa rage, s'assouplit et s'épanche doucement vers la mer. Elle n'est plus un obstacle, mais au contraire un moteur. Il ne te reste donc plus qu'à avancer sans souci, attirée par ton désir de pureté. Il est dans l'âme une puissance : l'intellect. D'emblée, à peine prend-elle conscience de Dieu et commence-t-elle de le goûter qu'elle a en elle cinq propriétés. Elle se saisit comme enracinée dans un Fond éternel qui flue dans l'espace et dans le temps ; elle n'est égale à rien dans son Fond mais égale à tout dans son image ; elle est pure et sans mélange ; elle opère et cherche en elle-même ; elle est une image de la Source qui rebondit sans jamais se retourner sur elle-même. «Faisons quelqu'un à notre image, selon notre ressemblance : ni toi le Père, ni toi le Fils, ni toi le Saint-Esprit, mais nous, dans le conseil de la sainte Trinité, faisons quelqu'un à notre image, selon notre ressemblance.» Lorsque Dieu fit ainsi l'homme, il opéra dans l'âme son opération propre, égale à lui-même et continuellement opérante, jamais morte ou statique. Cette opération était si grande qu'elle ne devint rien d'autre que l'âme ; mais l'âme n'est rien d'autre que l'opération continuelle de Dieu. La nature de Dieu, son Essence et sa Déité dépendent de l'opération nécessaire qu'il effectue dans l'âme. Où que soit l'âme, c'est là que Dieu opère son œuvre, cette opération est si grande qu'elle n'est autre chose que l'Amour. Il faut, Katrei, et toi aussi, Suso, que vous laissiez votre âme opérer et faire ses œuvres. Pour cela, il ne faut pas fuir la vie de la chair, mais, bien au contraire, aimer remonter cette chair, en faire son plaisir, sa joie.

— Mais vous avez dit aussi qu'il faut ignorer les créatures.

— J'ai dit qu'il faut ignorer les créatures en tant que créatures, l'image en tant qu'image. Si tu observes le soleil dans le miroir, ce n'est pas l'image dans le miroir que tu admires, mais le soleil lui-même. L'image n'est rien, absolument rien sans sa source. Quand on connaît les créatures telles qu'elles apparaissent, ce que j'appelle une connaissance du soir, on a une mosaïque d'objets individuels et séparés. Mais quand on connaît les créatures en Dieu, ce que j'appelle une connaissance du matin, on voit la création dans son unité même. Nous devons apprendre comment la bonté de Dieu le contraignit à lancer le mouvement créateur pour lui donner la jouissance de sa bonté et de son intelligence. L'âme qui s'ouvrirait à l'amour naturel de Dieu serait comme celle du séraphin. Devenue toute vacuité, Dieu s'épancherait en elle aussi parfaitement que dans le séraphin, mais non pour se complaire sans fruit, au contraire, pour donner des fruits ; c'est pourquoi j'ai dit que femme est supérieure à vierge, la vierge n'est vierge que pour être femme en produisant du fruit.

Lorsque la nuit vint, nous nous endormîmes tous très lourdement comme baignés dans notre dernier chant. Cette nuit-là, je rêvai à Katrei, elle marchait dans un champ, je la trouvais belle et pourtant mon corps restait calme. Je prenais conscience qu'elle était une image de Dieu et que c'était ma crainte de la chair qui avait souillé cette image et non la femme elle-même.

Dès l'aube, il y avait eu de grands bruits dans la cour et nous pouvions voir, à travers le treillage de la fenêtre, des manœuvriers s'affairer, des chevaux tirer des charges, des contremaîtres crier des ordres et, tout autour, une agitation de gueux, de fripons, de goliards venus pour fainéanter, s'amuser ou détrousser. On construisait sur un côté une tribune et sur l'autre un bûcher. Nous avions presque oublié Walter, mais eux, non. Le malheureux n'était qu'un simple clerc sous l'autorité directe du seigneur qui l'avait nommé en contrepartie d'une rétribution de la famille et sans approbation épiscopale. Mais justement, le grand-père de Walter l'avait par la suite renié et personne n'était en position d'intervenir. «L'aigle se désintéresse de chaque aiglon qui ne supporte pas la vue du soleil, un bon père de famille abandonne chaque fils qui s'éloigne de l'Église», l'adage est bien connu et bien appliqué. Sans famille et sans le sou, qui pourrait payer la rançon qui permettrait de racheter le coupable? Pouvait-il se disculper par le serment purgatoire d'un certain nombre de conjureurs valables? Peu probable : ses paroissiens n'étaient que serfs facétieux, paysans sans tenure ou jeunes malfaisants. Il n'est pas impossible, quoique la chose se fît de moins en moins, qu'on ait soumis l'homme à l'ordalie de l'eau bouillante ou du fer rouge. Mais dans ces cas, seul un saint de Dieu ou un homme exceptionnellement vigoureux pouvait espérer obtenir clémence; les autres, dont les blessures prenaient plus de trois jours à se refermer, ne faisaient qu'aggraver leur cause. Sans protection des hommes et abandonné de Dieu, son seigneur n'avait pas besoin de déranger l'Inquisition pour en finir de lui. Alors pourquoi le brûler comme hérétique plutôt que de le pendre sans autres procédures? Sans doute pour servir d'avertissement. Mais dans ce cas, le comte avait-il obtenu le sceau de l'archevêque, son ami? Était-ce la raison de son absence? Quoi qu'il en soit, tout ce remue-ménage signifiait que le châtelain était de retour et qu'il nous libérerait bientôt avec mille excuses avant d'expédier l'infortuné Walter dans les flammes.

En effet, avant même la cinquième heure, il nous fit venir dans la grande salle. Un repas copieux reposait sur les tables et l'hôte présenta force excuses d'un bout de lèvre peu convaincant. Ni Tauler ni le Maître ne voulurent répondre à cette componction des plus mal feinte. Nous n'avons touché qu'au pain et à la soupe sans dire mot du repas. Au plus fort des bruits du service et des rires malsonnants de la petite courtisanerie, je chuchotai à Tauler que la mise en scène m'apparaissait si voulue que je ne serais pas surpris d'apprendre que le comte n'avait même pas quitté son domaine, mais simplement attendu les instructions de l'archevêque. Tauler me répondit qu'il en était certain. À notre grande surprise, avant même la fin du repas, le père Eckhart s'adressa au comte en ces termes :

– Il se peut que le bon prêtre qui enterra il y a trois jours un petit enfant mort de faim se trompe sur plusieurs points de la religion ou de l'ordre public. L'erreur est une affaire d'intelligence qui se corrige avec l'instruction, mais l'hérésie est une affaire de volonté. Aussi, j'aimerais...

– Bon Maître, célèbre en théologie et ancien prieur de votre ordre, répondit mielleusement le comte, j'ai réponse à vos inquiétudes toutes légitimes. Nulle injustice ne sera faite, j'ai ici ordre de l'archevêque, grand seigneur Henri de Virnebourg lui-même. Qui plus est, l'ordre est contresigné par l'Inquisiteur Maître Reyner, docteur comme vous en très sainte théologie. Ceux-ci destituent le coupable de sa charge de curé et le donnent au bras séculier pour qu'on lui procure occasion de salut par le feu selon sa contrition et par la miséricorde de Dieu...

– Qui vous dit que je parlais au seigneur vassal qui est devant moi et qui ne fait que prêter ses bras à ceux qui décident? J'espérais plutôt parler à un homme capable d'entrevoir la justice qui sourd au fond de son propre cœur. Dans l'homme juste, la justice s'engendre elle-même. L'homme juste reçoit tout son être, savoir, amour et opération, du cœur de la justice et d'elle seule. Mais je n'ai pas vu cet homme ici, je n'ai croisé que le tributaire d'une souveraineté bien terrestre. Qu'ai-je à dire au vassal que je ne puisse moi-même dire à celui dont il dépend? Alors veuillez me faire conduire immédiatement au condamné afin que j'entende sa confession de façon à répondre de lui directement à l'archevêque.

– Oh, que non! Dois-je vous rappeler qu'on vous accuse vous-même et que l'inculpé est coupable tant qu'il n'a pas prouvé son innocence? J'ai ici une deuxième lettre qui me demande de vous tenir escorte jusqu'à Cologne. Pour l'instant, je dois m'assurer que vous ayez bonne place devant le bûcher avec votre jolie protégée, afin que vous réfléchissiez aux conséquences de l'orgueil de ceux qui prétendent élever leur souveraineté personnelle au-dessus de celle de l'Église.

Un moment, le Maître resta la bouche entrouverte et je le crus vaincu. J'étais moi-même stupéfié, je ne savais pas que la procédure était si avancée et, pour m'en assurer, je lus de mes propres yeux l'ordre de l'archevêque et vérifiai le sceau. Lorsque je fis signe au Maître que le parchemin était authentique et que son contenu l'entachait publiquement, le vieillard parut un instant atterré et prêt à se rendre. Mais c'était sans compter sur les ressources profondes que le Maître savait faire émerger du tréfonds de son âme.

– Un siècle est comme un jour aux yeux de Dieu, répondit-il, avec une grande sûreté de voix et indéfectible confiance. Alors donc, à la fin de ce jour, nous serons tous les deux devant le même miroir archangélique sans autre protection que la pure vérité ; puissions-nous avoir connu notre propre cœur avant cet instant, sinon notre conscience pourrait nous faire souffrir plus que nous le croyons ! L'homme que vous allez brûler, grâce à vos jeux de coulisses et au supplément de dîmes que vous versez, a droit à cette rencontre avec lui-même, et je vais le trouver avant que vous n'ayez consommé votre péché. Sachez en terminant qu'un dominicain n'a pas à répondre de sa conscience à l'archevêque, mais directement aux supérieurs de son ordre, et que ma position me permet de recourir directement au pape lorsque je le voudrai.

Il se leva et ordonna à l'un des soldats qui se tenait près du seigneur de le conduire au cachot du condamné. Craignant de perdre la face, le seigneur fit signe au soldat de le conduire. Tauler le suivit. Un moment plus tard, on fit annoncer que le prieur d'Angers, le père Gervais, arrivait avec mandat du pape ; il était accompagné de Benoît de Côme et de Nicolas de Strasbourg. Je me précipitai aux pieds du prieur d'Angers pour lui expliquer notre situation.

Mais il me reçut assez froidement. Il avait déjà été informé de notre présence au château et venait, entre autres, pour voir à ce que le seigneur n'outrepasse pas l'ordonnance de l'archevêque et que le Maître soit amené sain et sauf au Général de l'ordre, à Cologne. Et il me fit lecture d'un fragment du message : «... afin qu'il puisse répondre, devant l'Inquisition, de multiples articles de ses sermons et de ses traités jugés malsonnants, erronés et entachés d'hérésie tant par le son des mots que par le sens des phrases».

Le prieur d'Angers apparaissait fort soucieux, et l'ouverture d'un procès à l'intention du Maître ne semblait qu'un charbon dans le brasier qu'il lui fallait éteindre.

– L'Église est en grand danger. L'empereur cherche à étouffer son autorité et à disloquer son gouvernement. Il fomente lui-même l'hérésie et la révolte contre l'Église afin d'ajouter aux pouvoirs qu'il a sur les corps ceux que le pape a sur les esprits. Walter et la plupart des hérétiques ne sont que l'écume de ce brassage. Il faut s'en éloigner. Tu dois convaincre ton Maître de suivre la voix modérée de notre frère saint Thomas d'Aquin.

Désemparé et ne sachant que répondre, je me tournai vers Nicolas de Strasbourg, un des grands amis du Maître, homme d'étude qui avait enseigné à Cologne et composé une somme philosophique inspirée d'Albert de Grand et de Thomas d'Aquin. Le prenant à part, je me plaignis à lui :

– J'ai ordre du prieur d'accompagner le Maître jusqu'au Studium. Je savais que le prieur voulait le réprimander pour les risques que, par innocence et ardeur, il faisait prendre à l'ordre. Notre ami est parfois si enflammé dans ses propos que, sans malice de sa part, il risque de méconduire les âmes simples et peu instruites, surtout celles des femmes. Mais qu'il soit traduit devant une cour d'Inquisition improvisée par un archevêque davantage préoccupé de ses terres et de ses biens que par la sainteté de l'Église, je le supporte difficilement. C'est le déshonneur pour tout le saint ordre dominicain.

– Aie confiance en l'Église, mon frère, répondit Nicolas. Les hommes qui la mènent ne sont pas toujours dignes d'elle, mais elle a des ressorts qui les transcendent ; sa justice émerge entre les injustices des hommes et sa miséricorde fuse à travers les rigueurs du temps. L'accident ne peut l'emporter sur l'essence.

Mon cœur s'apaisa quelque peu. Nicolas avait raison. Quelque chose d'imprévisible, une saillie de la Providence allait raccrocher le destin à son moment le plus tragique. Il fallait espérer.

Finalement, la chandelle s'éteignit, donnant le signal de la huitième heure, heure à laquelle nous devions sortir dans la cour. Tout le comté devait être présent. Il y avait des gens partout, montés sur des gradins improvisés, sur le parapet, sur le chemin de ronde, entre les créneaux et jusque dans les hourds des tours. Plusieurs soldats armés de lances ou de fourches d'armes hérissaient le pourtour de la cour tandis que des archers guettaient du haut des murs. Les commerçants avaient été informés du jour et de l'heure de l'exécution, et, voulant profiter de l'occasion, avaient levé une foire : charbon, verrerie, brocart, soie, chapeaux, armures, bijoux, tapis et même épices, tout était là. La noblesse en profitait pour jeter un regard sur la marchandise ou y envoyait un intendant. Les besogneux, les miséreux, les boiteux, les borgnes, les veuves jetaient des regards d'envie sur les viandes, les pains et les fromages qui jonchaient les bas comptoirs. Seul un petit groupe silencieux s'était rassemblé autour de la tribune et du bûcher ; il semblait se préparer au drame qui allait s'y dérouler.

Le Maître et Tauler sortirent finalement du manoir et s'approchèrent de la tribune. À leur mine, je compris qu'ils ne pouvaient plus rien pour le condamné. Ils prirent place auprès de nous. Katrei se pressa contre père

Eckhart, elle était encore plus pâle que de coutume. Albéron serrait la main de sa sœur. Une charrette s'approcha sur laquelle était attaché et bâillonné le pauvre homme. Il avait les yeux fermés, les mains jointes et murmurait des prières ; il avait le front et tout le visage couvert de sueur, il tremblait et respirait avec peine. À un moment, il ouvrit les yeux mais son regard était si absent qu'on aurait dit celui d'un dément. On l'attacha solidement au poteau du bûcher, la corde qui lui entourait le cou l'étranglait presque. On lui plaça le bonnet des hérétiques sur la tête. Pour leur propre survie, les gens feignaient de rire de lui, les plus grossiers lui lançaient des fientes et des pierres, mais la plupart des gens qui s'étaient approchés contenaient difficilement leur affliction et leur inquiétude. Visiblement, ils aimaient cet homme.

On murmurait que l'empereur remettrait l'Église à sa place, qu'il allait bientôt nommer son propre pape parce qu'il n'acceptait pas les abus de l'Église et son insoumission à l'empire. On s'en réjouissait. Que le joug vienne du roi ou du pape, qu'importe ! Ce qui importe, c'est qu'il n'y ait qu'un joug plutôt que deux. Lorsque l'Église a ajouté ses droits et ses impôts à ceux des seigneurs, la chose fut intenable, disaient-ils. Vaut mieux revenir au premier moment de l'Église : un seigneur qui accable et un prêtre qui console. Au fond, ces gens voulaient simplement rendre à César ce qui appartient à César et à Dieu ce qui appartient à Dieu ; ils refusaient la complicité de deux César qui se concurrençaient dans la tyrannie et la méchanceté. C'est en partie la pensée de saint Dominique et de saint François, c'est la raison de leur percée dans la pauvreté ; ils désiraient élever l'Église par l'humilité des saints plutôt que de l'abandonner à l'abaissement par l'orgueil des puissants. Cependant ils voulaient le faire en cultivant les bons fruits et non en se révoltant contre les autorités douteuses.

Un crieur fit taire la foule et présenta le père Gervais comme mandataire d'Avignon venant prononcer une bulle papale. Il y eut émoi de surprise et de crainte. Un silence solennel gagna la foule. Le prieur d'Angers commença ainsi :

— Seigneur, nobles, artisans et bonnes gens, écoutez attentivement, je ne parle pas en mon propre nom mais au nom de notre père à tous, sa sainteté le pape. Il dit et je cite : «Moi Jean XXII, cent quatre-vingt-quatorzième successeur de Pierre, représentant du Christ sur la terre et serviteur des serviteurs de Dieu, en éternelle mémoire de l'affaire, dans le champ du Seigneur, dont, par disposition du Ciel et sans l'avoir mérité, nous sommes le gardien et l'ouvrier, nous devons apporter soin à ce que personne ne vienne empoisonner le bon grain. Nous avons mission de détourner les âmes de l'enfer pour les conduire près du trône suprême. Mais voici que Louis de Bavière, fils tout aussi perverti que son père Frédéric d'Autriche, menace l'autorité de l'Église en prétendant disposer de la papauté comme d'un vassal. Il est pourtant inscrit dans le Ciel et dans les canons de l'Église que le règne de l'esprit l'emporte sur le règne de la chair et que, par conséquent, il appartient au serviteur des serviteurs de l'Église de couronner l'empereur qui se rend digne de la chrétienté et de la sainte catholicité. Or, il n'est pas dans notre intention de couronner Louis de Bavière, indigne serviteur, mais bien au contraire de le condamner. Notre compassion pour les âmes et notre souci pour leur salut nous obligent à chasser le loup de la bergerie. À l'heure même où j'ai mis le sceau à cette bulle, avant même qu'elle ne soit prononcée par celui que je vous envoie, Louis de Bavière est en exécration à l'Église, excommunié, ses pouvoirs sont déposés et il porte l'anathème jusqu'à ce qu'il se redresse en droiture et se soumette au règne de Dieu. Ceux qui le suivent, lui obéissent, le rétribuent pour un droit qu'il n'a plus, le reconnaissent pour légitime alors qu'il ne l'est plus, lui parlent en vue de l'aider de quelque façon que ce soit, sont considérés dès à présent comme exclus de l'Église et apostats. Il est interdit de leur apporter secours, de leur donner à manger, à boire, de leur vendre quoi que ce soit, de leur sourire ou simplement de les laisser aller sans les injurier ou les chasser à coups de bâton, car ils le méritent. Qu'il soit entendu tel que je l'ai écrit et que le promulgue mon émissaire.»

Ce message, mes frères, continua Gervais, est sans équivoque. Je sais qu'il y a des rumeurs d'animosité contre certains prélats qui apparaissent, à vos yeux de chair, indignes de l'Église. Mais nous, les prêcheurs, et aussi l'ordre des mendiants, nous avons été choisis par l'Église pour attester que le sang de ses veines et la force de ses nerfs n'a jamais cessé de se nourrir à la vie même de Jésus, dans l'humilité et la simplicité. Nous vivons pauvrement, sommes auprès de vous comme vos frères, nous nous soumettons comme vous à l'autorité, nous travaillons chaque jour sans relâche à construire la Cité de Dieu, le royaume de la paix et de l'ordre. Mais Satan ravage nos efforts. Alors je vous avertis. Il est vrai que Satan pousse certains prélats dans les plaisirs de la chair, mais attention, cela ne détruit en rien leur autorité et le pouvoir qui leur est conféré. Réfléchissez; si l'autorité suivait les faiblesses de son titulaire, il appartiendrait à chacun de juger de son supérieur et un chaos certain s'ensuivrait. J'ai entendu de la bouche de certaines gens des phrases insensées, ils laissent entendre qu'il appartient à tout le monde et à chacun, du seul fait de sa pureté, d'ouïr la voix de Dieu et de juger du bien et du mal. Folie que cela! Folie de démon! La loi qui s'écrit dans le cœur des hommes s'inscrit à mesure que le pape, l'Apôtre du Christ, la prononce, sinon il y aurait autant de lois que d'hommes de bonne volonté. Combien de personnes sincères se sont trompées, ont avoué s'être trompées et ont dû se rectifier; cela démontre que la vérité n'est pas une simple fleur qu'il appartient à chacun de cueillir, si bien qu'il y aurait autant de fleurs que de cueilleurs.

Il s'est élevé au milieu de vous un prêtre qui vous a trompés. Au début il n'était qu'une personne dupée par Satan, mais il a été interrogé et il a démontré son entêtement, il a témoigné contre lui-même et s'est lui-même condamné. Aujourd'hui, cet homme est un hérétique, un pestiféré de l'âme, un ennemi de Dieu, un serviteur de Satan. Mais voyez combien l'Église est miséricorde, elle a différé son verdict, attendu trois jours sa conversion. Encore à ce moment, elle l'attend. Un mot de lui et il est épargné. S'il ne dit pas ce mot, le feu sera allumé. Mais encore là, s'il se repent alors même que le feu le consume, la flamme le purifiera et il pourra toucher le purgatoire, souffrir jusqu'à ce qu'il soit digne d'être présenté à Dieu et se retrouver finalement un jour avec les saints de l'Église. Peut-il y avoir plus grande miséricorde! N'attachez pas trop d'importance à ce monde, soumettez-vous et vous réduirez votre peine. Maintenant, qu'on en finisse avec cet homme!

Ce sur quoi le seigneur fit signe à son chapelain, grand homme mince vêtu à la manière des nobles, de lire la sentence rédigée par Henri de Virnebourg. Le texte n'apportait aucun éclaircissement sur ce qui avait mené l'hérétique à sa perte mais se contentait d'aviser l'homme qu'à moins d'une repentance et d'un renoncement sans réserve, il trouverait dans le feu terrestre son dernier espoir de salut. Et que s'il ne savait pas souffrir dans le silence et la contrition, il allait sombrer dans les affres de l'enfer, que son esprit allait s'enfoncer toujours plus profondément dans le désespoir tandis que ses souffrances, à peine commencées ici dans le feu terrestre, allaient s'amplifier sans jamais diminuer, jamais et jamais. Plus il souffrirait, moins il aurait de résistance à la souffrance et son âme désespérée allait s'agrandir encore et encore pour souffrir toujours et toujours davantage.

À la fin de quoi le chapelain, vêtu de lin, de soie et de broderie d'argent, s'approcha du malheureux pour le sommer de se rétracter. L'homme balbutia quelques mots mais ne pouvait parler tant il était paralysé de peur et de panique. La torche allait toucher la touffe de conifère bien sec préparée pour l'allumage, qu'il arriva à prononcer ces mots :

– Tu ne sais pas ce que tu fais, chapelain, tu ne sais pas ce que tu fais, alors, Père, pardonnez-lui ce qu'il fait.

Il y avait comme une lueur de folie dans ses yeux. Le chapelain qui était un noble, offusqué, lui répondit :

– Sais-tu à qui tu parles ?

– Au chapelain du seigneur, répondit-il, presque étranglé par la corde.

– Et c'est toi, misérable sans famille, qui oses me rappeler les paroles du Seigneur Jésus, à moi un noble !

– Je sais, répondit Walter dans un étrange état d'illumination, que tu n'es pas plus grand que le Christ et j'espère n'être pas pire que le diable ; puisque le Christ a écouté paisiblement le diable qui lui citait l'Écriture, ne recevras-tu pas l'Écriture, toi qui es moindre que le Christ, de moi qui suis un peu plus que le diable ?

Et s'adressant à la foule dans une voix étouffée à peine compréhensible :

– Ne trouvez-vous pas que ceux qui me condamnent ressemblent aux pharisiens alors que le bras séculier qui m'exécute se lave les mains à la manière de Ponce Pilate ? Mes bons amis, vous me connaissez et vous savez au fond de votre cœur que je suis avec vous et que j'ai voulu, à la manière de Jésus, secourir les pauvres, les veuves et les enfants sans famille. Je ne suis ni saint ni courageux, je tremble de peur, je vais gémir dans le feu à la manière d'une femme en couches, mais j'ai confiance car un moine, un Maître et un saint homme, est venu me rassurer ce matin. Il m'a dit que celui qui est sincère en sa conscience, même s'il se trompe, n'est pas pour autant pécheur, Dieu le recevra et si nécessaire éclairera son intelligence et l'inclinera à la vérité. Il m'a dit que, si l'on ne pouvait se fier en toute sincérité à notre propre intelligence, à quoi donc pouvait-on se fier! J'ai confiance parce que je suis sincère. Si je ne fais pas confiance en Dieu qui éclaire mon intelligence, comment pourrais-je me fier à cette intelligence lorsqu'elle me conseille d'obéir à celui-ci et de désobéir à celui-là? Sincérité, sincérité, toujours plus de sincérité, c'est notre seul guide, m'a dit le moine, un saint homme...

Mais déjà le feu commençait à danser devant ses yeux. Pris de panique, le pauvre homme se mit à crier de toutes ses forces, à se tordre de terreur autant que de douleur, si bien qu'il s'étrangla lui-même avant d'avoir véritablement senti la griffe du feu.

Katrei, qui tenait déjà la main de son frère, saisit celle du Maître et celui-ci ne la refusa pas. Comment ce vieillard pouvait-il se permettre... Un peu plus, elle pencherait sa tête sur son épaule pour la couvrir de ses larmes et de ses pleurs. Et lui, comble d'inconvenance, l'entourerait de son bras... Je fis signe à Tauler d'intervenir, mais celui-ci me rabroua durement :

– Tu ne saisis donc rien. Cette femme qui a repris vie et revient à elle-même se retrouve devant le spectacle de l'agonie qu'elle risque bientôt de subir! Elle est un peu comme le Christ au Jardin des oliviers : angoissée par la mort. Au moment où nous dormons comme les apôtres, lui, la console. Ne fait-il pas bien?

Mon envie en fut refroidie, car c'était bien de l'envie que je ressentais, même si je ne me l'avouais pas encore. Mais plus profondément, dans un endroit secret de mon cœur, je devenais étrangement sensible à Katrei, comme si elle ne pouvait pas souffrir sans que je ne l'appréhende.

Walter, l'hérétique, était mort. Le feu crépitait et le naturel d'un bon nombre reprenait. Quelques-uns ricanaient encore de la panique du pauvre homme, les plus vilains faisaient semblant de se tordre et de s'étrangler, puis s'esclaffaient. Les riches allaient à leurs achats, les pauvres à leurs travaux, les enfants faisaient tourner leur toupie, quelques femmes bavardaient sur les fromages ou les tissus, on aurait dit que, pour ceux-là, il ne s'était rien passé. Plusieurs cependant, les intimes du prêtre, semblaient songeurs ou retenaient des larmes qu'il ne fallait pas verser tant que la garde restait sur les lieux. Quoi qu'il en fût, peu à peu l'ordre se rétablissait, la soumission redonnait à chacun sa place. Une pierre ne reste jamais longtemps dans l'air, un oiseau finit toujours par s'envoler, le loup, par attaquer et l'homme ordinaire, par plier.

Nous reprîmes place dans notre embarcation, en route pour Cologne. L'escorte suivait. Nicolas de Strasbourg venait avec nous, Gervais et Benoît de Côme restaient avec la garde papale et les soldats du seigneur. Le fleuve tranquille nous emportait et personne n'osait rompre le silence de sa méditation. Il était impossible de ne pas songer à notre propre mort, à la facilité avec laquelle le corps se défait sous l'épée, le feu ou la maladie. Qu'importe cette vie pourvu que l'autre nous mène à la lumière ! Une goutte de sang se perd dans le fleuve et au bout d'un moment personne ne peut plus la distinguer. Ainsi en est-il de notre vie sur terre.

Entre Mayence et Cologne, le Rhin glisse avec une majesté solennelle entre des caps, des collines et des forêts grandioses. De méandre en méandre, des clochers de château, de monastère, d'église chantaient la gloire de Dieu du haut d'un promontoire. L'onde nous emportait doucement et sans effort. Il y avait un rayonnement de paix qui, peu à peu, dissolvait la vision du feu.

Finalement, et malgré la gravité des événements, Nicolas osa cette question :

— Je suis aujourd'hui bien confus à propos du pouvoir de l'intellect. Dominicains, nous défendons avec ardeur une foi d'acquiescement à la lumière de l'esprit dans l'intelligence. Nous considérons que tout esprit sincère qui se laisse saisir par l'intérieur reconnaît la vérité cachée dans les écritures et dans la nature, arrive à la comprendre et à la suivre. Nous considérons donc que l'autorité est d'abord une affaire de compétence, de la compétence de convaincre et de persuader par la parole mais surtout par la sainteté de la vie. Nous considérons que la foi est une question de conversion intérieure. Nous sommes convaincus que la science, connaissance de la nature, est elle aussi accessible à l'intelligence. Pour nous, l'intelligence est capable de Dieu, capable de l'univers et capable d'elle-même. Or il s'élève dans l'Église une idée entièrement contraire. Les franciscains, Guillaume d'Ockham en tête, avancent une philosophie nominaliste par laquelle ils tentent de démontrer que la foi n'est pas accessible à la raison et que donc le fidèle doit s'incliner, pour ainsi dire aveuglément, devant l'autorité de la révélation écrite qu'une exégèse a devoir d'interpréter avec minutie. Par ailleurs, ils affirment aussi que la toute-puissance de Dieu, qui n'est débiteur de personne, aurait pu créer un autre monde bien différent de celui-ci et peut-être qu'en fait le monde que Dieu a créé n'est pas celui-ci, mais un autre que nous ne connaissons pas. Ils disent que nos sens et notre pauvre intelligence peuvent nous tromper entièrement. La science est simplement l'acte d'un sujet en vue de sa propre perfection. Aucune science ne traite réellement de choses qui sont hors de l'imagination, la science de la nature ne traite en fait que des intentions de l'âme. Tout est dans la pensée et l'imagination, et celle-ci n'est justement, elle-même, qu'une pensée et une imagination.

– La chute dans le crâne, reprit Jutta.

Nicolas de Strasbourg, qui ne savait rien du rêve de Katrei, ne pouvait comprendre cette remarque de Jutta. Il haussa les épaules et continua :

– En somme, selon eux, pour ce qui est de la foi, l'autorité de l'écriture nous suffit et, pour ce qui est de la science, la rigueur du raisonnement, confrontée à l'expérience du sujet, constitue notre seul guide. Dans les deux cas, l'intelligence ne peut accéder ni à Dieu ni à la nature. Alors, Maître, vous qui avez combattu pour maintenir et même développer une foi qui jaillit dans la lumière intellectuelle et une science qui mène à la connaissance de la signification même du monde, qu'en dites-vous à l'heure même où l'Inquisition veut vous interroger et où le pape fait demander Guillaume d'Ockham pour qu'il réponde lui aussi de ses paroles ?

– Je ne sais pas, répondit Eckhart, ce que l'Occident choisira : Guillaume d'Ockham et la démission de l'homme devant la transcendance du monde et de Dieu ou Albert le Grand et l'espérance d'une communion avec le réel. Je sais simplement que si l'Occident choisit Guillaume d'Ockham et sa philosophie de l'homme instrument de lui-même, cet Occident se retrouvera avec un Dieu et un univers incompréhensibles. Mais cela ne peut être qu'un événement du temps qu'un autre temps recouvrirait d'un beau linceul de fleurs et d'espoir. L'homme peut se nier un temps mais pas toujours. Conrad m'a rapporté combien tu l'avais soulagé en lui rappelant que l'essence n'est jamais fondamentalement touchée par les accidents. Je ne sais rien de l'avenir, mais de cela je suis sûr.

CHAPITRE III

Le défi du maître

Lorsque j'aperçus les clochetons et les arcs-boutants de la nouvelle cathédrale de Cologne, je ressentis un besoin impératif d'enjoindre les hommes de main d'aller plus vite afin de rejoindre le monastère avant la nuit, de retrouver la sécurité du bercail. Le soir, les chevaux de travail reviennent à l'étable empressés. Le crépuscule brouille leur vision, ils sont impatients de retrouver leur stalle : les moines éprouvent quelque chose de similaire pour leur monastère et leur cellule. D'autant plus que Cologne est solide, et ses racines sont profondes. La vieille ville, que le général Agrippa donna aux tribus germaniques pour qu'ils s'y installent sous la surveillance du camp romain, a amassé un poids immense de civilisation, un poids et une mémoire qui rassurent aujourd'hui les âmes les plus confuses. Je me sentais justement confus. On aurait tout aussi bien pu l'appeler «Colonne», force verticale qui retient les eaux du ciel et les empêche de s'effondrer dans les vides de l'âme pour l'anéantir dans un épouvantable déluge. «Colonne», c'est aussi le trait d'union perpendiculaire, l'aqueduc vertical amenant les eaux du ciel jusqu'aux déserts de la terre pour qu'elles viennent nous laver de nos péchés, dissoudre nos concupiscences et féconder nos vies. Et maintenant que le chœur de la cathédrale est terminé, depuis moins de six ans, c'est la lumière du ciel qui entre dans les entrailles de la ville.

La nouvelle architecture utilisée vient du nord de la France; elle est plus légère, toute en dentelles de pierre, et permet à l'enceinte d'ouvrir ses chairs à la lumière du ciel dans la multiplication des couleurs. Nulle part ailleurs, les rayons du ciel n'arrivent à mieux toucher le cœur des hommes par ses grands vitraux, baies ouvertes à l'embrassement des cieux. La cathédrale fait trois cents coudées de long et près de quatre-vingt-dix de haut. Elle dégage une telle impression de force et de vie qu'en elle nos cœurs s'apaisent, nos âmes s'élèvent et remontent la lumière comme sur une échelle de Jacob. Les anciens disaient que lorsque la lumière est réfléchie dans l'âme et retourne à sa source, elle convertit tout ce qu'elle touche et ramène l'intellect en son propre fond pour qu'il résonne dans sa propre essence. Comme j'ai besoin de cette conversion de la lumière dans le fond de mon cœur troublé! Oui, Cologne! Viens m'envelopper de ta grandeur et de ta stabilité, car je crains l'errance induite par les femmes dans mon faible esprit et le trouble amené par les audaces, par moments presque sans borne, de notre Maître et guide Eckhart.

Quand nous fûmes débarqués, je courus presque à la rencontre de notre supérieur général, Barnabé de Cagnoli, la tête de notre ordre, celui qui saura faire retomber toutes choses volatiles sur leur socle. Il est investi de l'autorité, du pouvoir d'intelliger l'essence de la communauté pour la diriger en toute sécurité sur la voie de sa destinée. Il fera comprendre à Maître Eckhart qu'il lui faut simplement revenir un peu plus près du juste milieu, celui de Thomas d'Aquin, qu'il lui faut simplement atténuer ses excès de verbe tout en perpétuant notre tradition de clarté, de rigueur et de discipline. Moi aussi, j'ai été trop loin. Oui, c'est vrai! Je n'aurais pas dû accorder créance aux ordres de l'archevêque, du moins sans prendre avis auprès de mon supérieur. Je le regrette, mais Barnabé saura colmater la brèche. Il saura, comme toujours, défendre l'ordre contre les tractations du monde et l'avidité des puissants.

Comme j'ai bien fait de choisir d'entrer dans les ordres ! Le monde n'est que désordre, danse folle, gavotte de paysans et pérennité des passions qui vont et viennent, déchirent l'âme et l'emportent partout comme une poussière d'images qui se réfractent en tout sens, et disparaissent dans leur propre vanité. Obéir, c'est la voie sûre. Être contenu par une règle, c'est le seul moyen d'échapper à la dérive de l'intellect, à sa chute dans ses propres possibilités, à sa chute dans la dispersion féminine. L'ordre, c'est la rectitude d'une pensée contenue par la loi divine, consacrée à la gloire de Dieu, qui ne laisse rien se perdre dans l'éclatement du diable, dans l'imaginaire des femmes, dans la folie du désir. Il me semblait qu'en embrassant le père supérieur, mon âme et mon cœur retrouveraient leur ordonnance, que tout se replacerait comme avant dans la tranquillité des concepts certains, des lois déjà ancrées dans l'éternité afin de retenir définitivement toutes les âmes tentées de dispersion. Mais c'était la dernière heure du jour, et il nous fallait rejoindre immédiatement les autres pour la prière et, enfin, retrouver le silence de notre cellule. Ce que nous fîmes. Là, tout s'apaisa entre les puissants murs de pierre du monastère, dans la force masculine de ce roc qui seul fait obstacle à la hantise de l'aquilon féminin.

Le lendemain, le supérieur nous fit demander à la salle commune. Malgré son âge qui peu à peu ralentissait ses humeurs et ses transports, cet homme grand et énergique dégageait presque à chaque instant une force exceptionnelle. Ce matin-là particulièrement, il semblait avoir rassemblé toutes ses puissances humaines et spirituelles, il libérait une assurance des plus vive et manifestait un esprit particulièrement alerte. Il s'approcha vivement du Maître en écartant les bras :

— Très cher père Eckhart, s'exclama-t-il, comme j'avais hâte de vous revoir! Ce voyage a dû être vraiment éprouvant!

— Pas autant pour nous que pour les pauvres gens brûlés comme des torches pour effrayer une population qui n'y comprend rien. Dieu ait pitié de nous!

— L'Église est à une croisée de chemins très critique et je compte sur vous pour nous aider. Elle est attaquée sur tous les flancs et s'affole. Sur un premier côté, il y a le chemin spirituel et bien noble des bégards dans lequel on a creusé des fosses et des pièges redoutables. Je pense à la secte du Libre Esprit qui a poussé l'hérésie manichéenne et cathare jusqu'à des extrémités insoupçonnées, jusqu'à l'identification absolue de l'âme à Dieu. C'est la perte de l'identité humaine, rien de moins; la création n'aurait d'autres valeurs que celle d'une vallée de larmes purificatrices. Chercher à transformer le monde ne serait que perte de temps, seule la transformation de soi compterait. Il y a là manière de retour aux religions de mystères et relance d'une spiritualité purement individuelle. S'il fallait que l'humanité reprenne ce chemin, les conséquences à long terme seraient désastreuses! À l'horizon, une société d'illuminés décrochés de toute réalité, regroupés en mille milliers de petites sectes disparates n'espérant plus que la fin du monde. Mais il ne sert à rien de les brûler. Les dominicains, sous l'impulsion de notre saint fondateur, ont toujours réagi à cette séduction païenne en faisant appel à l'intelligence humaine, le seul point d'appui valable à long terme. Il faut convaincre par l'exemple de sa vie et par un enseignement qui s'adresse au meilleur de chacun. Nous sommes un ordre prêcheur, prêcheur dans tous les instants de notre vie et par tous nos actes. L'ordre a misé juste lorsqu'il vous a choisi pour succéder à Albert le Grand, et réaliser en Allemagne ce que Thomas d'Aquin a réalisé ailleurs. C'est sans doute votre dernier combat, père Johannes Eckhart, et il est fort périlleux.

Katrei est devenue dans toute l'Allemagne la figure de proue. On la compare aux plus grandes des béguines : à Marie d'Oignies, à Christine l'Admirable, à Marguerite d'Ypres, à Julienne de Mont-Cornillon et, pourquoi pas, à la très virginale Béatrice de Nazareth, ou encore à la célèbre Hadewijch d'Anvers si attachée à la très haute philosophie de Guillaume de Saint-Thierry. C'est nettement exagéré, quoique la femme ait du ressort. Notre ordre a mené grand nombre de béguines jusqu'au plus haut sommet de la pensée et de la sainteté. J'ai lu avec grand plaisir *La Vie des béguines* rédigée par Michtilde de Magdebourg sous la direction des dominicains. J'ai parcouru avec grande admiration *Le Livre des grâces spéciales* de Michtilde de Hackeborn et *Le Héraut de l'Amour divin* de Gertrude la Grande. Nous pouvons être fiers de ces femmes que par grâce et devoir nous avons guidées de bonne manière. Il est d'extrême importance de ramener la secte du Libre Esprit au vrai fondement du béguinage, et nous ne pouvons le faire qu'en sauvant Katrei de l'hérésie et en la renvoyant convertir les siens. Elle fera en quelques années ce qui nous prendrait des décennies sans elle. Elle logera donc chez nous et vous pourrez la voir chaque jour avec l'assistance de Conrad de Halberstadt qui sera votre secrétaire dans les mois qui viennent. Nicolas de Strasbourg se chargera de témoigner de sa conversion devant ce vieux renard d'Henri de Virnebourg, les censeurs et les procureurs.

Tu sais peut-être que Nicolas de Strasbourg est mandaté par le pape pour chasser officiellement et sans autre procédure les deux brebis galeuses qui tentent de jeter au feu Katrei, dont le drame se raconte à la manière d'une légende, dévoyant ainsi l'honneur de notre ordre. Il a aussi mandat de poursuivre d'autres enquêtes, car le scandale s'est glissé dans l'Église à cause de la négligence de certains...

Me sentant visé, je ne pouvais me retenir et intervins :

– C'est ma plus grande faute, père supérieur, j'aurais dû sévir moi-même lorsque j'avais autorité sur Herman et Guillaume...

– Il est trop tard, père Conrad, et le seul moyen de vous racheter consiste à faire votre devoir... Et sans trop de zèle, car le bon jugement ne vous caractérise pas. J'ai été particulièrement blessé d'apprendre la manière dont Henri de Virnebourg a réussi à vous manipuler jusqu'au couvent de Strasbourg. Ne prêtez attention qu'à mes ordres et à mes ordres seulement. Pour le moment, ne m'interrompez plus... Où en étais-je ?

– Vous m'avez clairement expliqué ma mission du côté du mouvement bégard, rappela Eckhart, et sans doute vous vous apprêtiez à me parler d'une deuxième tâche.

– Oui, l'Église est combattue sur un autre front, beaucoup plus pernicieux encore, et d'autant plus difficile à vaincre que l'ennemi est interne à l'Église, au cœur de son intimité même. Les Franciscains poussent à l'extrême leur théologie de la transcendance de Dieu, de sa toute-puissance et de la primauté de la volonté sur l'intellect, condamnant l'intelligence à démissionner devant la foi et devant la nature. J'ai lu attentivement les premiers travaux de Roger Bacon, docteur admirable, dit-on. Né de parents riches, nobles et puissants, cet homme sincère étudia à Oxford et à Paris. Il subit l'influence de Robert Grossetête, évêque de Lincoln, chancelier de l'Université et promoteur de l'étude de l'optique et des mathématiques. Bacon voulut réaliser une synthèse de toutes les sciences. Mais il se heurta à ce fameux rocher qu'était Bonaventure, et ses écrits furent interdits par les franciscains eux-mêmes. Hélas ! il fut par la suite soutenu par l'autorité complaisante du cardinal Guy de Foulques qui devint plus tard, comme vous le savez, pape, et ce pape lui commanda une copie de son œuvre. J'accepte volontiers, avec ce pape, que la science doit servir le progrès global de l'humanité en devenant l'ouvrière du bonheur universel. Mais j'oppose de toutes mes forces lorsqu'il nous demande de renoncer à la connaissance comme destinée première de l'homme et fondement de la béatitude. Roger Bacon fait résider le but de l'activité humaine dans la vie, dans son entretien et son épanouissement, estimant que par les biens matériels, la condition humaine dans toutes ses dimensions, y compris morale, sera allégée et perfectionnée. Il est vrai qu'il est nécessaire de travailler concrètement au développement matériel de la Cité de Dieu, mais si jamais l'homme perd sa destinée spirituelle et intellectuelle, si jamais la connaissance ne devient qu'un moyen plutôt qu'un but, il sera à ce point désespéré par l'absurdité de sa vie qu'il ne voudra même plus survivre. Au moment même où il aura tout ce qui lui est nécessaire pour vivre agréablement, il cessera tout simplement d'aimer la vie.

Destituer la connaissance et la reléguer au rang des moyens n'était pas assez, les franciscains vont jusqu'à barrer le chemin de l'intelligence dans son accession à la divinité et même à la nature. Guillaume d'Ockham réduit d'abord l'intellect à la simple logique des péripatéticiens, et une fois qu'il a consacré cette terrible réduction, il affirme que la spéculation logique ne peut rien dire de Dieu et, qui plus est, ne peut même pas dire quelque chose de la substance même du monde. L'homme n'a que la lumière nécessaire pour décrire les individualités singulières, leurs interactions et leur enchaînement sur le fil du temps. Si jamais la chrétienté tombait dans ce piège, elle ferait une quadruple chute : d'abord la division entre la foi et la raison, une foi d'ailleurs sans intelligence et donc condamnée à l'autorité de l'écriture, une raison sans intelligence et condamnée par le fait même à son utilité; deuxièmement, l'éclatement du monde en une infinité de singularités et d'atomes abandonnés à leur solitude propre; troisièmement, la dérive de l'homme dans l'absurdité d'un monde incompréhensible; et, finalement, l'utilité d'instruments et de machines au service d'une humanité désespérée, culbutant dans les folies autodestructrices de son propre moi. Il est heureux que le nouveau pape, bien que peu conscient de ces terribles perspectives, tente de rectifier l'étourderie démente de cet homme.

– Nicolas de Strasbourg m'a mis au courant des procédures d'inquisition contre cet étrange moine en rupture avec les anciens.

– L'homme est actuellement à Avignon avec son maître général, Michel de Cénèse, pour répondre de ses erreurs. Mais ce que tu ne sais pas, c'est que le cardinal Jacques Fournier, celui-là même que la plupart pressentent comme le successeur de Jean XXII, est actuellement juge dans la cause d'Ockham, et sera aussi l'un de tes magistrats, advenant que tu doives te rendre à Avignon. On raconte qu'Ockham ironise contre la constitution pontificale qui ne permet pas aux théologiens de se prononcer pour ou contre une proposition soumise au Saint-Siège avant sa décision. Les franciscains, dit-il, n'ont donc plus le droit d'affirmer que le monde a existé de toute éternité ou le contraire, ni qu'il y a une distinction entre les personnes divines; je cite ses propres mots : «Toutes absurdités qu'a soutenues un certain maître en théologie de l'ordre des Frères prêcheurs, un certain Eckhart d'Allemagne.»

– Vous connaissez mes prudences et toutes les nuances de ma pensée là-dessus, répondit Eckhart.

– Justement : nuances qu'il est bien peu de personnes à comprendre. Je vous en conjure encore une fois, père Eckhart, évitez les prêches de subtilité aux hommes et aux femmes simples et sans préparation. Nous ne sommes pas à Paris à spéculer sur le premier éther ou sur la dynamique des astres, nous sommes ici, à Cologne, en plein combat pour une foi qui tente de survivre à des assauts si détestables. On déforme et défigure vos plus beaux sermons et on s'en sert pour broder des philosophies extravagantes qui mettent en péril l'Église et l'avenir des hommes. Il faut ramener ces gens à la vérité et sortir l'ordre dominicain de l'humiliation.

– Je puis répondre de mes actes et paroles mais non de ce que l'on dit de moi ou des paroles que l'on me prête. Mon combat est d'abord celui des dominicains. Nous sommes frères afin de démontrer par notre vie, nos œuvres, nos sciences, nos sermons, nos commentaires, que l'intellect est la meilleure assise de la foi, de l'espérance et de la charité, qu'elle est garante de notre avenir et que c'est sur elle que doit miser l'Église. L'intellect, qu'il ne faut jamais confondre avec la raison, est la vie même du Verbe.

– Votre plaidoyer devra convaincre, Maître Eckhart, et il devra convaincre des esprits particulièrement obtus. Virnebourg ne s'intéresse qu'aux arguments utiles à ses pouvoirs. Vous avez pour le moment l'ordre des Prêcheurs derrière vous pour vous soutenir. Cependant, si vous venez à être emporté, je n'aurai plus d'autre choix que de couper le cordon de peur que nous soyons tous entraînés dans votre chute. Vous me comprenez?

– Vos responsabilités vous y obligeraient. Mais, de mon côté, je resterai dominicain jusqu'à la fin. J'ai pris pour guide nul autre qu'Albert le Grand lui-même ainsi que ses meilleurs élèves. Eux-mêmes ont dû se défendre devant l'Église. J'ai l'honneur de faire partie d'une solide tradition que j'espère de tout cœur continuer…

– Vous avez raison et je ne doute en rien de votre sincérité ni de vos capacités. Au contraire, votre philosophie avance dans la flèche même de nos traditions. J'ai demandé à Nicolas de Strasbourg d'examiner attentivement le développement de la philosophie du Studium et de m'en faire rapport. Lisez vous-même.

Il tendit au Maître quelques feuillets rapidement griffonnés sur lesquels était écrit :

«Je coupe au plus court mais aussi au plus sûr. La vocation première du Studium d'Albert de Grand consiste à dépasser la théologie de l'être pour atteindre une théologie du devenir. Chez Parménide, l'être est donné de toute éternité; la vie ici-bas n'est que la manifestation imparfaite des mouvements de cet Être. Le temps ne produit donc rien en lui-même, il n'est pas créateur, il ne fait que dérouler l'éternité. Pour les Hébreux, le temps est une histoire. Le péché, la rupture de l'alliance entre l'homme et Dieu peut détourner l'aventure humaine de sa trajectoire. Ce détour de l'homme dans la faute n'est pas uniquement négatif, il permet la création de vertus surajoutées, comme le courage, la miséricorde et la joie. Albert le Grand désirait unifier la théologie de l'être et la théologie du devenir en les dépassant toutes deux. Il est arrivé à l'idée que le principe premier n'était pas l'être, mais un Sur-Être. L'être est égal à lui-même, le Sur-Être est plus que lui-même, il est un Débordement, une Bonté dynamique, un Acte pur. L'Être de Dieu, la Trinité, comme l'être de l'homme, l'âme, plongent leurs racines dans un pur dynamisme éternel, la Déité.

«Un ami d'Albert, Hugues Ripelin de Strasbourg, fut l'un des premiers à percevoir avec netteté que le Premier est d'abord une source de dynamisme qui s'exprime intérieurement dans la Trinité et extérieurement dans la création. Comme les maîtres païens l'ont si bien remarqué, une source de dynamisme ne peut être qu'un intellect ou un sur-intellect. L'intellect est par définition une créativité qui s'exerce sur soi, en soi et pour soi. L'essence de l'intellect, c'est de faire de l'être. L'univers, faisait remarquer Hugues Ripelin, étant une substance qui se transforme sans cesse devant nos yeux, ne peut être qu'un intellect dans l'Intellect divin, et toute la science consiste à dialoguer avec cet intellect. La science de Dieu cherche à dialoguer avec l'Intellect divin, les sciences de la nature, avec l'intellect universel.

«Un des plus célèbres élèves d'Albert, Ulrich de Strasbourg, considère que l'intellect est d'abord un milieu transparent dans lequel se diffuse la lumière de la connaissance. Il insistait pour dire que ce retournement de l'intellect en lui-même, que saint Augustin appelait la conversion, est non seulement le mouvement naturel des âmes personnelles, mais aussi le mouvement de l'univers entier. C'est lui qui élabora le principe premier d'une spiritualité de l'intelligence. La lumière transporte l'intelligence divine jusque dans nos ténèbres. L'intelligence de chaque être est naturellement portée vers l'Intellect-Source, et cela garantit la conversion de chaque âme vraiment sincère aussi bien que la conversion de tout l'univers. Oui, l'univers devient semblable à Dieu puisqu'il participe de son Intelligence.

«Un peu plus tard, Thierry de Freiberg alla encore plus loin que ses prédécesseurs dans le désir et l'espoir de la connaissance. Il disait que l'homme ne se connaît jamais lui-même comme un "moi"; son "moi" étant au contraire constitué de la portion d'ignorance qui résulte de l'attention à soi. Thierry disait que l'homme se connaît bien plutôt comme acte de connaître. La pensée de l'homme est essentiellement la pensée de la Pensée. Aussi l'âme unit l'inférieur et le supérieur, le corps et l'esprit. Le retour en Dieu, la conversion, s'accomplit au plus profond de l'âme du monde et de l'âme de chacun, dans sa substance même, l'Intellect, le Verbe. C'est dans ce réduit secret, dans ce Fond de l'âme, qu'est le principe originel et dynamique, la Source qui donne naissance à tout ce que nous effectuons dans notre pensée. Nous trouvons là ce principe premier où s'engendre le Verbe intime qui n'est d'aucune langue; et c'est alors comme la science d'une science, la vision d'une vision, l'intelligence de la pensée qui se trouve dans notre mémoire de Dieu. C'est ce principe qui nous rapproche de Dieu, de la Vision bienheureuse.

«Dans l'esprit de tous, le père Eckhart continue, tant par sa vie que par sa pensée et sa parole, le chemin tracé par ses prédécesseurs. La pureté du cœur donne la transparence intérieure au travail du Verbe qui non seulement nous convertit, mais s'incarne lui-même pour établir une nouvelle alliance. Cette alliance est la joie qui résulte du devenir de la relation de l'âme avec Dieu dans la Déité. On ne peut douter de cet homme, il constitue un des traits d'union les plus fondamentaux du Studium.»

– Je conclus moi aussi, reprit le Général, que vous êtes greffé à cette vision, père Eckhart. Vous y êtes greffé dans l'obéissance et dans la lucidité. C'est pour cela que vous réussirez. L'ordre des Dominicains est enraciné dans le Verbe, il a forte sève et, si vous buvez de cette sève, vous nous entraînerez tous une coudée plus haut. Si, au contraire, vous vous coupez de l'ordre et de l'Église, vous tomberez seul. Allez au combat, je vous le commande avec amour.

– Si c'est ce que Dieu demande...

– Soyez savant, soyez obéissant, mais soyez rusé aussi, comme un serpent. Henri de Virnebourg réfléchit avec sa bourse et il serait fort avantageux pour ce vieux renard que l'ordre des Dominicains plonge dans l'abîme, entraînant avec lui toute la spiritualité de l'intelligence qui constitue un obstacle à ses voies perfides. Il est plus opportun pour l'archevêque, en ce moment, d'embrasser le point de vue des franciscains. Non pas pour leur pauvreté, dont il a horreur, mais parce qu'il est plus facile d'exercer l'autorité sur des hommes amputés de leur capacité de penser que sur des hommes éclairés. Mais s'il est obtus pour ce qui est de la théologie, ne sous-estimez jamais ses pouvoirs et son influence. Il a des amis partout, qui vous sont des ennemis. Si vous échouez ici, vous pourrez cependant être entendu à Avignon, j'y veillerai.

– Je tenterai, père supérieur, d'être à la hauteur de cette mission dont je me sens bien indigne. Avec l'aide de Dieu et de mes frères, nous y arriverons.

– À ce propos, je vous ferai connaître un jeune moine très prometteur. Il est de Ratisbonne. Arrivé depuis peu, il vient parfaire ses études. Il fait des découvertes impressionnantes touchant l'optique et pourrait vous aider à combattre les franciscains sur leur propre terrain.

Le Maître sortit de la pièce songeur ou triste, je ne puis le dire, parce qu'il refusa de me parler. Pour ma part, je ne comprenais pas pourquoi le Général avait demandé à Nicolas, le visiteur pontifical, d'écrire ce que tout le monde savait.

Quelques jours plus tard, je devais rejoindre Nicolas de Strasbourg à l'archevêché pour une première rencontre visant à nous communiquer la liste des accusations touchant le Maître et à donner l'orientation de notre plaidoirie. Sur le chemin, je fus témoin d'une scène qu'auparavant j'aurais simplement évitée du regard comme si de rien n'était. Pour la première fois, j'osai regarder et le spectacle me parut lourdement injuste tout autant qu'indigne de l'Église.

Sur la place de la basilique romane Saint-Martin-la-Grande, entourée de rangées de maisonnettes étroites dont chaque fenêtre présentait la silhouette de plusieurs curieux qui cachaient leur visage, on avait rassemblé grand nombre de femmes que l'on disait béguines et quelques hommes accusés de libre esprit. Un clerc lut péremptoirement la condamnation. C'est là que j'ouvris les yeux. Comment pouvait-on être certains du crime de chacune de ces femmes ? On n'avait pas pu faire enquête sur tant de personnes ! La plupart avaient sans doute été dénoncées par un mari qui n'en voulait plus, par un prétendant blessé dans son orgueil, par une femme désirant éliminer une rivale ou même par un père cherchant à épargner le prix d'une dot. Si elles n'avaient pas suffisamment de famille ou qu'on les répudiât, elles ne pouvaient trouver d'homme d'honneur pour le serment purgatoire ou pour verser les cent sous du crime et du fredum. Qu'il y ait une ou deux innocentes à travers une centaine de coupables, la chose s'accepte, mais qu'à force de nombre on tente de châtier quelques coupables, cela me parut soudainement à la fois injuste et contraire à la charité. À quoi bon chercher à purger ce monde de Satan si, pour le faire, nous nous faisons ses complices? Je compris ce jour-là le prieur de Strasbourg qui m'avait rabroué en me rappelant la très grande sagesse de notre fondateur saint Dominique qui voulait corriger l'erreur par la connaissance et la méprise par l'exemple.

Après lecture de l'incrimination, on les rassembla en rangs serrés et les conduisit à coups de bâton en direction du quai de pierre. Chemin faisant on les bousculait, on les jetait les unes sur les autres. Elles se nuisaient dans leur mouvement, tombaient, se piétinaient malgré elles... C'était pitoyable. Les sympathisants avaient fui, les vilains et les malandrins, les mendiants et les vagabonds s'approchaient pour rire et jeter des pierres. Arrivées au quai, on les faisait avancer par groupes de quatre ou cinq sur l'appontement. Lorsque leurs pieds touchaient la poutre d'embarquement, on les assommait par-derrière et les jetait à l'eau. Quelques-unes résistaient, on frappait plus fort; d'autres se jetaient d'elles-mêmes à l'eau et tentaient de nager jusqu'à la rive, mais les manants et les va-nu-pieds qui ne comprenaient rien leur jetaient des pierres jusqu'à ce qu'elles coulent définitivement. Le triste spectacle dura un temps qui me parut interminable. Leurs cris de peur ou de rage, leurs prières de contrition ou de lamentation, leurs hurlements d'angoisse ou de terreur, leur silence surtout, de résignation ou d'effroi, venaient arracher les écailles de mes yeux. Il me semblait que ces bruits et ces cris, comme des faucons d'éther et de charbon, emportaient les plaques et les protections qui m'enserraient le cœur. Il me semblait que mon cœur de pierre devenait cœur de chair, que mes yeux de terre devenaient des rivières de larmes. Une sorte de compassion étrange que je ne comprenais pas m'envahissait jusqu'à des profondeurs insondables. Je crus m'effondrer, rouler dans le fleuve avec elles, me perdre dans cette mer de cheveux qui flottaient, dans les yeux hagards des noyées, dans l'abîme noir peut-être à jamais ténébreux et glacé de l'Hadès. J'aurais voulu disparaître avec elles, traverser par le fond l'abysse, et qu'importe l'enfer pourvu que ce spectacle cesse, car il fait scandale dans l'Église, la blesse et la détruit.

Mais tout à coup, il y eut une sorte de coma dans le fil du temps et je m'abîmai sous la surface des choses. Je fus immédiatement happé par une trombe d'angoisse noire et effrayante que j'ai d'abord confondue avec la conscience. Mais elle imprimait des foudres et des haines, des affres et des détresses qui peuvent révoquer toute lueur de paix et qui broient l'âme sans pitié dans sa colère. Ce n'était pas la conscience, c'était la culpabilité. Mais je ne le compris pas sur l'heure, j'eus horriblement peur; je croyais entendre une de ces voix d'hommes de fer, chevalier autrichien armé d'une énorme épée qui peut fendre un guerrier d'un coup sur toute sa longueur. La voix ténébreuse et austère martela : «Serais-tu bégard toi aussi? Serais-tu hérétique? D'où te viennent cette faiblesse et cette pitié pour les femmes, des sorcières? Satan t'a-t-il emporté?» Je me mis à trembler et courus désespérément jusqu'à la cathédrale.

Enveloppé par l'immensité du chœur, l'immuabilité de la pierre, la splendeur de la lumière, je repris peu à peu mon calme. Je m'approchai du maître-autel derrière lequel le reliquaire contenant les cendres des rois mages formait la plus grande châsse dorée de la chrétienté. Les agates sur les candélabres scintillaient, le marbre rose de l'autel luisait, le velours des draperies ondulait, les colonnades montaient à une hauteur vertigineuse, les ver-rières déversaient des déluges de lumière et de couleurs. L'harmonie de cette immense sculpture de pierre et de verre dégageait une sérénité, une solidité, une immuabilité rassurantes. Quelle beauté, quelle magnificence! Cette richesse ne garantissait-elle pas la puissance et la magnani-mité de l'Église? Qu'importent les accidents ou même les erreurs de parcours, l'Église règne, invincible, comme la citadelle avancée du Royaume de Dieu, et ce Royaume inévitablement s'infiltre dans la déchéance humaine comme une levure dans la pâte. Bientôt la gloire du Seigneur nous envahira de ses splendeurs. Le monde se christianise et chasse Satan, il est purifié par le sang, il est éclairé de l'intelligence divine, il est assagi de l'esprit. La Cité de Dieu envahira toute la terre. Cologne règne dans la trinité des grandes citadelles de Dieu, Cologne, la troi-sième ville de la chrétienté après Paris et Constantinople. Elle les dépasse même par ses six cents hectares de terre, ses trente mille habitants, ses ramifications s'étendant de loin à loin comme une gloire irrésistible. C'est une étoile qui s'est avancée dans la nuit barbare, une intelligence qui investit la bête, une âme qui sourd dans les profondeurs de la faute originelle. Il n'est pas étonnant d'y retrouver encore et pour un moment des vestiges de bestialité et du soufre de démon. Mais l'essence est là, dans la profondeur de son enceinte divine, elle ravale le désordre, elle aplanit peu à peu les accidents, les montagnes sont doucement arrondies, les crevasses par où soupirent les Enfers sont colmatées, la folie et la méchanceté sont dissipées.

Certes, il y aura des souffrances et des gémissements sans nombre, des bouleversements terribles, des tremble-ments, des effusions de feu, des tourbillons sans fond, tout cela et pire, puisque la chair doit céder devant l'esprit, la matière se disloquer sous l'effet de la Vie, l'hérésie se briser par la doctrine. Je passe, je vieillis, je meurs mais sur cette mort s'élève une fleur, et sur cette fleur une colombe, et cette colombe s'envole sur les ailes de la paix.

La certitude de l'essence apaisa les tourbillons de mon angoisse. Je repris mes esprits et retournai au pont. On ramenait les cadavres sur la rive. Un jeune homme s'était jeté à l'eau et s'en donnait à cœur joie. Il prenait plaisir à les retirer de l'eau par le collet ou la jupe de façon à découvrir leur poitrine ou leurs jambes. Je le chassai brutalement et pris sa place. Après bien des efforts, ramenant finalement à la berge la dernière femme, je la retournai et vis qu'elle tenait fermement dans sa main un petit carré de parchemin. Je lui retirai l'objet et lus :

« Nous avons été instruites par un maître dominicain, Johannes Eckhart de Hochheim. Il nous a enseigné que l'âme et Dieu ne faisaient qu'un et qu'il a tout créé avec son petit doigt. »

Sur la rive traînaient plusieurs exemplaires de cette incroyable calomnie. Que s'était-il passé ? Quelle folie, quelle fourberie, quel mépris de tout ! Je ne savais plus très bien si je devais me rendre à l'archevêché comme prévu ou bien prévenir immédiatement le Général. J'aperçus sur le pont Nicolas de Strasbourg, et me précipitai à sa rencontre en lui montrant le parchemin et l'épouvantable machination.

— Je sais, me dit-il, c'est horrible. Herman de Summo et Guillaume de Nidecke ont de nombreux complices parmi les notables de la ville. Ils ont remis ces ridicules pamphlets criminator, infamator, falsus testis à des femmes sans famille du bas quartier. Moins d'une heure après, ils ont envoyé la garde pour les arrêter avec accusation d'être des swestriones du Libre Esprit. Ils cherchent à discréditer le Maître devant la population de façon à éviter une émeute si l'incrimination portait fruit.

— Mais n'aviez-vous pas ordre d'Avignon de chasser ces deux filous ?

– J'ai les autorisations. J'ai rencontré l'archevêque à ce sujet. Il m'a sommé de m'occuper du chef plutôt que des valets, de la source plutôt que des ruisseaux, et il m'a assuré que les deux moines étaient sous sa garde et sa responsabilité. Pour le moment, il n'y avait, selon lui, aucune preuve permettant de croire que les rumeurs à propos de leurs mœurs eussent quelque fondement. J'ai su un peu plus tard que Virnebourg est en dette vis-à-vis leur famille et qu'il les protégera coûte que coûte. La dette s'élève au-delà de son trésor, de sorte que le vieillard est pris à la gorge, et est en devoir de sauver son honneur et celui de sa famille.

– Cela pourrait-il l'inciter à favoriser la condamnation du Maître? Car si le Maître était trouvé coupable, eux seraient victimes et innocents...

– Tout à fait, ce à quoi il faut ajouter qu'ils ont tout intérêt à supprimer Katrei dans un feu qui emporterait définitivement avec lui les allégations de mauvaises mœurs qui les entachent. Les gens du peuple aiment et respectent les béguines parce qu'elles parlent en faveur des pauvres et les protègent. Les béguines estiment Katrei comme une des grandes parmi elles. En somme, Virnebourg doit sauver son honneur et ses pouvoirs en évitant les émeutes. Il y a quelque temps, on a déjà chassé un évêque de sa ville et cela peut se reproduire. Les persécutions des béguines sont pour ainsi dire préventives. Virnebourg signale à la population qu'il n'acceptera aucune inconduite. En réalité, il lui importe très peu qu'elles soient réellement béguines ou non, et il se moque encore plus de savoir si elles sont hérétiques ou pas.

– Le prieur d'Angers et Benoît de Côme vont certainement intervenir sur mandat du pape.

– Ils ont effectivement mandat du pape mais s'en sont retournés ce matin même à Avignon.

– Mais cela est impossible!

– Pour Virnebourg, le pape n'est guère plus que l'archevêque d'Avignon dont il est un des principaux électeurs. Il ne peut intervenir sur un archevêché d'Allemagne ou d'ailleurs, à moins de pouvoir convaincre les six autres électeurs que le grand seigneur des lieux ne peut plus jouir de la confiance de l'Église et du roi. Aucun archevêque ne trahira l'un des siens. Virnebourg et sa famille ont payé chèrement, très chèrement, leurs terres, leurs pouvoirs, leurs droits et leurs privilèges. Ils ne renonceront certainement pas. Un tel homme, tant qu'il n'a pas fixé sa mort en toute cohérence dans la ligne et le principe de son existence, craint qu'elle ne s'écroule tout entière instantanément comme un mensonge de cent ans se brise d'un coup sous l'effet de quelques mots vrais. Ce qu'il craint, c'est que depuis sa naissance jusqu'à sa mort, toute sa vie s'évanouisse dans sa propre vanité, et emporte avec elle l'honneur de sa famille. Cela il ne le peut pas, il ne le pourra jamais. La solution n'est pas ici mais à Avignon.

– Mais comment convaincre Virnebourg que le Maître, un Allemand qui a vécu la plus grande partie de sa vie autour du Rhin, doive être entendu à Avignon ?

– La chose ne sera pas facile mais j'ai espérance que nous y arriverons. Nous allons comme prévu recevoir la liste officielle des extraits considérés équivoques et déposés au procès. Les commissaires ont terminé leur inspection. J'ai entendu dire qu'ils jugent suspectes quarante-neuf propositions empruntées aux œuvres d'Eckhart : quinze, extraites du *Livre de la Consolation divine*, douze qui appartiennent à son premier commentaire sur la Genèse, seize, à des sermons plus ou moins fidèlement transcrits, et six sont tirées d'une réponse d'Eckhart à des accusations précédentes.

– Le Maître s'était déjà défendu contre eux ! m'exclamai-je.

– Pas exactement. Des propositions et des accusations ont déjà circulé librement. Il est assez habituel de laisser s'échapper quelques propositions afin que le suspect sorte ses premiers arguments. Cela permet aux censeurs d'aiguiser leurs armes. Le Maître avait brièvement répondu dans un court traité. Et voilà qu'ils utilisent six propositions de cette courte réponse contre lui. Quant à nous, nous ne débattrons pas sur le fond, mais sur le processus et la juridiction. La vie et le statut du Maître sont nos meilleurs arguments. Eckhart transcende par ses charges, par son rayonnement, par ses écrits, par son statut de dominicain de haut rang le seul archevêché de Cologne, et il doit être entendu par des théologiens de renommée équivalente.

Le palais du seigneur Henri II de Virnebourg me donna une étrange impression de faste et de glace. Les marbres gris, les vastes tableaux où la couleur du sang émergeait de verts tortueux et sombres, les boiseries finement sculptées dans des acajous et des cerisiers presque noirs, tout cela semblait projeter les murs sur nous. Partout où l'on allait, cette impression d'enserrement et de confinement nous suivait malgré la grandeur des lieux. On eût dit qu'une autorité puissante et austère veillait sur les lieux. Il était difficile de se dégager de l'oppression qu'elle exerçait sur nous.

La commission nous fit attendre jusque tard dans la soirée. Nous n'avions ni boire ni manger, et pour ma part j'étais glacé comme au sortir de ma cellule en plein milieu de l'hiver. J'avais des remontées de rhumatisme qui m'engourdissaient dans une douleur pénétrante et rigide, comme si, par quelque morsure, la mort venait me rappeler son appétit, son impatience, son avidité. Une angoisse profonde s'insinuait en moi et, lorsque enfin nous fûmes introduits dans la salle du procès, où les torches et les lampes faisaient courir des éclairs de sang sur les tentures cramoisies, j'eus un vertige qui me fit défaillir. Nicolas m'aida à m'asseoir sur le siège qui m'était réservé près de lui, en face du tribunal. Je repris lentement mes esprits.

Virnebourg était là au milieu de la tribune, derrière une massive balustrade de bois sculpté où anges et démons combattaient au-dessus des Enfers; du moins c'est ce qu'il m'en reste de souvenir. Le vieillard osseux, perdu dans ses lourds vêtements de lin piqué d'or et de bijoux, nous regarda distraitement avant de s'enfoncer dans un recueillement qui le transforma en statue de bronze. Un secrétaire à ses côtés, tout aussi brisé par le temps que lui, se leva sans mot dire, s'approcha de nous et me donna l'acte contenant la liste. Je la tendis immédiatement à Nicolas qui refusa de la prendre. Le secrétaire de la commission, après avoir inspecté le visage imperturbable de Nicolas, et une fois revenu en boitillant jusqu'à sa place, ouvrit finalement la bouche :

– Prenez connaissance et parlez. L'archevêque est fatigué de sa journée et doit bientôt sortir pour la prière.

Nicolas se leva, écarta légèrement les jambes pour prendre solide appui, attendit un moment :

– Seigneur de Virnebourg qui régnez sur Cologne en maître incontesté, j'ai mandat du pape pour enquêter sur les agirs et les pensées de ceux dont l'orthodoxie de l'esprit ou des mœurs pourrait être mise en doute. J'ai terminé mon enquête et je compte sévir contre certains moines de mon ordre dont je vous ai donné la liste. Comme vous l'avez remarqué, il n'y a pas dans cette liste de Maître ou de prieur de l'ordre des Prêcheurs, et cela pour deux raisons. La première est parce que je n'en ai trouvé aucun d'indigne, et la deuxième parce que, s'il y en avait eu un, il aurait été de mon devoir d'en faire rapport à Avignon.

Sans même lever les yeux ou sortir de son recueillement de bronze, l'archevêque frappa violemment sur la balustrade. Le secrétaire se leva immédiatement :

– L'archevêque a lu la bulle, l'autorité d'Avignon est incontestable, mais cela ne vient en rien limiter celle de Cologne. Qu'Avignon procède ou ne procède pas, c'est son affaire, mais Cologne procède. Vous avez l'accusation; dites-nous le sens que prendra votre défense, c'est tout!

– Je l'ai annoncé et le soutiens, rétorqua Nicolas sans élever un seul moment la voix, mais en prenant appui sur chaque mot, j'ai le devoir de vous rappeler que l'homme dont vous parlez n'est pas simple moine...

– Nous le connaissons, reprit le secrétaire, épargnez-nous...

L'archevêque leva un doigt signifiant qu'il était prêt à entendre. Nicolas continua :

– Je vous sais gré, seigneur, de m'accorder le temps prévu à l'audition, faute de quoi le secrétaire du Maître, le père Conrad de Halberstadt ici présent, aurait enregistré l'entorse à la procédure.

Le seigneur leva un œil chargé de foudre sur Nicolas, serra un instant les dents et prononça avec force :

– Je vous entends pour la justice, non pour obéir à une quelconque procédure, jeune moine, et retenez, je vous prie, vos impertinentes menaces.

Nicolas sembla heureux d'avoir ébranlé l'énigmatique monument de fer qui siégeait devant nous.

– Je serai bref sans écourter l'essentiel, seigneur. En 1248, le père Albert de Lauingen dit Albert le Grand, érudit autant que sage et saint, fonda le très prestigieux Studium général de Cologne, lieu de savoir et de sagesse qui retombe sur Cologne comme l'Université sur Paris. Douze ans plus tard, Johannes Eckhart naissait d'une famille thuringienne de Hochheim, résidant à Tambach près de Gotha. A la même époque, un érudit, Guillaume de Moerbeke, traduisit les traités d'Aristote et d'autres péripatéticiens. La très grande entreprise du Studium fut d'unifier, autant que faire se pouvait, la sagesse des anciens à l'Évangile du Christ. L'ordre des Dominicains considère, avec saint Augustin, que les plus sages des païens préparaient à leur insu le terrain de l'intelligence à la réception de la révélation du Christ. La lumière de l'intelligence et la lumière de l'esprit sont bonnes l'une pour l'autre et ont grand avantage à s'unifier afin de convaincre l'homme entier que la foi est juste.

Cette entreprise donna au Studium un prestige rivalisant avec celui de Paris. L'Italien Thomas d'Aquin, dominicain comme vous le savez, et qui vécut jusqu'en 1274, date où Eckhart entra dans les ordres, fut canonisé en 1323, démontrant à tous que la philosophie et la théologie peuvent s'associer ensemble pour surélever la sainteté des conduites et des états de l'âme. Il fut le premier à allier dans une somme complète l'aristotélisme et le christianisme. Ce docteur assuré tint école à Saint-Jacques, le célèbre couvent dominicain de Paris. Il fut un moment en proie à la contestation chez ceux qui n'avaient pas suffisamment d'intelligence pour le comprendre. En 1255, le couvent dut même faire appel à la protection des archers royaux, mais Thomas d'Aquin tenait toujours école à Saint-Jacques. Trois ans plus tard, il quitta Paris pour l'Italie. C'est là qu'il entreprit la grande somme contre les gentils, adressée à tous ceux qui désirent entrevoir l'étonnante harmonie intellectuelle des mystères chrétiens. Cette somme était écrite contre ceux qui, par leurs arguments, visaient à en montrer la vanité. On y voit une articulation nouvelle entre la philosophie et ce qu'on appelle avec justesse la «doctrine sacrée». «Il est impossible que la vérité de la foi soit contraire aux principes que la raison connaît naturellement.» Voilà le fond de son argument. En 1267, à la curie de Viterbe, Thomas d'Aquin rédigea la grande somme théologique dont le propos consiste à exposer la religion chrétienne de la façon la plus convenable à la formation des débutants. L'année suivante, Thomas d'Aquin retourna à Paris durant la querelle contre les privilèges des ordres mendiants et se confronta à la crise de l'aristotélisme radical des arts. La faculté des Arts était en pleine mutation, sous l'impulsion de Siger de Brabant et de Boèce de Dacie, ces grands maîtres aristotéliciens, brillants défenseurs d'Averroès. Il fallait les contrer, car si la raison mène à la foi, ce n'est pas naturellement, mais par grâce comme vous le savez...

– Le prévenu n'est pas ici le moine dont vous parlez..., voulut interrompre le secrétaire de Virnebourg.

– Non, mais l'un de ses plus dignes successeurs, continua immédiatement Nicolas. Je veux attirer votre attention sur le fait qu'une théologie peut être en apparence et par incompréhension hétérodoxe et s'avérer, par la suite, être des plus sûres. Le Maître dont vous parlez continue en Allemagne et ailleurs ce que le père Thomas a commencé en Italie et en France. Le prolongement d'un arbre sain peut difficilement être malsain. En revanche, l'élévation de quelque chose de déjà très haut peut aisément dépasser la plupart. Le sommet atteint par Eckhart perché sur les épaules de Thomas, lui-même à cheval sur les anciens, se perd haut dans le ciel et peut générer de la confusion même chez les plus doctes.

– L'image est usée et blessante pour le seigneur qui est devant vous, répondit le secrétaire. Plutôt que d'insinuer des offenses, apportez des faits, des faits.

– J'y viens. À la date où Albert le Grand achevait sa vie terrestre, Johannes Eckhart, fils de chevalier, entra au monastère d'Erfurt. Très tôt, à cause de ses capacités intellectuelles et spirituelles exceptionnelles, Eckhart fut nommé prieur d'Erfurt puis vicaire général de Thuringe. De 1285 à 1286, il fut choisi pour parfaire ses études à Paris. Il y retourna en 1293 comme bachelier sententiaire. Sa conférence inaugurale, la *Collatio in libros Sententiarum*, s'est tenue le 14 septembre et le 9 octobre 1293. Le moine maîtrisait alors parfaitement les plus hautes techniques de la spéculation et fit preuve de la capacité rare, exceptionnelle même, de dépasser les contradictions apparentes pour entrer dans le cœur même de la dialectique de l'être. Peu d'hommes, très peu d'hommes y arrivent. Ceux qui n'y arrivent pas voient toute sorte de contradictions là même où les maîtres découvrent la dynamique et la vie même de l'Unité. À Paris, le Maître rencontra le renommé Majorquin Raymond Lulle, théologien, apôtre missionnaire et mystique. Il y connut tous les détails des grandes difficultés soulevées par les promoteurs de la séparation de la foi et de la philosophie, il s'insurgea particulièrement contre l'idée que la raison et la foi puissent s'opposer. Il défendit autant une intelligence de la spiritualité qu'une spiritualité de l'intellect. De 1294 à 1298, Eckhart est de nouveau prieur du couvent dominicain d'Erfurt. Il rédige sa première grande œuvre : *Entretiens spirituels.* En 1303, à la Pentecôte, le chapitre général de Besançon, sans doute connaissez-vous le fait, a résolu de séparer la grande province dominicaine d'Allemagne en deux : la Saxonia et la Teutonia. Le couvent d'Erfurt appartient évidement à la Saxonia et Maître Eckhart en sera le provincial. Déjà à cette époque, la Saxonia regroupait quarante-sept couvents de frères, représentant onze nations différentes dont la Hollande. C'est donc une province importante et Eckhart y demeurera jusqu'en 1311. Mais dès 1307, le chapitre général de Strasbourg le nomme de surcroît vicaire général de Bohême. Deux chapitres généraux imposent aux Prêcheurs de se conformer à la doctrine de Thomas d'Aquin. Eckhart suit l'ordonnance, il a toujours été fidèle à son prédécesseur tout en ouvrant des fenêtres qui vont au-delà. En 1313, Eckhart arrive à Strasbourg, en Teutonia, appelé par le Général de l'ordre, Béranger de Landora, qui lui donne, entre autres, cette mission particulière : assurer la cura monialium, la direction spirituelle d'une vaste population féminine composée de religieuses dominicaines, de membres des tiers ordres et de béguines orthodoxes et fidèles à l'Église. Maître Eckhart a édifié, enseigné, et insufflé une expression intellectuelle toujours plus vivante de la très orthodoxe doctrine de saint Thomas.

– La qualité du Maître ne préjuge pas de celle du disciple, Judas en est la preuve, répondit le secrétaire. De plus, enseigner la spéculation à des femmes est téméraire, dangereux et immoral.

– Votre exemple est particulièrement méprisant et vos sous-entendus sont insultants pour les filles de Dieu. Plutôt que d'insinuer des offenses, proposez des faits, répondit Nicolas en retournant au secrétaire ses propres arguments. Et parmi les faits, dois-je vous rappeler que la mère de Jésus était une femme?

– Jésus ne l'a pas instruite mais conduite, monsieur, conduite...

– Quels que soient nos désaccords sur les points de doctrine, j'ai démontré sans conteste que le théologien dont vous présumez la non-orthodoxie a effectivement le statut de maître, qu'il est incontestablement un théologien de très haut niveau, qu'il dispose d'une réputation qui s'étend dans toute la chrétienté, qu'il a occupé et occupe des fonctions qui dépassent Cologne, que son œuvre rayonne jusqu'aux confins de la civilisation et que, pour ces raisons, il ne peut être jugé que par des théologiens certifiés de Paris et par une cour qui a mandat sur l'ensemble du monde civilisé, j'ai nommé Avignon.

Après un bref silence :

– Voilà, vous avez été entendu…, commença le secrétaire.

Mais Virnebourg mit les deux mains sur la balustrade, se leva roidement comme s'il était scellé dans une armure, fixa Nicolas et lui riposta :

– Que pensiez-vous donc, jeune homme? J'ai invité nul autre que Maître Reyner Friso comme inquisiteur. Ainsi que vous le savez, il est docteur en théologie. À ses côtés Pierre Estate, frère mineur, ancien prieur du couvent de Cologne, et Albert de Milan lui-même seront là pour l'assister. La cour de Cologne est prête à entendre quelque maître que ce soit, fût-il docteur de Paris ou patriarche de Constantinople. Quant à la juridiction du tribunal, Eckhart est actuellement en Allemagne : cela suffit. La prochaine fois, je vous saurai gré de vous faire plus court dans vos préambules plutôt éloignés de votre rôle de simple fonctionnaire de l'archevêque d'Avignon.

Sur ce, il quitta le tribunal pour aller à ses prières. Nicolas sortit prestement et je dus courir pour le rejoindre. À mesure que je courais, la puissance de Virnebourg, qui s'était immiscée en moi, m'entraînait dans des doutes qui ébranlaient une à une mes assurances à propos du Maître. Se pourrait-il qu'Eckhart ait été entraîné malgré lui dans l'indétermination féminine, et que l'orthodoxie dont il était garant se soit peu à peu envasée dans la lie du monde?

Nous sommes arrivés après complies. Le Maître, accompagné du père sacristain, avait amené Katrei au baptistère pour ses prières. En effet, Katrei, hérétique jusqu'à preuve du contraire, n'avait évidemment pas accès à la chapelle. Cependant le Maître avait obtenu du Général la permission d'amener la femme au portique de l'Église au début de la nuit, une fois les moines couchés. Nous sommes arrivés assez précipitamment, mais une singulière solennité régnait dans le baptistère, que nous ne pouvions rompre. Je fus sur-le-champ comme ébloui par ce que je voyais. La lune qui, comme on le sait, éclaire la chair des femmes comme de l'intérieur, illuminait l'hérétique aux cheveux dorés à la manière d'une vierge dans un vitrail lactescent. Si je n'avais pas connu la médecine des anciens et des Arabes, elle m'aurait facilement séduit et emporté dans sa chatoyante mais trompeuse luminosité. Les démons possèdent sans doute le pouvoir d'engourdir les angoisses et les culpabilités des âmes dévoyées, puisque le sourire des femmes a toujours quelque chose d'innocent et de pur qui dépasse en splendeur la quiétude discrète des saints. Jutta, qui ne quittait que très rarement la jeune

137

femme, était assise un peu à l'écart et semblait particulièrement soucieuse. Peut-être s'inquiétait-elle de ce que son mari ne soit encore revenu la chercher! Heureusement, un nuage vint couvrir l'astre de la nuit, les lueurs jaunâtres du candélabre se mirent à glisser sur la pierre grise de leurs mille doigts longs et sinueux, étouffant ainsi l'éclat illusoire des femmes. Les griffes et les dents livides tremblaient sur la pierre suintante et se mirent à geindre, à se lamenter à la manière des âmes délétères dans la géhenne. Le sublime apocryphe se transforma en évidence macabre. Mais qui peut, sans vaciller, discerner la nitescence des faits à travers la brouille des Enfers? Je n'y suis jamais arrivé, et au moment où mes doutes devenaient clairs, je culbutais comme derrière moi, et me voyant douter, je doutais de mes doutes et cela me faisait voir autrement la même scène.

Le Maître était à genoux, tout près de l'hérétique, le visage enveloppé dans l'ombre de son capuchon. Nicolas s'approcha pour lui parler, mais le Maître lui fit signe de se taire en ajoutant :

– Ne trouvez-vous pas que cette nuit est douce et qu'il ne faut pas la troubler avec les soucis de ce monde?

– Soucis, dites-vous. C'est de l'Église qu'il s'agit, reprit Nicolas, de l'Église qui se blesse elle-même et se met en danger de mort.

– Mes bons amis, reprit le Maître, il convient de laisser ce fardeau en cet endroit où les catéchumènes viennent quitter l'angoisse du monde pour entrer dans la quiétude du Royaume.

– Mais je dois vous parler, père Eckhart, insista Nicolas.

– Pas cette nuit, pas en ce moment, père Nicolas, il est trop bon d'être ici dans la paix de Dieu. Joignez-vous plutôt à notre veille, vous verrez combien le fond d'un océan reste tranquille malgré l'agitation des vents et des surfaces.

La douceur de la voix du Maître dans la résonance de l'air chargé de cire et d'encens me fit sombrer dans un coin terrifiant de mon cœur. Je me suis retrouvé au fond d'un des plus profonds abîmes de mon être, là où s'ouvre la terrible fracture menant sur un bord à l'infini du néant et, sur l'autre, à l'infini de l'être. Deux voies si contraires dans leur aboutissement et pourtant si difficiles à discerner dans leur origine : d'un côté la force, l'autorité, le tranchant du tribunal de Virnebourg ; de l'autre l'immensité et l'impénétrabilité énigmatique du Maître. D'un côté la sûreté de l'Église qui va son chemin d'un pas indéfectible, qui peut certes se tromper d'une longueur ou même de cent longueurs, mais qui forcément revient, par la raison ou par le feu, à la vérité de sa fin. Virnebourg peut choir de bien des manières, mais à supposer même qu'il se trompe, la vérité de l'Église dont il participe, dans dix ans, dans cent ans, dans mille ans, ramènera ses petits au bercail. Un archevêque passe mais le destin de l'Église ne passe pas. M'égarer en le suivant n'est pas vraiment me perdre pour l'Éternité, c'est à peine louvoyer pour un temps dans un des méandres d'un fleuve qui, en définitive, touche déjà la mer. Eckhart, c'est peut-être déjà la mer, c'est peut-être déjà le Royaume, mais pas nécessairement. S'il est déjà dans ce Royaume et que j'y coure avec lui, je ne fais qu'abréger le voyage. Par contre, s'il s'est illusionné, si, plutôt que le Royaume, il avait simplement agrippé le rideau de sérénité qui entoure le fou ou l'hérétique et que je le suive, je coule avec lui dans les ténèbres et les flammes éternelles. Avec Virnebourg, je risque peu et gagne certainement ; avec Eckhart, je risque beaucoup et ne peux gagner que du temps, simplement du temps. Voilà ce qui distingue l'obéissance à la hiérarchie de l'obéissance à un Maître : le temps.

Tout cela était clair tant que je détournais les yeux de la scène qui se passait devant moi, mais lorsque je regardais le visage du Maître et même celui de la jeune femme, tout se troublait. Pourquoi un raisonnement aussi parfait laissait-il un tel doute dans mon cœur ? Pourquoi, en regardant le

Maître et sa protégée, avais-je le sentiment que suivre Virnebourg était péché alors que toute ma raison me disait le contraire? J'étais déchiré, je m'étais perdu dans le lieu même où Judas se trouvait avant de décider de sa trahison, sauf que moi je me sentais forcé de trahir. Je devais trahir Virnebourg ou Eckhart, je ne pouvais échapper au choix. Mais qui était le véritable Maître? L'homme sacré archevêque ou le moine érudit, l'institution ou l'individu? Katrei rompit l'effroyable silence où je me trouvais :

– Père Eckhart, lorsque je vous ai parlé des infamies de ma vie et de la mort de mon bébé, j'ai comme brisé une digue et, depuis ce temps, une souffrance sans fin me traverse de part en part. Il me semble qu'un torrent de larmes coule sans résistance au milieu de mon cœur. Je ne sais pas combien de temps je pourrai survivre à cette hémorragie, combien de temps je pourrai souffrir à ce point. Il me semble que j'ai mal aujourd'hui bien davantage qu'en ces jours où l'on me blessait et où l'on me profanait.

Il mit sa main sur la tête de la jeune femme et resta silencieux. Après de longs moments caractérisés par les sons fibreux de sa difficile respiration, il glissa son doigt sous le menton de la femme et souleva doucement son visage afin de jeter son regard dans le sien. Puis un sourire se forma lentement sur son visage, comme s'il avait plongé lui-même dans sa douleur à elle et qu'il en fût revenu affermi, consolidé, renforcé. Il voulait probablement lui montrer le chemin, celui qui permet de dépasser le bruit de la mémoire pour en saisir la substance. Elle répondit finalement à son sourire par un très délicat mouvement de paupières.

– Père Eckhart, vous avez écrit une *Consolation à la reine Agnès de Hongrie* peu de temps après la mort de sa mère. J'ai lu ce texte qui circule partout dans les béguinages, mais aussi sous le manteau des artisans et des clercs de Strasbourg et de Cologne. Il m'avait fait un bien immense.

Hélas! je n'arrive plus à m'en souvenir. J'aimerais tant que vous m'en rappeliez les grandes lignes.

– J'ai peur que cela ne te soit pas d'un grand secours. Il est si rare que la parole puisse mieux faire que le silence.

– Il y a des moments où le silence hurle et crie bien trop de silences à la fois, bien trop pour ce que l'on peut contenir. Ce silence tue, il enterre même le souffle des prières. C'est alors que l'on éprouve le besoin d'entendre son semblable, de l'entendre gambader et courir dans une lande verte, de l'entendre nous rappeler qu'il existe quelque chose et non pas rien. J'ai besoin d'écouter votre voix, d'écouter la consolation que vous avez écrite pour Agnès.

– Tu connais maintenant ta souffrance parce que tu as enfin accepté ton incarnation dans ce corps de femme. La consolation ne vient pas de l'extérieur de la souffrance comme une eau qui viendrait éteindre un feu. Au contraire, elle vient du dedans de la souffrance comme la source première du feu reste à l'intérieur du feu. La propriété première de la source du feu est de ne jamais être totalement consommée par le feu qu'elle engendre. Aucun mouvement de l'être ne détruit l'être.

Cet argument me parut si incongru qu'oubliant toute convenance, j'interrompis le Maître :

– Mais cela n'a aucun sens…

– Il faut toujours dépasser la première impression, père Conrad, répondit Eckhart. Il arrive souvent que les apparences soient trompeuses. Pour que le feu brûle, il est nécessaire de disposer de deux choses et non d'une seule : d'abord une source de feu et ensuite une substance qui n'est pas du feu, par exemple du bois. Mais ces deux choses tendent à devenir une seule chose et elles le deviennent en effet, de sorte qu'il est démontré qu'elles ont toujours été, en fait et dans leur fond, une seule chose. De cela nous avons un témoignage manifeste quand le feu corporel embrase le bois. D'abord une étincelle reçoit la nature du feu et devient semblable au feu. Quand le feu agit, qu'il allume et embrase le bois, il rend le bois subtil, il lui enlève ce qu'il a de grossier et de froid, sa pesanteur et son humidité, et il le rend de plus en plus semblable à lui-même. Mais ni le bois ni le feu ne trouvent d'apaisement ni de repos dans aucune chaleur, froid ou ressemblance, tant que le feu ne s'engendre pas lui-même dans le bois, ne lui communique pas sa propre nature et son propre être, de telle sorte qu'il n'y ait plus qu'un seul feu, aussi bien à l'un qu'à l'autre, sans distinction, ni plus ni moins... Une fois toute dissemblance ôtée et rejetée, le feu se calme et le bois se tait. Aussi les maîtres disent-ils : devenir feu ne se peut sans résistance, peine, agitation et temps; mais la naissance du feu et la joie, cela n'a ni durée ni distance. La consolation est au-dedans de la souffrance dans son tréfonds. La souffrance passe, mais la consolation reste.

– Je comprends l'image, mais n'en saisis pas l'application, pourriez-vous m'expliquer? demanda Jutta.

– Recherchons le principe derrière l'image, continua Eckhart. Un premier principe dit que toutes les choses et toutes les personnes sont nécessairement liées d'une certaine façon entre elles, ne serait-ce que par l'espace qui les enveloppe et les pénètre. Cependant, un deuxième principe affirme que ce qui lie ensemble les choses et les personnes ne peut être passif comme l'espace. C'est quelque chose de bien plus fondamental que l'espace...

– Et pourquoi donc?

– L'espace possède un principe et ce principe n'a forcément pas d'espace. Vois-tu, l'espace est ici et là. Si ce qui unit toutes les choses était ici et là, il serait lui-même une chose, par exemple une étendue. Il faudrait alors se poser la question : qu'est-ce qui unit cette chose, l'étendue, aux choses qui sont dans l'étendue? On est donc forcé de considérer que ce qui unit toutes les choses ne peut pas être une chose, c'est nécessairement un principe dynamique, une réalité vivante qui est toujours ici et toujours maintenant.

– Ce principe d'unité n'est-il pas ce qu'Albert le Grand appelait le point transphénoménal ? demanda Nicolas.

– Parfaitement. En toute personne, en tout être, en toute chose, dans n'importe quelle réalité, il y a un point qui est le même point pour tous et ce point est nécessairement ici dès maintenant. De ce point jaillissent toutes réalités.

– Tout cela me semble si abstrait, répondit Jutta, et si éloigné de la question de la souffrance et de la consolation.

– Voilà, j'y viens. Si l'on exclut pour le moment la souffrance physique, on constate que la souffrance exige deux choses et non une seule : un principe interne et quelque chose qui n'est pas ce principe. Par exemple, l'injustice, le contraire de la justice, à elle seule ne peut engendrer de souffrance, comme le feu ne peut à lui seul engendrer du feu. Le feu a besoin d'un combustible et le feu ne peut pas être son propre combustible. De même, l'injustice ne fait souffrir que ceux qui désirent la justice. Il y a dans chaque personne un point très intime et très intérieur, toujours ici et toujours maintenant, le même pour tous, qui contient une image suffisante de la justice, un désir suffisant de la justice pour engendrer la souffrance de l'injustice. En revanche, à partir de ce point, je ne peux énoncer l'idée de justice, parce qu'une idée est forcément limitée alors que la justice ne l'est pas. Au contraire de Platon, je crois que les expressions de la justice sont libres. La justice peut prendre une infinité de modes, ces modes ne sont pas déterminés d'avance, il appartient à l'intelligence de les inventer et de les multiplier. À partir de ce point très intérieur, ici et maintenant, je peux inventer des expressions de la justice mais pas la justice elle-même. Je peux ressentir dans ma conscience que ce monde n'est pas juste. Cette souffrance et ce désir me poussent à devenir juste et, devenant juste, je dépasse l'injustice, je jouis de la justice qui me travaille et me transforme. Plus que cela, j'élève la justice au-dessus d'elle-même en lui inventant des œuvres qui la rehaussent sans cesse.

À ce moment, le Maître se retourna vers moi et, me regardant droit dans les yeux, sans complaisance ni mépris, continua :

– Il nous arrive même, mon ami Conrad, que cette intuition de la justice nous pousse à faire quelque chose de contraire à ce que nous considérons par coutume raisonnable ; c'est à ce moment que l'on éprouve la douleur et la saillie d'un dilemme et d'un choix. Ce n'est pas là la lèpre de la suspicion, mais au contraire la levure d'une foi qui invite sans cesse au dépassement.

– Mais comment pouvons-nous être certains du choix ? lui demandai-je.

– On ne peut être sûr d'un choix et on ne peut forcer un choix. On ne peut que laisser mûrir en soi la justice pour qu'elle nous guide et nous transforme. Dans le bon, la bonté s'engendre elle-même avec tout ce qu'elle est : être, savoir, amour et action. Elle infuse tout cela dans le bon, et le bon reçoit son cœur du tréfonds de la bonté, et de là seulement, tout son être, son savoir, son amour et son action. La bonté et le bon ne sont qu'une seule et unique bonté, absolument une en tout, avec cette restriction que le second est engendré, tandis que la première engendre. Et l'engendré de la bonté et l'être-engendré du bon ne sont qu'un seul et même être, une seule et même vie. Tout ce qui lui appartient, le bon le reçoit de la bonté et dans la bonté. C'est là qu'il est, qu'il vit et demeure. À pratiquer la justice, l'homme juste et bon éprouve une joie incomparablement, voire indiciblement, supérieure aux délices et à toute joie que lui-même ou encore l'ange le plus haut placé dans la hiérarchie peut ressentir dans son essence naturelle ou dans sa vie.

– Oui, je veux bien, rétorquai-je, mais il arrive qu'une personne injuste nous inflige des souffrances.

– Le mal est la matière du bien ; c'est à partir du mal que la justice peut se dépasser pour atteindre la miséricorde, que la vérité peut déborder dans l'authenticité, que le beauté verse dans le sublime. Sans cette plongée sous l'être, pas de courage, pas de fidélité, pas de foi, pas de confiance, pas d'espérance, pas de désir, pas de persévérance, pas de magnanimité, pas d'humilité…, pas de vertu, pas même de sentiment. Lorsque le Sur-Être plonge sous l'être, c'est pour en ressortir plus qu'être. Sinon pas de dynamisme, pas de vie, pas de création, pas d'art, pas d'intelligence. Mais le mal, la plongée sous l'être, contient en soi une amertume naturelle qui nous pousse à remonter et à revenir. Une nourriture n'est qu'un moment, un bœuf ne fait pas vingt ans, au village une maison brûle chaque année, un trésor ne vaut que ce que l'on peut en obtenir. Une vague sur la mer retourne dans la mer, un son se perd dans le silence, un ami s'en va au loin; cela, c'est ce qu'ils ne sont pas, mais ce qu'ils sont demeure. Une chose va, mais ce qu'elle me dit reste. Si je souffre parce que j'ai perdu une chose, c'est là un signe certain que j'aime cette chose et que ce que j'aime donc en réalité c'est la perte, la peine de perdre et non pas ce que m'a révélé cette chose. Toutes les choses sont partiellement injustes, sinon, comment la justice pourrait-elle se dépasser? Comment une vague pourrait-elle rouler sans la mer? La vague a besoin de la non-vague. Comment le feu pourrait-il brûler s'il n'y avait que du feu? Le feu a besoin du non-feu. Nous devons nous délier des choses comme les choses sont elles-mêmes déliées et libres de se mouvoir. L'homme juste et parfait doit être tellement habitué à voguer dans l'être qu'il trouve son bonheur à le traverser sans s'accrocher aux choses.

— Mais n'est-ce pas là exactement ce que vous me reprochiez, Maître? reprit Katrei.

— Non, tu dois faire la différence entre fuir le corps et se délier l'esprit. On ne doit pas fuir le monde, sinon comment participer à sa transformation? Mais on doit se délier du monde. Si l'homme s'attache à une vague, il roule avec elle et se noie; s'il épouse le point de vue de

Dieu, il s'amuse du passage des vagues et profite de leur mouvement. Pour l'homme délié, tout ennui devient agrément et la souffrance se change en amour. Il ne fuit pas, au contraire, il pénètre la vie pour en goûter le sens, pour en recueillir le miel.

– Mais pourquoi toutes ces souffrances? demanda Katrei.

– On ne peut rien comprendre des accidents et des vicissitudes de la vie tant que l'on n'adhère pas au projet de Dieu qui est de produire le divin. Le divin ne peut être que le surpassement de soi, et le surpassement de soi est impossible sans la souffrance. Mais la souffrance n'est pas le contraire de la joie, elle est sa condition. Si j'étais sûr que toutes les pierres seraient transformées en or pur, plus j'aurais de pierres et plus elles seraient grosses, plus elles me seraient chères. Les difficultés me sont données comme un marchepied. Pour qui voyage horizontalement, un mur est un obstacle; mais pour qui voyage verticalement, un mur constitue un chemin.

– Alors je veux la souffrance, répondit spontanément Katrei.

– Vouloir la souffrance, c'est s'attacher au créé. Tu dois au contraire te délier du créé pour t'attacher à la créativité dans le créé. Si un récipient doit contenir du vin, il faut nécessairement le vider de son eau : il doit être simple et vide. De même, pour que tu puisses recevoir la joie divine, il faut absolument te vider des illusions du créé et les expulser de toi-même. Se délier des souffrances qui nous viennent est tout aussi important que de se délier des attachements qui nous retiennent. Dans les aqueducs romains, c'est le vide qui fait monter l'eau vers le sommet des montagnes...

– Mais comment faire ce vide? demanda Katrei.

– Il ne faut pas chercher à faire le vide par une méthode ou une technique mentale comme le font les gnostiques. Cela, c'est poursuivre un but propre. L'homme juste ne poursuit pas de but propre. Il prend conscience que toute chose n'est que mouvement, et que tout mouvement est égal. Alors l'homme juste jette un regard égal sur toute chose et ainsi en perçoit le mouvement, la danse et le charme. En toute chose, tout particulièrement dans la nature divine, l'égalité, c'est la naissance de l'Un, et cette naissance de l'Un, dans l'Un et avec l'Un, c'est le principe et l'origine de l'amour qui harde et éclôt. L'amour, en revanche, tient de sa nature de jaillir de la dualité et d'en sourdre en tant qu'un. Un en tant qu'un ne donne pas l'amour, deux en tant que deux ne donne pas l'amour, mais deux en tant qu'un donne nécessairement un amour naturel, volontaire et ardent. Voilà le principe de la dialectique et peu, très peu le saisissent.

– Je suis perdue, Maître, je viens pour toucher à l'idée, mais dès que je crois la tenir, elle m'échappe, avoua Katrei.

– Dieu est le dépassement de lui-même. La Trinité constitue ce dépassement. Il faut donc qu'il y ait quelque chose de plus intime et de plus élevé, quelque chose d'incréé, sans mesure et sans mode, où le Père céleste puisse former son image, s'infuser et s'attester : c'est le Fils et le Saint-Esprit. Cette opération intérieure, personne ne peut l'empêcher, pas plus qu'on ne peut empêcher Dieu. Cette opération brille et resplendit nuit et jour, elle loue Dieu et chante sa gloire dans un chant nouveau. Dieu aime tellement engendrer son Fils dans l'âme humaine qu'il ne fait que cela et que cela l'absorbe entièrement. De cet enseignement, nous avons une preuve manifeste dans la pierre : son opération extérieure, c'est de tomber et de rester immobile sur le sol. Cette opération peut être empêchée; c'est pourquoi la pierre ne tombe pas toujours et sans cesse. Mais elle a une autre opération encore, qui est plus intérieure : c'est sa tendance permanente à tomber et cette tendance lui est innée. Ni Dieu, ni la créature, ni personne ne peut la lui enlever. Et cette opération, la pierre l'accomplit sans cesse, nuit et jour. Resterait-elle en haut mille ans durant, qu'elle continuerait de tendre vers le bas, ni plus ni moins qu'au premier jour.

– Mais alors la béatitude existe et se ressent dans la mesure où elle n'est pas atteinte, observa Katrei.

– Tu perçois bien, Katrei, tu perçois très bien. Pour la personne juste, toutes ses plaintes et toutes ses peines – si toutefois quelque peine peut la toucher –, c'est uniquement que cette peine est trop petite pour Dieu et que toutes les œuvres extérieures et temporelles sont trop petites pour qu'elle puisse s'y attester et s'y former pleinement et entièrement. À s'exercer elle prend des forces, et à se prodiguer elle s'enrichit. Elle ne voudrait pas avoir dépassé ni déjà surmonté la peine et le souffrir; elle veut et voudrait souffrir toujours et sans cesse pour l'amour de Dieu et du Bien. Toute sa béatitude, c'est de souffrir pour Dieu, et non pas d'avoir souffert. Mais elle souffre sans souffrir, ses peines sont noyées dans une joie indicible parce qu'elle dispose du point de vue de Dieu.

– Pourrais-je un jour participer à cet état des bienheureux? interrogea Katrei.

– Maintenant, pas demain ni un autre jour. Maintenant le Fils est dans ton cœur parce que tu es pure et vierge, déliée. Tu n'es pas physiquement ni émotionnellement déliée, tu es déliée dans ton essence, ta nature consiste à être déliée, c'est le propre de la créature. Ainsi déliée, tu ressens une aspiration et un désir profond et sans limite de justice, de vérité et de bonté. Ce désir prouve que le Fils naît en toi. Car, sans aucun doute, personne n'aime Dieu autant et aussi purement qu'il faut, s'il n'est pas Fils de Dieu.

– Mais le Fils a déjà été engendré.

– De toute évidence, Dieu n'aurait jamais engendré son Fils unique, si l'avoir engendré n'était pas la même chose qu'engendrer. C'est pourquoi Dieu a aussi créé le monde et, sans cesse, il continue de le créer. Et c'est pourquoi

Dieu aime et opère sans cesse : opérer, c'est sa nature, son être, sa vie, sa béatitude.

Je ne pouvais accepter les divagations du Maître et ne pouvais plus me retenir d'objecter :

– La sainteté, interrompis-je, ne peut pas être la simple conséquence d'une prise de conscience, c'est le résultat de grands efforts et d'un combat constant contre le péché...

– Conrad, Conrad, mon ami, la sainteté n'est pas un exploit de gymnastique physique et intellectuelle, elle n'est pas un exploit de la volonté, elle est l'état naturel de l'homme. Il faut comprendre que, dans la nature, une impression et une influence de la nature supérieure sont, à tout être, plus agréables et plus délectables que sa propre nature et sa propre essence. L'eau descend naturellement vers la vallée parce que son essence le veut ainsi. Mais sous l'impression et l'influence du soleil et de la lune dans le ciel, elle abandonne et oublie sa propre nature et remonte là-haut, vers les montagnes, et ce reflux vers le haut lui est bien plus facile que le flux vers le bas. La sainteté, c'est l'obéissance à sa nature la plus intérieure.

– Mais Jésus nous a demandé de porter notre croix, objectai-je.

– «Celui qui veut venir à moi doit sortir de lui-même et se retirer de lui-même et il doit soulever sa croix», c'est dire qu'il doit se défaire et se délivrer de tout ce qui est croix et souffrance. Car certainement, pour celui qui se serait retiré et serait complètement sorti de lui-même, il ne pourrait plus y avoir ni croix, ni souffrance, ni souffrir; pour lui, tout ne serait que jouissance, joie et plaisir du cœur... Il est absolument impossible à toute la nature de briser quoi que ce soit, de le corrompre, voire simplement d'y toucher, sans tendre à quelque chose de meilleur. Le dépassement et la sainteté travaillent en toute chose pour la gloire de Dieu.

Je n'arrivais pas à percevoir la moindre rationalité dans son discours. Je n'y voyais que contradictions, contradictions et confusion. Il avait probablement très bien résumé son traité de la consolation divine, mais je n'y comprenais strictement rien. Je replongeai dans la fracture de ma conscience, entre le Maître et Virnebourg. Je cherchais une raison déterminante, quelque chose qui pourrait clore l'épouvantable débat qui se faisait en moi. « L'Église, l'Église, voilà mon salut, me répétais-je. L'obéissance, l'obéissance, voilà la route sûre. » Mais l'obéissance à qui ? Qui est l'Église ? Elle avait soudain tant de visages contradictoires, l'Église. Je quittai les lieux précipitamment. Je n'étais pas rentré dans ma cellule que Nicolas m'avait rattrapé.

– Conrad, j'ai bien vu ton hésitation, tes doutes même, me dit-il. Je ne peux choisir à ta place. Mais si cela peut te consoler, le doute m'habite chaque jour, il est là et je ne cherche plus à l'éviter ; il me rappelle qu'aucune créature de ce monde, pas même le Maître, pas même l'archevêque, pas même le pape, ne peut être un véritable maître pour moi, ni se substituer à ma conscience. Le vrai maître vit forcément dans ce que j'ai de plus intime et de plus intérieur, il vit au sein même de mes doutes et de mes inquiétudes. Je ne peux que référer à lui, ne serait-ce que pour qu'il m'aide à discriminer les hommes justes des hommes fourbes, ceux à qui je dois obéir de ceux à qui je dois désobéir. Mais si ce discernement t'apparaît trop difficile pour le moment, rappelle-toi que ton supérieur est le général des dominicains et non l'archevêque. Dans la brouille, confesse-toi à lui et suis son commandement.

Cette dernière phrase plus que toute autre me réconforta. Je jurai de m'en remettre au Général plutôt qu'au père Eckhart ou à Virnebourg. Je m'endormis en toute confiance, épuisé mais serein. Un rêve cependant m'emporta près de Katrei et me troubla douloureusement. Je me réveillai en me jurant de me confesser même de mes rêves. Cela me donna le repos dont j'avais tant besoin.

CHAPITRE IV

Le legs du maître

Je ne me souviens plus du moment exact, mais il advint
que Jutta tomba gravement malade. Je fus immédiatement
demandé à son chevet. Elle souffrait, me semblait-il, du
mal des ardents qu'on appelle aussi feu de saint Antoine.
Elle avait avalé une bouillie de seigle que Katrei, n'ayant
guère d'appétit, avait refusée. Je fis différentes décoctions
pour lui laver l'estomac, la libérer du sang impur et purger
sa bile, mais la femme devint si faible, si fiévreuse que je
craignais pour sa vie. Tout ce que j'entrepris par la suite
ne faisait que l'affaiblir. Katrei, elle, craignait de perdre à
nouveau une mère et le Général redoutait qu'elle n'abandonne la lutte ; auquel cas, selon lui, c'est tout l'ordre des
Dominicains qui en souffrirait. Il fallait pourtant s'en
remettre à Dieu. Mais le Général refusait d'abdiquer et alla
jusqu'à considérer la requête du père Eckhart. Celui-ci
réclamait, pour m'aider, l'assistance d'un franciscain que
l'on disait fort érudit et habile praticien, formé d'abord en
Angleterre à l'école de Grossetête et de Bacon, puis en
Espagne auprès des Arabes, et qui était de passage au
monastère des mendiants, ici même, à Cologne. Le Général
m'en donna finalement l'ordre, me disant qu'il était bon
pour les dominicains de s'enrichir, en toute humilité, aux
sources les plus diverses : « Parce que, disait-il, la vallée ne

151

manque jamais d'eau tandis que le faîte des montagnes s'assèche rapidement.» Il tenait cette phrase de la bouche même d'Eckhart, qu'il semblait soutenir sans condition. J'étais des plus outré, cependant je tenais mon obéissance comme ma dernière planche de salut et cela écartait tout sentiment contraire.

Le mendiant qui s'appelait John mesurait au moins une tête de plus que les plus grands hommes que j'avais connus. Malgré sa taille en forme de beffroi, il marchait avec tant d'agilité et de vigueur que j'avais peine à le suivre. Il esquivait les linteaux et les corniches avec l'aisance d'un danseur. On entendait le chuintement de sa soutane dans l'air qu'il déplaçait avec grâce; il ne gardait pas les mains dans ses manches comme il est de règle. Au contraire il s'en servait à tout instant comme d'une seconde vue. Il n'apportait rien avec lui qui puisse l'aider dans sa tâche : ni plante, ni collyre, ni couperet. Lorsqu'il entra dans la cellule des femmes, il avança directement vers Jutta qui gisait presque mourante sur une paillasse que l'on tenait propre, mais qu'il voulut remplacer par des épaisseurs de drap lavé à l'eau très chaude. Il jeta son regard tout droit dans ses yeux avec une intensité qui offensait la réserve normale des moines. Il mit une main sur son front, une autre à son poignet, il plaça l'oreille sur sa poitrine et il y resta de longues minutes. S'il n'avait porté de soutane, on aurait pu croire un homme sur sa femme.

Il ne lui posa aucune question sur les jours de ses menstruations ni sur les reflets roux de ses cheveux. Pourtant, tout le monde sait, et cela a été démontré par Pline, que le sang menstruel, surtout chez les rousses, empêche les céréales de germer, rend aigres les moûts; à son contact, les herbes meurent, les arbres perdent leurs fruits, le fer est attaqué par la rouille, les objets faits d'airain noircissent; les chiens qui en ont absorbé contractent la rage… Il ne s'est même pas demandé pourquoi les hommes n'avaient pas été contaminés par la bouillie de seigle, alors qu'elle se mourait. Il était pourtant évident que le reflux de son sang avait affecté le seigle, qu'elle s'était donc d'une certaine façon empoisonnée elle-même et que, par conséquent, il fallait la saigner proprement pour réduire en elle ce qui la corrompait. Tout cela était parfaitement écrit dans des manuscrits authentiques dont l'ancienneté certifiait le contenu. Il n'était d'ailleurs accompagné d'aucun livre, il ne demanda jamais d'en consulter, on eût dit qu'il cherchait ses remèdes dans la femme elle-même ou dans tout ce qui lui venait à l'idée à son contact. Quelle étrange médecine si vraiment c'en était une !

Glissant ses mains sous sa robe, il l'ausculta doucement, prenant note de chaque endroit où il la voyait tressaillir. Il arriva finalement à son ventre, hésitait sur certaines régions des intestins qu'il disait compactes et faisait de petits cercles pour en faciliter la circulation, du moins c'est ce qu'il me sembla. Il apparaissait connaître chaque circonvolution du tube digestif. La femme s'abandonnait à cette singulière manœuvre. Au bout d'un moment, elle parut plus détendue. Il la retourna sur le ventre, lui étira le cou, descendit ses longs doigts le long de sa colonne vertébrale. Lorsqu'il rencontrait des points douloureux, il dessinait de petits orbites autour d'eux. Après plus d'une heure de ces attouchements périlleux, il confirma le verdict d'intoxication au seigle auquel il ajouta, comme si c'était nécessaire, la surcharge du foie et la faiblesse des reins. Malgré la similitude de nos diagnostics, il changea radicalement le régime que je lui avais prescrit. Il proposa une bouillie très claire et très propre d'avoine à laquelle il fallait ajouter un sirop d'épice assez sucré. Il ne donna aucune indication quant à la provenance de l'eau à utiliser, ni des quantités d'épice à lui donner. Il me demanda avec insistance de lui faire, à chaque heure du jour, les palpations que je lui avais vu faire. Jutta devait me montrer les points exacts sur son ventre. Je tremblais sur son corps, mais l'obéissance me rassura si bien qu'à la fin de la première journée je savais aussi bien faire que lui. C'est ce qu'affirmait Jutta. Pas d'autres prescriptions, sinon de la garder au chaud tout en laissant circuler un bon air dans la pièce. Encore là il ne dit rien sur la direction du vent qu'il fallait laisser entrer et sur celui qu'il fallait contrer.

Malgré l'hétérodoxie de ces traitements qui n'apparaissaient dans aucun ouvrage et pour des raisons que j'ignore, dès le surlendemain et les autres jours, la noble femme prit des forces. Il venait chaque après-midi, il s'assoyait près d'elle de longues heures pour l'écouter comme si les saillies de mots qu'elle laissait sortir lui nettoyaient le sang. Durant tout ce temps, il lui touchait les articulations, le ventre, l'arrière de la nuque. Il ne présentait aucun signe d'impatience devant ses bavardages où elle allait jusqu'à l'entretenir des sentiments qu'elle éprouvait pour son mari qui lui manquait beaucoup. Katrei se mêlait à la conversation et ajoutait anecdote sur anecdote. Par moments, ils riaient comme des enfants mal élevés et sans réserve, oubliant que la mort guettait à chaque instant avec ses portes déjà à demi ouvertes sur l'enfer ou sur le purgatoire. J'étais dégoûté, mais le Général m'ordonna de les accompagner sans interruption et d'apprendre par cœur tout ce que John me dirait sur ses techniques qui me semblaient s'approcher davantage de la licence, de la témérité et de l'impéritie que de la tradition, du savoir et de l'exactitude. Cependant, avant de le condamner, ne saisissant en rien le principe de sa médecine, je dus me faire explicite. Aussi je lui demandai, par obéissance, les choses en clair. Il s'éloigna du lit et me pria de prendre sa place auprès de Jutta. Il alla à la fenêtre puis commença ainsi tout en marchant de long en large dans la pièce :

– La connaissance ne résulte pas du rapport que l'on a avec les livres, mais du rapport que l'on a avec les choses. Ceux qui ont écrit ont vécu ce rapport, les autres se contentent de ouï-dire. Parmi les savants, certains disent que la connaissance consiste à s'approprier la forme universelle qui réside en chaque chose et cela, par extraction de l'esprit s'ils suivent Aristote, ou par purification du regard s'ils adhèrent à Platon. Connaître le chien équivaudrait à saisir l'ensemble des caractéristiques qui appartiennent à tous les chiens et qui font que cet animal est un chien et non autre chose. Il existerait un chien universel quelque part dans le ciel si on en croit Platon ou enfoui dans l'animal lui-même si on en croit Aristote. Les chiens ne seraient que des copies plus ou moins bien réussies de cette information. De même, il existerait la santé dans la pensée de Dieu et connaître cette santé nous suffirait pour guérir les gens. Quelle sottise !

Lorsqu'il prononça cette exclamation, je ressentis un sursaut dans la pulsation du cœur de Jutta. J'étais moi-même très offensé de ce que John n'arrivait même pas à distinguer la pensée du Studium de la parodie qu'il faisait de Platon. Katrei ne disait mot mais son regard condamnait d'évidence le moine qui marchait toujours un peu plus rapidement. Il continua sans trop se rendre compte de notre unanime désapprobation :

– Grossetête disait qu'à supposer même qu'il existe de telles idées dans l'esprit de Dieu, les distorsions produites par le péché et la misère de notre intelligence nous rendent bien incapables de les saisir et de les concevoir clairement. Roger Bacon affirmait que cette connaissance nous serait d'ailleurs bien inutile pour guérir les hommes et les femmes, puisque la maladie nous vient de notre condition humaine et non des formes divines.

Katrei me lança un regard qui me commandait, me semblait-il, de lui répondre sinon de moi-même, au moins au nom du Maître. Le regard de Katrei, la proximité de Jutta, m'amena à oublier ma réserve et à lui répondre en lieu et place du Maître :

– Mais le but de l'homme, rétorquai-je, n'est pas la santé, le but de l'homme c'est la connaissance. La santé est un moyen de connaissance avant d'être un objet de connaissance. Avec la connaissance on atteint la béatitude et avec la béatitude, tout le reste. À quoi nous servirait la santé si le but de la vie n'était que la santé...

– Cela est bien louable et dignement chrétien, mais pour le moment nous vivons sur terre et sur terre la santé n'est pas notre état naturel ; c'est la maladie qui l'est. Il est donc plus important de réduire nos maladies que de rêver à l'état de santé qui sera le nôtre lorsque nous glorifierons Dieu dans l'éternité. Roger Bacon, au contraire de ton Maître, refusait de voir la destinée ultime de l'homme dans la connaissance. Pour lui, le but de l'activité humaine réside dans la vie terrestre, dans son entretien et dans son épanouissement. Il estimait même que par les biens matériels la condition humaine dans toutes ses dimensions, y compris la dimension morale, serait allégée et améliorée.

– Il est vrai, répondis-je, saint Augustin le dit : la Cité de Dieu est à la fois terrestre et céleste. Cependant, l'une constitue le but et l'autre le moyen, l'une est la réalité dans son essence, l'autre la manifestation. On ne peut inverser cette idée sans risquer de détruire toute la sagesse des anciens. Les anciens ont élaboré des connaissances indiscutables grâce au principe d'Aristote qui consiste à passer du particulier au général et du général au particulier, le monde des formes et des idées ne peut donc être remis en question.

– Le principe d'Aristote nous est de grande utilité, mais lorsque nous allons du particulier au général, par exemple des souffrances singulières de Jutta à l'intoxication au seigle à ergot, nous passons du concret à l'abstrait, du réel à l'intellectuel, du consistant à l'inconsistant. Nous changeons complètement de plan. Une idée n'est qu'une représentation, un mot n'est qu'un son alors que les choses concrètes ont statut d'existence. En fait, il n'existe que des singuliers, des personnes uniques, des choses particulières et des événements spécifiques, tout le reste n'est qu'intention de l'âme.

– Mais c'est là une erreur épouvantable qui ramène tout à rien. Nous n'obtenons des choses que des représentations et si ces représentations ne sont rien, nous ne savons rien, il ne nous reste rien du monde, pas même la certitude qu'il existe.

Je comprenais soudainement le rêve de Katrei où tout l'univers s'était écroulé dans un crâne qui n'était plus qu'une image vide de lui-même. J'avais brusquement peur que l'humanité s'engage dans cette voie qui mène forcément à l'absurde et à la nausée. J'étais si choqué des propos de cet homme que j'avais maintenant peine à contenir ma colère et à continuer mon obéissance.

– C'est l'erreur même de Guillaume d'Ockham, arrivai-je à dire, actuellement interrogé à Avignon comme hérétique...

– Il ne l'est pas, interjeta immédiatement John.

– Quoi qu'il en soit, la philosophie de ton Maître aurait pour conséquence que la bonté, la vérité, les idées que nous ressentons au plus profond de nous-mêmes n'auraient aucune réalité en elles-mêmes. Les objets intellectuels n'auraient pas d'existence réelle! Comment peut-on, sans nier Dieu et la science elle-même, contester l'existence des réalités abstraites? C'est tout le contraire de Platon pour qui les réalités matérielles et singulières contiennent bien moins d'être que le monde abstrait des mathématiques, de la musique, de la logique, de l'essence divine...

– Ton Maître n'est-il pas disciple de Platon et, partant, suspect d'hérésie...

– Il n'y a rien en lui d'hérétique ni dans aucune de ses paroles, rétorquai-je immédiatement. Certes, il connaît Platon et Aristote, cependant à travers leurs désaccords et en continuant le chemin tracé par Albert le Grand, il s'est dépris du piège des idées et des formes pour aller plus loin que les païens. C'est ton Maître à toi qui vient d'ouvrir une trappe épouvantable par où il est à craindre que plusieurs glisseront jusqu'au néant.

Et sans me rendre compte de la contradiction que j'engendrais moi-même, je continuai ainsi :

– Te rends-tu compte que ton Maître remet en cause la certitude de tous les savoirs puisqu'il porte atteinte à la connaissance elle-même...

– Il faut aller beaucoup plus loin, me répondit-il, et considérer comme faux tout ce que nous avons appris, appréhender chaque situation comme étant tout à fait nouvelle et particulière, expérimenter et observer avec attention. Tu vois, Conrad, tu tentais de soigner une abstraction, une femme souffrant d'une intoxication alimentaire, alors que moi j'ai rencontré Jutta qui souffrait d'une maladie qui se présentait chez elle avec toutes sortes de particularités. Je l'ai soignée du mieux que j'ai pu. Je l'ai observée, écoutée dans son individualité, sa singularité. Aujourd'hui, cela semble l'avoir aidée, mais ailleurs, avec une autre personne, il est possible que je n'arrive à rien. Voilà la vérité et elle demande du courage...

– Quels décombres! Quelle ruine! Quel désespoir! Plus de science, que du tâtonnement, lui répondis-je. Plus d'idée, que des supputations mentales. Nous serions condamnés à construire des échafaudages pièce à pièce sans jamais pouvoir nous appuyer sur aucun étai, sur aucun rocher. Le passé, la mémoire, nos livres, notre culture, tout cela ne serait que poussière. Le seul défi de l'intelligence consisterait à défaire des illusions jusqu'à ce qu'il ne reste rien, rien de rien, pas même les choses concrètes puisque, en somme, l'intellect n'appartenant pas au concret, le concret lui est interdit. Quelle errance! Quelle tragédie! Quelle civilisation pourrait survivre à un tel effondrement?

– C'est notre condition humaine. Il y a un rempart entre notre intelligence et celle de Dieu, entre notre intelligence et le monde, une différence infinie que nous ne pouvons franchir sur terre. Nous sommes derrière le rideau, la vision bienheureuse est incompatible avec le corporel. En revanche nous avons la foi.

– Mais qu'est-ce qu'une foi qui n'est pas l'adhésion de toute l'intelligence !

– La foi n'a rien à voir avec l'intelligence, elle est un état de l'amour.

– Une telle foi risque de n'être qu'un ensemble de croyances et d'émotions ne visant qu'à compenser le désespoir de l'intelligence. Elle ne peut être que le préambule du fanatisme.

– Tu ne comprends rien, dit-il en montant le ton. La nouveauté des thèses d'Ockham résulte essentiellement de sa conception du rapport entre la foi et la raison. Il rejette la synthèse thomiste entre la philosophie et la théologie. La position d'Ockham est avant tout critique. Il critique la philosophie au nom de la foi, montrant la précarité de tout savoir humain, mais en même temps sa logique le conduit à la mise en question des positions théologiques traditionnelles. Pour lui, l'intelligence de l'homme est trop pervertie pour atteindre la connaissance de Dieu, c'est pourquoi Jésus est venu nous révéler ce qu'il nous faut savoir pour s'approcher de lui et cela nous suffit. Pour ce qui est de l'univers, il est une création possible, un ensemble de choses très singulières qui nous échappent presque entièrement.

– Nous saisissons la logique de l'univers parce que c'est aussi la nôtre...

– Tu as tort ! Bien des univers peuvent être logiques et de ce fait la logique ne nous garantit pas que nous touchons à cet univers-ci, et cet univers-ci peut n'être pas logique.

– Oui, mais nos yeux le voient, nos mains le palpent.

– Certes, nous voyons et palpons quelque chose, mais si je te faisais toucher à une chose qui serait recouverte d'un rideau, tu devinerais seulement et pourrais facilement te tromper. Dieu est si puissant qu'il peut nous tromper.

– Te rends-tu compte que ton doute peut être extrêmement subversif? C'est un scepticisme explosif qui dénie à toute idée, quelle qu'elle soit, tout caractère d'irrévocabilité.

J'étais si emporté que je parlais avec l'aplomb d'un Maître, cela me faisait oublier ma timidité. Cependant l'émotion augmentait toujours et risquait d'atteindre un seuil qui pouvait me paralyser.

– Parfaitement! Tout est révocable, répondit le père John sans même hésiter, et cela vaut pour la théorie de la connaissance, les universaux, les preuves traditionnelles de l'existence de Dieu, la relation de cause à effet, la destinée universelle, en un mot pour toute la métaphysique traditionnelle.

– Mais, Dieu du ciel, que reste-t-il?

– Justement, Dieu et aussi les choses singulières. Il reste un Dieu infiniment puissant et une créature infiniment humble qui par sa faute doit ramper sur le sol et dénouer ses propres nœuds dans l'espoir d'arracher quelques connaissances utiles à sa survie. Quant à la foi, elle peut simplement se fier, en tout confiance, à la révélation. A la suite du premier article du *Credo* : «Je crois en Dieu tout-puissant...», Ockham accentue la toute-puissance et la liberté d'un Dieu qui n'est le débiteur de personne. Dieu est si puissant que tout le reste, principalement nous les hommes, devenons infiniment relatifs. Le fait de compter avec la toute-puissance divine devient chez nous un réflexe méthodique qui révèle notre force, notre capacité à briser toute prétention à la connaissance.

Je restais bouche bée comme dégoûté par une telle assertion. Quel épouvantable doute! Qui peut se défendre contre un tel doute? Je craignais d'y être emporté, mais John interrompit ma méditation et continua de plus belle :

– … Nous travaillons à développer une méthode de pensée qui nous aidera à passer des inutiles spéculations de l'esprit à une plus grande efficacité d'action.

– Mais pourquoi développer des connaissance utiles sur un monde inaccessible en lui-même ? Pourquoi développer une passion de la méthode sur un scepticisme aussi absolu ? Tu confisques la réalité et transformes la science en une simple méthode de pensée qui serait la seule et unique ascèse valide de l'esprit, abnégation de l'âme, sacrifice de l'intellect dans sa propre rationalité…

Cette fois Jutta me serra la main. Je pris conscience qu'elle m'avait encouragé tout ce temps par ses regards approbateurs, qu'elle l'avait fait malgré qu'elle dût beaucoup à John. Je voulus retirer ma main mais elle ne céda pas. J'étais si occupé à défendre la pensée du Studium que j'oubliai la règle et regardai un moment son visage. Elle était pâle mais volontaire, elle me sourit comme une mère, cela me remua profondément. Je détournai les yeux pour ne pas pleurer. C'était la première fois que je regardais vraiment une femme. Je crus un moment que mon âme en fut élevée. Si Maître Eckhart avait raison sur Platon et sur la vraie religion, peut-être avait-il raison à propos des femmes : elles seraient aussi près de Dieu que nous ! John me sortit brutalement de ma distraction :

– Tu vas beaucoup trop loin, Conrad, contente-toi de faire un pas à la fois.

Je me rendis compte que moi, qui étais perpétuellement ambivalent à propos de tout, je soutenais ce jour-là sans réserve ce que je croyais être la pensée du Maître. Le scepticisme excessif de l'école d'Ockham semblait m'avoir soulagé de mes doutes. Je ressentais en moi le bonheur de la conviction, et ce bonheur me donnait de l'à-propos. Je continuai avec une sorte de légèreté que je n'avais jamais connue auparavant :

– Les universaux comme la beauté, la bonté, la vérité démontrent que nous avons accès aux idées de Dieu.

– « Je tiens fermement, affirmait Ockham, qu'en dehors de l'âme, il n'y a aucun universel existant, mais que tout ce qui peut être attribué à plusieurs, existe seulement dans l'esprit. Les complexes singuliers et particuliers qui sont connus par la science de la nature ne sont pas composés de choses sensibles ni de substances, mais ils sont composés d'intentions ou de conceptions. Et c'est pourquoi, à proprement parler, la science de la nature ne traite pas des choses sujettes à la génération et à la corruption, ni des substances naturelles, ni des choses mobiles ; car les choses de cette sorte ne sont objet d'aucune conclusion de la science de la nature. La science de la nature traite des intentions de l'âme. »

– Par l'ineptie de ce que tu dis, tu me confirmes que le père Eckhart a raison, lui répondis-je, qu'il doit avoir raison si l'on veut que la vie ait du sens. Grâce à toi, je sors enfin de mes doutes...

Mais il n'entendait plus rien et continua alors que moi je ne l'écoutais plus vraiment, mais percevais la main de Jutta qui me parlait dans un langage que je ne connaissais pas. Ce combat contre John m'avait fait, pour ainsi dire, glisser dans la peau du père Eckhart, si bien que je ne ressentais ni peur, ni tentation, ni culpabilité d'être en contact avec une femme. J'étais comme ivre, je n'entendais pour ainsi dire que les sons qui sortaient de la bouche de John. Je me souviens vaguement que l'homme continua en ces termes :

– ... Lorsque, par la critique, nous avons abattu une par une nos illusions, il nous reste le vrai Dieu et la vraie Vie. C'est peut-être peu, mais c'est vrai. À partir de là, nous pouvons construire dans notre esprit des images qui, lorsque nous les appliquons, sont efficaces. À preuve, la guérison de cette femme.

Là-dessus, Jutta me fit signe de lui répondre, qu'il ne fallait pas me laisser faire, du moins c'est ainsi que j'interprétai son regard. Alors j'osai dire ce que je pensais :

– Effet du hasard, si tu veux mon point de vue. Je t'ai observé, tu ne connais rien à la médecine. Lorsque tu prescris de l'eau, tu ne dis même pas si elle doit venir de la Nahe qui vivifie, de la Meuse qui rend la peau claire et légère ou du Glan qui tonifie les aliments. Tu ne connais rien du tempérament des plantes, du chaud, du froid, du sec ou de l'humide. Tu n'as pas cherché à purger cette femme du surplus de bile noire qui lui donne la mélancolie. Tu as ignoré l'épeautre, le châtaigne, le fenouil dans ses aliments. Tu aurais dû réduire du serpolet en poudre et mêler cette poudre à de la farine de froment avec de l'eau du Danube, en faire des galettes et ainsi adoucir sa température.

John n'était pas homme à se laisser faire et rétorqua sans le moindre hiatus :

– Oui, et je pourrais donner du soufre aux femmes qui accouchent, du fenouil et de l'asaret pour soulager leurs douleurs. Je pourrais vérifier la fidélité des femmes avec le magnès qui, dans leur sommeil, les fait se retourner sur le ventre si elles trompent leur mari. Je pourrais prescrire de l'aloès, de la muscade, de la myrrhe, du camphre, du santal. Je devrais donner de la joubarbe contre la stérilité masculine, et te conseiller à toi de la scarole, comme je t'ai vu en prendre, pour calmer les désirs amoureux! Tu en prends d'ailleurs beaucoup.

Je fus terriblement choqué par cette insinuation et dépris inconsciemment ma main de l'emprise de Jutta. Je fermai les poings de rage et sentis mon visage devenir écarlate malgré moi... Il continua dans la même lancée sur un ton qui devenait de plus en plus cynique :

– Je devrais sans doute prendre de la rose, à peine moins de sauge, les réduire en poudre et t'en souffler dans les narines pour apaiser la colère que je vois grimper sur tes joues. Oui je pourrais faire tout cela, accomplir les recettes et prodiguer les filtres selon les livres, mais ce serait ridicule.

Il laissa s'écouler un moment de silence comme pour vérifier si j'étais battu, et puisque je ne disais mot, paralysé par la colère et l'humiliation, il continua en reprenant lui-même son calme et son flegme habituel :

– Pour le moment, il importe plutôt d'avancer dans nos travaux que de continuer notre dispute. Jutta est hors de danger, reste la deuxième question.

– Quelle question ?

– Qui a tenté d'empoisonner ces femmes ?

– De quoi parles-tu ?

– Comment expliquer que Jutta ait été la seule à être intoxiquée du feu Saint-Antoine ? En principe, Katrei aurait dû elle aussi en manger. C'est sans doute elle que l'on voulait empoisonner.

Les femmes étaient stupéfaites, elles n'avaient jamais pensé à cette éventualité. Moi non plus...

– Mais nous avons tous mangé de ce seigle, rétorquai-je, sauf que les hommes sont plus résistants que les femmes, c'est bien connu.

– L'empoisonneur a sans doute calculé que nous ferions tous ce raisonnement. Sauf qu'il n'y a là que superstition. Je ferai enquête et te le prouverai.

Je dégrisai d'un coup. Cette fois il avait raison. Je m'étais laissé emporter dans un jet qui m'avait entraîné hors de ma nature, aussi je retombai brusquement dans un monde que je connaissais fort bien, les mœurs concrètes des moines, les poisons, les rivalités, les controverses.

C'était le 26 septembre 1326. Le général nous avait obtenu une audience chez Virnebourg. Notre mission consistait à présenter le plaidoyer écrit par Eckhart, il y avait déjà quelques mois, à Strasbourg, au moment des premières rumeurs du procès. Différentes versions de son *Apologie* et de son *Tractatus requisitus* avaient été lancées dans le public afin, d'une part, de pousser Virnebourg à montrer son jeu et, d'autre part, en vue d'influencer la position des nobles et des corporations d'artisans. La carte politique ne pouvait être sous-estimée, d'autant plus que Guillaume de Nidecke et Herman de Summo, de nobles et riches familles, la jouaient pleinement. Il fallait par ailleurs tenter de mesurer la somme d'argent suffisante pour encourager l'archevêque à un miséricordieux abandon de la cause. Virnebourg était très sensible à ce genre d'argument.

Cette fois, nous étions au milieu de l'avant-midi et non le soir, aussi Nicolas et moi étions plus en forme qu'à la première audition. La rencontre avec John m'avait poussé pour ainsi dire en direction du Maître, si tant est que Jutta et Katrei écoutaient mes propos avec autant d'attention que ceux du Maître. Oubliant la plupart du temps mes craintes, j'y prenais plaisir. Par ailleurs, le général n'entendait pas réduire son appui inconditionnel au Maître. Quant au père Eckhart, il utilisait un langage plus modéré, non pas à cause du procès, me semblait-il, mais bien plutôt parce qu'il avait pu constater, chez Katrei et les sœurs du Libre Esprit, jusqu'où pouvait aller une interprétation trop radicale de ses thèses. Il consacrait maintenant de nombreuses heures de son précieux temps à rectifier une à une les distorsions plus intellectuelles que fondamentales de la jeune femme qui ne pouvait être, selon le Maître, apostate. Il m'arrivait d'être entièrement d'accord avec lui. Elle montrait tant d'ardeur à comprendre les enseignements du Maître dans ses moindres subtilités et aussi les commentaires que j'en faisais que, nonobstant ses erreurs, il ne se pouvait guère que sa volonté ait suivi sa pensée dans le gouffre. Par là même elle démontrait, le Général lui-même le confirmait, qu'elle quittait l'hérésie si seulement elle y avait été. En somme, l'extrémisme rationnel de John avec ses thèses anglaises et l'extrémisme irrationnel des sectes du Libre Esprit formaient pour ainsi dire deux fosses antagonistes si évidemment ténébreuses et horribles dans leurs conséquences qu'elles faisaient ressortir le droit chemin avec plus de clarté et de certitude, telle une crête entre deux ravins sans fond.

Néanmoins, John avait raison sur un point. Il y avait bien eu tentative d'empoisonnement. Le père cuisinier avait confirmé que le moine qui allait normalement porter le repas aux femmes s'était absenté sans explication et qu'un autre, que personne ne semblait connaître, s'était acquitté de cette tâche. John ne fut pas capable de remonter la piste plus avant, mais il ne faisait plus de doute dans mon esprit que Guillaume et Herman étaient directement ou indirectement en cause. Ils ne doutaient pas d'obtenir gain de cause dans la procédure qu'ils avaient entreprise contre Katrei, leurs moyens financiers, comparativement aux siens, pouvaient aisément combler toute insuffisance de preuve. Cependant, la rumeur circulait qu'elle avait été enceinte de l'un d'eux, elle qui n'avait pas une goutte de noblesse dans son sang. Personne ne savait que le bâtard avait été étranglé et plusieurs fabulaient sur son retour et sa vengeance. Il n'était pas impossible aussi qu'ils aient été informés des origines de Jutta, de sa noblesse et de la fortune considérable de son mari. Quoi qu'il en fût, nous devions maintenant exercer une surveillance continuelle sur les deux femmes et j'y veillais personnellement, allant jusqu'à faire moi-même des heures auprès d'elles à supporter leurs bavardages continuels que je pouvais heureusement écourter par mes savants propos.

Virnebourg nous reçut seul, accompagné de son secrétaire. Son attitude de marbre ne me dérangeait plus, ni le faste de son autorité, celle du Général était pour moi la seule légitime. En guise d'introduction, Virnebourg leva simplement le petit doigt. Nicolas patientait sans mot dire, mais, voyant que Virnebourg risquait bien plus de quitter la salle que d'ouvrir la bouche, il se leva et lut :

– Après avoir enlevé les répétions et les inepties ajoutées de toute évidence pour discréditer le Maître, la liste des propositions suspectes se résume, me semble-t-il, à ceci :

• Dès que Dieu fut, il créa le monde. Le monde existe de toute éternité. • En toutes œuvres, même mauvaises, se manifeste la gloire de Dieu. • Ceux qui ne recherchent ni la fortune, ni les honneurs, ni l'utilité, ni la dévotion intérieure, ni la sainteté, ni la récompense, c'est dans ces hommes-là que Dieu est glorifié. • Nous sommes transformés en Dieu et changés en lui, au point de perdre toute distinction. • Tout ce que le Père a donné au Fils, il l'a donné aussi à chacun des hommes et des femmes de ce monde. • Tout ce qui est propre à Dieu est aussi propre à l'homme et à la femme juste. • Si je demandais quelque chose à Dieu, je serais son inférieur ; ce n'est pas ainsi que nous devons être dans la vie éternelle. • Dieu aime l'âme et non l'œuvre extérieure. • L'homme noble est ce Fils unique de Dieu, que le Père a engendré de toute éternité. • Toutes les créatures, en tant que créatures, sont un pur néant du point de vue de l'essence. • Il y a cependant dans l'âme quelque chose qui est incréé et incréable, qui n'est pas une créature ; si l'âme entière était telle, elle serait incréée et incréable ; et cela c'est l'intellect.

Trois remarques doivent être faites sur ces propositions.

Premièrement, je proteste qu'en vertu de la liberté et des privilèges de mon ordre, je ne suis pas tenu de comparaître devant les commissaires de l'archevêque, n'ayant jamais été accusé d'hérésie ni suspecté dans les mœurs. Si j'avais une réputation moindre auprès du peuple et un moindre zèle de la justice, je suis bien sûr que de telles accusations n'auraient pas été soulevées contre moi par des jaloux. Je rappelle que saint Thomas d'Aquin et même Albert le Grand n'ont pas été épargnés. Beaucoup ont écrit et prêché publiquement que saint Thomas avait enseigné des erreurs et des hérésies. Et pourtant, l'évêque de Paris, le souverain pontife et la curie romaine ont approuvé sa vie et sa doctrine.

Deuxièmement, grand nombre des propositions rédigées dans la liste sont incorrectement citées ou même inventées de toutes pièces. Elles ont été rapportées par des personnes incultes qui, n'ayant rien saisi du sermon, n'ont pu en faire une rédaction tant soit peu correcte. Par ailleurs, j'ai parlé en langue vulgaire et la traduction en langue latine souffre sur plusieurs points. Finalement, les phrases sont rapportées hors contexte, et de ce fait sont sujettes à plusieurs interprétations qui pour la plupart sont fausses. Seule une lecture judicieuse des textes correctement transcrits et traduits par une personne qui cherche à en comprendre le sens véritable et non le sens déformé, peut aboutir à une compréhension suffisante de la philosophie et de la théologie dont il est question. Philosophie et théologie qu'on aurait tort de croire originales. De saint Augustin jusqu'à saint Thomas d'Aquin en passant par saint Denys l'astronome converti par l'éclipse, on pourrait en démontrer le fil conducteur maintes fois approuvé par l'Église et corroboré par les écritures. Je n'ai fait que souligner les aspects les plus intérieurs en utilisant des images fortes pour toucher l'âme plutôt que d'engourdir les intelligences par des répétitions dénuées de vitalité.

Troisièmement, je m'étonne que mes détracteurs n'aient pas retenu contre moi un plus grand nombre d'articles : j'en ai écrit plus de cent (ici, je me levai et transmis le document au secrétaire du tribunal) que la grossièreté de leur intelligence ne pourra sans doute ni saisir ni comprendre. Ils taxent d'erreurs tout ce qu'ils ne comprennent pas et taxent également toute erreur d'hérésie, alors que seule l'adhésion obstinée à l'erreur fait l'hérésie et l'hérétique. Pour ce qui est des propositions que j'ai effectivement dites ou écrites, je suis convaincu de leur vérité, quoique plusieurs soient rares et subtiles, et doivent être comprises dans leur contexte. Pourtant, je suis prêt à les rétracter dans la mesure où l'on me démontrera qu'elles sont fausses. On peut douter de mes dires, je confesse qu'ils peuvent sans doute être améliorés dans leur expression et dits autrement, atteindre une plus grande justesse, mais il serait hors de proportion de douter de ma bonne foi, de mon adhésion à l'Église et de la sincérité de mon cœur.

Voilà les arguments du Maître dominicain amené à se défendre par la faute de deux moines indignes de notre ordre que j'ai mandat de chasser et que vous m'interdisez de rencontrer. Si leur famille est noble et fortunée, l'ordre des Dominicains n'est pas sans pouvoir en Allemagne. La population nous aime...

– Suffit! intervint Virnebourg, les chiens qui vous lèchent, vous les Prêcheurs, sont plus près des bêtes que des hommes. Ils ont le visage noirci, les dents hideuses, les mains calleuses et les yeux hagards comme leurs veaux. Ils sont crédules et on peut leur dire n'importe quoi. Ils avaleraient des chameaux si on le leur demandait. Que les Prêcheurs partent d'Allemagne, qu'importe, les Mendiants sauront avantageusement combler le vide. Et d'ailleurs, bon nombre des vôtres s'opposent à Eckhart. J'ai été informé cette nuit même que le prieur du couvent de Strasbourg, qui soutenait Eckhart, a été battu sévèrement par ses propres moines. À l'heure où l'on se parle, il est mourant ou peut-être déjà devant ses juges éternels...

Je fus estomaqué par cette nouvelle, et compris comme à rebours les paroles du prieur et son inquiétude le jour de notre départ. J'ai eu terriblement honte d'avoir douté de lui et d'avoir moi-même entretenu par mes hésitations et mes ambivalences le climat de suspicion qui régnait dans ce couvent. Nicolas réussit à garder son sang-froid et, comme s'il n'avait rien entendu, continua de plus belle.

– Vous oubliez le pape, seigneur Virnebourg. Il est connu de tous qu'Élisabeth, épouse d'Henri d'Autriche, belle-sœur d'Agnès, celle à qui le Maître a envoyé ses *Consolations divines*, est une Virnebourg. Il est connu que ce livre a divisé votre famille et que vos intentions de vengeance s'ajoutent à celles de Herman de Summo et de Guillaume de Nidecke pour tenter de discréditer un homme qui a touché à votre amour-propre. Il est aussi connu que vous alimentez vous-même la rivalité entre les franciscains et les dominicains afin d'affaiblir les deux ordres à la fois, car leur manière de vivre transforme la vôtre en scandale. Cependant ces deux ordres sont mandatés par l'Église pour traverser les hiérarchies, prêcher une réforme et rallumer les vertus évangéliques dans la maison de Dieu là même où ceux qui le représentent échouent à force d'offenser la charité. Vous n'ignorez pas que je suis en lien direct avec Avignon et avec le successeur de saint Pierre...

– Taisez vos menaces, petit moine, ou je vous emprisonne sur l'heure.

– Faites, monsieur, faites, je n'attends que cela.

– Sortez, sortez, cria-t-il en toussant.

Deux gardes nous empoignèrent brusquement et nous bousculèrent jusqu'à la sortie du palais. Nicolas avait peine à retenir son hilarité tant il était heureux d'avoir touché le vieux renard. Pour ma part j'étais dans la plus grande crainte : un ours en colère peut aller jusqu'à retarder sa propre mort simplement pour assouvir sa vengeance. Il était maintenant évident que Virnebourg ne reculerait pas. Au contraire, il n'aura pas de satisfaction tant qu'il n'aura pas abattu non seulement Eckhart mais tout l'ordre dominicain d'Allemagne.

Le procès était maintenant inévitable. Ce sera le premier procès d'Inquisition contre un dominicain, la première fois qu'un moine et, bien plus, un Maître de l'ordre des Prêcheurs, ceux-là mêmes que saint Dominique dédia à la lutte contre l'hérésie, allait être traîné devant un tel tribunal pour un crime qui est l'inversion même de sa mission. C'était pour moi une douleur profonde qui faillit me ramener à mes doutes, mais la méchanceté, la richesse éhontée de Virnebourg me confirmait qu'il dévoyait l'Église et s'en montrait indigne.

En rencontrant Katrei ce soir-là, je me rendis compte qu'elle avait assumé la peur du bûcher et, lorsqu'elle m'en parla, je pris conscience que moi-même je n'étais pas à l'abri de cette éventualité. On avait déjà exécuté des notaires à côté des hérétiques parce qu'ils les avaient soutenus. Une angoisse épouvantable s'empara de moi lorsque je revis, en mémoire, le massacre de Walter. Je me sentis totalement incapable d'assumer cette horrible possibilité.

Le général Barnabé de Cagnoli avait convoqué une séance de discussion au sujet d'une découverte de Berthold de Moosburg, à son officine, où devaient se retrouver Eckhart, Suso, Tauler et moi. Il n'était pas commun d'utiliser une procédure formelle pour un simple séminaire de réflexion. En principe, Berthold aurait dû partager les fruits de son expérience lors d'une assemblée régulière où tous les moines de chœur auraient été présents. Certes, il arrivait que quelques-uns discutassent d'un point où partagassent une réflexion, mais on ne demandait pas de notifier toute la discussion et d'enregistrer des résolutions. Malgré le caractère officiel de la rencontre, le Général apparaissait détendu, joyeux même, comme si la communauté s'apprêtait à doubler les franciscains sur le terrain même des sciences naturelles.

Bien qu'encore jeune, Berthold avait étudié à Oxford en 1316, et connaissait fort bien les thèses franciscaines de Grossetête, de Bacon et même celles de Guillaume d'Ockham. Il était particulièrement versé en optique et, grâce au principe des analogies, il tentait de mieux comprendre, l'une par l'autre, la lumière spirituelle, la lumière intellectuelle et la lumière naturelle. C'était un homme typiquement flegmatique, recueilli et fort prudent. Il apparaissait presque toujours si retiré en lui-même qu'il semblait vivre seul avec Dieu, vivant chez les hommes comme s'il n'y était pas. Depuis qu'il avait quitté

Ratisbonne pour venir à Cologne, il avait réussi le tour de force de passer presque totalement inaperçu; personne, sauf le Général, ne parlait de lui. Il ne présentait pas, comme Suso, un visage par moments éclatant et illuminé par la grâce, ni, comme Tauler, des quiétudes et des joies qui font des percées indissimulables. Non, Berthold n'attirait en rien l'attention, surtout que, par une permission spéciale, il passait tous ses temps de travail et de récréation à la bibliothèque ou à son officine. Pourtant, ce matin-là, il n'arrivait pas à contenir son émotion. Le Général entama :

– Nous sommes tous présents, la conférence a débuté en cette quatrième heure du jour de la Saint-Michel...

Il me fit signe de prendre note des présences.

– En premier lieu, je souhaiterais que notre frère Berthold nous fasse part de sa découverte.

Quelque peu intimidé, Berthold plaça devant la fenêtre un épais parchemin noirci au charbon et rendu parfaitement rigide grâce à un cadre de bois. Il scella le cadre avec un peu de cire pour qu'aucune lumière ne puisse franchir les interstices, ce qui nous plongea dans une parfaite obscurité. Mais au bout d'un moment nous aperçûmes tous un minuscule petit trou d'épingle au centre du parchemin; on eût dit une petite étoile dans la nuit. Il plaça un parchemin particulièrement lisse et blanc devant cette minuscule étoile. Il avança et recula ce parchemin blanc. Plus il approchait le parchemin de l'étoile, moins le halo se faisait grand, plus il l'éloignait plus il s'étendait. Il avait tracé des cercles concentriques sur le parchemin et pouvait nous dire avec exactitude la distance du parchemin au petit trou selon la grandeur du halo. Il approcha le parchemin blanc jusqu'à ce qu'il touche le parchemin noir. L'étoile disparut, mais réapparut parce qu'il avait percé d'avance une petite ouverture dans le parchemin blanc, lequel il ajusta parfaitement devant l'étoile. Il plaça un cercle de métal finement poli devant le minuscule rayon de lumière, ce qui réfracta un halo sur le parchemin maintenant collé à la fenêtre. En jouant avec le miroir, il fit circuler le halo qu'il projetait autour de la petite étoile. Puis, grâce à un support bien fixé au pupitre, il arriva à ajuster le miroir parfaitement vertical et totalement centré vis-à-vis du trou d'aiguille, si bien que le halo projeté par le miroir formait un cercle dont le centre était l'étoile. Le prieur s'exclama, mais je ne vis rien de particulier qui méritait tant d'attention et d'admiration. Après un moment, le prieur tapa sur l'épaule de Berthold qui retira le parchemin de la fenêtre, ce qui nous éblouit un moment, parce que le soleil en cette heure arrivait directement dans l'officine et qu'il était des plus radieux.

À part le Général et Berthold, nous avions tous le regard en accent circonflexe ; eux apparaissaient savourer notre hébétude et se gardèrent de répondre avant que l'un de nous avoue son ignorance. C'est le Maître qui brisa le premier le silence :

– Il me semble, dit-il, que le plus extraordinaire de cette expérience s'est passé dans votre esprit, alors je vous en prie, ne nous faites pas languir davantage.

D'un regard, le Général donna la permission à Berthold de s'expliquer. Il mit la main sur un manuscrit qui se trouvait à proximité.

– Ce manuscrit que l'on dit avoir été écrit par Aristote n'est pas de lui, mais de Proclus, un disciple de Platon, de l'école d'Athènes.

– Depuis sa traduction en 1268, peu s'intéressaient à ce manuscrit, continua Tauler, justement parce qu'il cadrait mal avec la métaphysique d'Aristote.

– Vous oubliez Thierry et Henri Bate, interjeta Suso.

– Et votre propre maître, Eckhart, ajouta Berthold.

– Il y a dans Proclus, continua justement Eckhart, un principe qui m'a particulièrement fasciné et qui semble être une articulation fondamentale et cosmique de la conversion telle que la concevait saint Augustin. La lumière de Dieu descendrait jusque dans l'âme, dans l'âme universelle et dans l'âme humaine où elle se retournerait comme dans un miroir et reviendrait à Dieu. Le premier mouvement, la descente, serait la procession de l'Un dans la multiplicité des choses créées, le second mouvement, la remontée, serait la conversion du multiple qui revient dans l'Un.

– Voilà ce que confirme l'expérience qui vient d'être fait, intercala le général.

– Si je saisis bien, poursuivit le Maître, la lumière qui arrivait par l'ouverture ne pouvait faire autrement que de s'étendre et de se multiplier dans un halo, exactement comme lorsque l'on jette une pierre dans l'eau.

– C'est l'ondulation de l'éther, ajouta Berthold. La substance primordiale ressemble à une eau. Bien plus subtile, infiniment subtile, la lumière est comme l'onde de cette substance. L'onde, au contraire des autres choses, se diffracte. Si un archer tire vers moi un flèche, je puis me cacher derrière un mur pour me protéger, mais le soleil, lui, peut m'atteindre par diffraction.

– Dans la procession, poursuivit Tauler, l'Un se démultiplie dans la Trinité puis dans la lumière et, finalement, rejoint l'homme et la femme. Par contre, l'âme est miroir, elle réfléchit la divinité et revient de la multiplicité vers l'unité... Nous savons tous cela, mais d'où vient votre émerveillement vis-à-vis du faisceau de lumière sur le parchemin ? Je n'y comprends rien.

Berthold ferma un moment les yeux, rassembla ses idées, et reprit le contrôle de la discussion :

– Maître Eckhart, vous avez tracé le programme du Studium de façon très claire dans vos commentaires de l'apôtre Jean. Vous y disiez : «Il est dans notre intention, dans toutes ses œuvres, d'exposer par les raisons naturelles des philosophes ce qu'affirme la foi chrétienne.» Proclus est non seulement le philosophe subtil qui présente le mieux la métaphysique la plus pénétrante de l'Antiquité, mais il est surtout le païen qui est monté jusqu'au sommet de la contemplation de Dieu par l'exercice assidu de la philosophie et qui témoigne personnellement, dans ses écrits, des potentialités étonnantes qui sommeillent dans la nature. Il a démontré par sa propre expérience qu'il était naturel pour l'intelligence de s'élever jusqu'à l'esprit, et que les écritures ne sont donc pas nécessaires à l'aventure spirituelle mais simplement adjuvantes. Justement nous avons contemplé tout à l'heure, et sur le vif, l'éternité se déverser dans le temps de sorte que nous savons maintenant par expérience, quelle sorte de lien l'éternité entretient avec le temps. En somme, ce que nous avons vu confirme que Maître Eckhart, successeur d'Albert le Grand au Studium de Cologne, a vu juste, que ce qu'il a écrit est juste et que cela est démontré, en direct par le comportement de la lumière.

– Expliquez, commanda le Général, qui avait peine à contenir son impatience, expliquez!

– En premier, vous devez comprendre que le temps est la condition de l'espace, commença Berthold.

– Cela est simple, interrompit Tauler, l'espace est l'expression de la distance entre les choses. Or, cette distance se définit par le temps qu'une chose met à se rapprocher d'une autre. Si toutes les choses étaient infiniment rapprochées, il n'y aurait plus d'espace puisqu'il n'y aurait plus de temps de rapprochement. En somme, l'espace est l'effet du temps, son expression.

– C'est aussi la condition du multiple, poursuivit Suso, puisque si l'on abolit le temps que mettent les choses à se rapprocher les unes des autres, les choses seraient parfaitement fusionnées à l'Unité parfaite, donc sans multiplicité. Il n'existerait qu'un point infiniment minuscule dans l'espace qui serait pourtant infiniment grand en esprit comme lorsque le parchemin blanc touchait le parchemin noir.

– Ainsi vous êtes d'accord, reprit Berthold, pour dire que le temps est la condition du multiple, et que l'espace est l'expression du temps, pour ainsi dire sa mémoire.

– Sa mémoire? interpella Tauler.

– Lorsqu'un objet se déplace dans l'espace, continua Berthold, on peut fixer son point de départ, son passé, et son point d'arrivée, son avenir. N'est-ce pas là la fonction de la mémoire? Les anciens définissent le Père éternel par la mémoire puisqu'il contient en lui-même, dans le même instant, le passé, le présent et le futur. L'espace est la mémoire du temps comme le Père est la mémoire de l'éternité. Maintenant que vous avez bien saisi ce premier principe, je replace les parchemins sur la fenêtre et le miroir devant les parchemins.

Ce qu'il fit avec beaucoup de minutie.

–Vous voyez que la lumière s'ouvre, se diffracte selon un angle précis. Un rayon devient ainsi multiple. Chaque point sur le halo est à distance des autres, et donc prendrait un certain temps pour se rapprocher du centre. Lorsque le rayon est réfléchi sur le miroir, le halo s'ouvre encore davantage. De cette façon, on peut distinguer le rayon qui arrive, du rayon qui repart par sa distance relative par rapport au centre. La lumière tend naturellement aux multiples, elle fabrique le temps et l'espace. Mais que se passe-t-il précisément au centre, là où la lumière réfléchie remonte directement et parfaitement sur la lumière descendante?

Eckhart s'exclama :

– Merveille des merveilles, je vois de mes yeux de chair ce qui se passe dans mon âme. La lumière naturelle nous montre le chemin de la lumière spirituelle. Oui, exactement au sommet de l'âme, dans le château fort, la procession et la conversion se confondent dans le même rayon. Là il n'y a ni temps ni espace. Plus que cela, la cause et l'effet ne peuvent plus être distingués, ils coïncident.

– Expliquez-vous Maître, demanda le Général, qui devinait l'impact de cette découverte pour le Maître.

– Imaginez deux enfants, chacun à l'extrémité d'une corde de jeu qu'ils font osciller en même temps pour s'envoyer des messages. Qui pourrait discriminer le message d'aller du message de retour ? À cet endroit précis de l'âme, le créateur et la créature, celui qui attribue l'être et celui qui le reçoit, participent d'un seul et même dynamisme.

– Parfaitement, Maître, reprit Berthold. On ne peut distinguer la cause et l'effet que par le temps, le hiatus entre les deux ; la cause précède évidemment l'effet, mais au centre, exactement au centre, la cause et l'effet ne peuvent être distingués. En somme la Trinité se fait en «même temps» dans la Déité et dans l'âme, la création se réalise en «même temps» en Dieu et dans l'âme. Proclus disait que l'âme crée le monde. Vous avez parfaitement raison de dire qu'il y a un point dans l'âme, incréé et incréable, hors du multiple, où le Père engendre son fils, où la mémoire divine se fait dynamisme, où la Déité se fait intelligence. Non pas intelligence de raisonnement et de déduction qui suppose du temps, une dérive des effets par rapport aux causes, des corollaires par rapport aux principes, non, une intelligence en acte...

Tauler écarquilla les yeux et se mit à sourire ; il avait subitement compris l'importance de l'expérience et voulut partager son point de vue :

– Il y avait une tension que certains percevaient comme une opposition entre le modèle de la conversion chez saint Augustin qui prenait du temps et de l'effort, et le modèle de l'extase chez saint Denys qui abolissait le temps, mais ici nous voyons que les deux modèles se juxtaposent. Certes, il y a un point où toutes distinctions se résorbent dans le fond et l'essence de l'âme, mais tout autour, la vie continue, va à la conquête de l'infinie ténèbre, s'élargit pour l'attendre, la faire vibrer. La contemplation est une dimension de l'état d'humanité qui n'a de sens que dans l'action de répandre la lumière.

– Et la ténèbre, continua Suso, la nuit, l'inconnu, s'étend à l'infini. C'est le Fond même de la Déité, le réservoir de tout ce qui peut être, l'océan de toutes les possibilités. L'âme se recueille et puise dans l'intelligence de Dieu. Elle s'étend dans l'action, mais aussi et peut-être plus profondément encore, elle frémit en toute confiance dans la contemplation de l'indéfinissable Déité.

– Oui, tu as parfaitement raison, cher Suso, reprit Berthold, et cela démontre que l'avenir n'est jamais prévisible dans ce qu'il fera apparaître de Dieu. Oui, on sait que ce sera toujours Dieu, donc bonté, beauté, vérité, justice, mais personne ne peut savoir le mode puisque nous y participons, et que par le fait même les effets participent aux causes et libèrent ainsi l'avenir de toutes déterminations possibles. Le futur n'est pas indépendant du présent et du passé, mais il les dépasse, il s'échappe d'eux, il construit sur eux, il ajoute l'intelligence à la mémoire. Par le futur, le divin devient réellement divin, c'est-à-dire plus qu'être, plus que lui-même, dépassement de lui-même.

– Sinon, il n'y aurait pas véritablement de l'intelligence dans l'univers, continua Eckhart, l'univers ne serait que le décalque d'un trésor tout fait d'avance. L'intelligence ne peut être qu'un dépassement de l'être, qu'un débordement de l'être. Oui, l'univers est un débordement de joie, et l'intelligence fuse autant de nous que de Dieu dans une créativité qui n'a de cesse que dans son propre dépassement.

Après ces mots, il n'était plus possible de parler. Le silence se fit profond et léger à la fois. Le parchemin blanc glissa un peu de façon à éteindre la petite étoile qui seule nous éclairait. Nous fûmes plongés dans une obscurité profonde que personne ne voulut rompre ni par un geste ni par un son. Il se passa alors, au plus profond de mon âme, du moins c'est ainsi que je le sentis, une conversion, un retournement de la lumière vers son origine. Sous mille confusions, doutes, inquiétudes, et sans qu'aucun de ces démons ne disparut vraiment, je sentis pour la première fois le frémissement d'une confiance d'enfant, une tranquillité originelle, comme le silence de la nuit. Et je goûtai combien il était merveilleux d'être un homme, assez près de Dieu pour le saisir tout entier et assez loin pour le désirer. C'est là tout notre cœur, profond pour ressentir le désir, large pour explorer l'obscurité, et retenu en toute sécurité par le goût d'un Dieu qui trouve sa jouissance à se déverser dans notre âme. Vraiment la voie d'une continuité de l'intelligence de Dieu jusqu'à l'intelligence de l'homme est bien plus grande et bien plus riche d'espérance que la rupture exercée par Guillaume d'Ockham entre l'âme déchue et le Dieu tout-puissant...

Le Général toussa un peu, prit une voix grave et, tout en enlevant les parchemins qui obstruaient la fenêtre, nous interpella :

– Je vous ai rassemblés ici, à l'écart de la communauté, pour vous annoncer en premier ce que je confirmerai bientôt à toute la communauté. Nos ennemis ne sont pas à court d'armes. Ils sont fermés à toute argumentation. Il leur importe peu que nous ayons tort ou raison, ils cherchent un prétexte pour briser l'influence des dominicains en Allemagne. En somme, ils désirent briser tout embryon de réforme, telle que l'avaient tant désiré saint Dominique et aussi saint François d'Assise. La soif des richesses les a rendus fous. Je crains grandement pour notre ami et Maître à tous, Eckhart. Le procès n'a pu être évité. Eckhart sera le premier dominicain à passer formellement devant l'Inquisition. Nous supporterons notre frère jusqu'au bout de ce chemin. «Bienheureux les persécutés à cause de mon nom», disait Jésus. Cette parole s'applique parfaitement à la situation. Mais tout en soutenant notre ami et notre frère, nous devons prévoir le pire. Il nous faut penser au bien général de notre ordre et de sa mission dans l'Église. C'est pourquoi je dois prévoir dès maintenant la succession d'Eckhart au Studium de Cologne. J'ai choisi à cette fin notre frère Berthold de Moosburg.

Je réprimai une pointe d'envie que j'espérais être seul à ressentir, et félicitai avec les autres le jeune homme qui devait se préparer à relever l'énorme défi. Chacun de nous commençait à appréhender un échec devant l'Inquisition et devait, pour le bien de la communauté, réfléchir aux implications de cet échec. Il fallait continuer, malgré tout, un chemin de pensée, une intelligence de la spiritualité, qui, si elle s'effondrait, briserait tout lien entre l'intellect et l'esprit, précipiterait l'humanité dans l'errance et l'absurdité. Il fallait que ce chemin puisse survivre au pire, même à la défaite d'Eckhart. Celui-ci le comprenait plus que tout autre.

– Je suis vieux, dit-il, et Inquisition ou pas, je vais partir. Vous devrez continuer sans moi. Mais si par malheur la hiérarchie de l'Église ne me soutenait plus, votre tâche deviendra vraiment très difficile. Dieu nous vienne en aide.

Il se tut, comme étouffé par sa douleur, et se retira dans sa cellule. J'ai ressenti à ce moment-là comme une flamme me lécher le dos et j'eus peur du bûcher.

Je ne pouvais pas frapper à sa porte, le déranger. Jamais personne, sauf s'il y a feu, assaut de démons ou autres calamités, ne peut se permettre de déranger un moine dans sa cellule. Mais cette nuit-là était exceptionnelle. Il y avait justement odeur de mort et désolation, assaut de mélancolie et d'accablement. Le Maître avait été abandonné à lui-même; c'est ainsi qu'il fallait comprendre la remise du flambeau à Berthold. Ce n'est pas que le Général avait été injuste, tout prieur aurait fait de même, mais le résultat n'en était pas moins terrible. L'homme devait maintenant trouver son chemin lui-même, assailli sans doute par des meutes de démons qui s'acharnent sur nos appréhensions comme des chiens sur des viandes. Je savais que le Maître était derrière cette porte, en prière sans doute, cherchant à se faufiler entre ses tourments, à travers ses décomptes et sa solitude jusqu'à l'orifice de son âme, le château fort comme il disait si bien, là où le fond de l'homme touche le fond de Dieu. Il fallait le laisser vaincre par lui-même, il ne fallait pas cogner à sa porte, mais je le fis quand même. Il ouvrit avec un sourire qui en disait long sur les douleurs qu'il recouvrait par modestie ou pour ma sérénité.

– Je voulais simplement prier avec vous, père Eckhart, osai-je lui dire.

Pendant je ne sais combien de temps, nous sommes restés l'un près de l'autre à prier dans un silence qui ne laissait aucune place ni aux mots ni même aux images, ni même à la vacillation des émotions. Pourtant, il y avait par moments une larme qui coulait sur le visage vieilli du Maître, mais si doucement, sans frémissement, simplement pour libérer le cœur d'un surplus. Il offrait à Dieu ce qu'il y a de plus beau en ce monde et peut-être dans tout l'univers : le sentiment d'un cœur humain arrivé au terme, le sentiment qui porte toute une vie totalement consacrée à sa mission, un sentiment qu'aucun mot ne peut mieux exprimer qu'une simple expiration.

La chandelle allait s'éteindre, j'allais me lever pour me retirer, mais il en ralluma une autre et s'assit sur le bord de sa paillasse.

– J'ai une confidence à te faire, Conrad mon ami, dit-il doucement.

– Oui, Maître, et moi tant de choses à confesser, répondis-je.

– Ne te confesse pas de tes doutes, Conrad ; le doute n'est pas péché, mais au contraire il est le courage de la conscience. Tu n'es jamais tombé dans la suspicion qui, elle, est gangrène de l'âme. Tu n'as pas péché, mais moi j'ai péché contre toi, il m'est souvent arrivé de t'envier.

– De m'envier!

– J'aurais voulu être simple moine sans charge et mener une vie tranquille toute consacrée à lire, écrire et prier, prêcher une fois le mois et n'être connu de personne. Mais j'ai eu très forte charge, jusqu'à quarante couvents d'hommes, vingt couvents de femmes et grand nombre de béguinages. Il fallait penser à tout : l'organisation, la nourriture, les approvisionnements, les ventes, les possessions, les transactions, la discipline, le châtiment des frères indignes, les successions, la supervision des fermes, la reproduction des bêtes, la qualité du vin, la défense contre les ennemis et quoi d'autre! Je vivais sur les chemins entre un monastère et un autre à préparer les visites, à me demander jusqu'où je pouvais faire confiance au prieur en place, à sélectionner les points que je pouvais laisser et ceux dont il fallait que je m'assure. Que de tracas! Et puis, il y a eu les charges intellectuelles, les disputes à l'université de Paris pour tenir la pensée dominicaine à l'avant-scène contre les franciscains, les préparations de cours pour des étudiants souvent plus occupés de se tailler une place d'honneur qu'à discuter d'Aristote...

– Mais ce n'est pas moi que vous avez envié, c'est plutôt ma médiocrité. Si vous aviez été à ma place, vous y auriez mis tant de force et de passion que vous vous seriez retrouvé prieur ou général.

– Conrad, c'est ton cœur que j'enviais, la simplicité de ton cœur. J'aurais aimé simplement obéir sans trop m'interroger, mais c'est plus fort que moi, j'ai besoin de comprendre, de faire des liens, de vérifier les cohérences, de voir les implications et les conséquences, etc. Il m'est insupportable de m'incliner sans comprendre. Et puis il faut que je m'emporte, que je m'emballe, que j'y mette tout mon cœur au risque de faire pivoter les mots sur leur socle et de les faire tomber hors du bon sens. Alors je t'ai envié et, pour me faire pardonner, j'aimerais te faire un legs.

– Mais vous n'avez rien à excuser... Cependant je désire vivement recevoir votre testament.

– Entends bien ce que je vais te dire. Il y a là une clef très importante, une des plus belles clefs du bonheur. C'est un trésor purifié et distillé par des siècles de réflexion, de prières et d'efforts. Prends-le comme une graine de semence rare qui pourrait bien être la seule capable de vaincre l'invasion de mauvaises herbes que l'on voit pulluler partout. Voilà le plus intime de la pensée de Platon, revivifié par Proclus, exalté par saint Denys et redéployé par notre Maître Albert le Grand : la Source de l'être est beaucoup plus que de l'être, c'est un débordement, une bonté, une intelligence, et si jamais ta propre intelligence ou celle de qui que ce soit y communie, elle goûte sur-le-champ la joie des bienheureux. La mort n'est pas une condition nécessaire à la béatitude. Tu connais les différentes doctrines de la vie après la mort ! Il y a celle des disciples de Socrate : après la mort, les âmes des hommes réalisés retournent à leurs étoiles amies. Puis vient celle des partisans de Pythagore, la réincarnation, doctrine que Platon lui-même semble avoir soutenue, en réservant, toutefois, cette «transcorporatio» à ceux qui ont refusé justice et pitié ; les autres étant libérés définitivement du poids du corps. Il y a celle d'Anaxagore qui sera reprise par certains philosophes arabes : après la mort, il ne reste rien... Rien que la lumière du Premier Intellect, l'Intellect agent, cause universelle unique de la génération, c'est la fusion, la disparition de l'âme en Dieu. Il y a celle d'Avicenne et d'al-Ghazali qui mène à l'état de paradis : une fois séparée du corps, l'âme humaine reste tournée vers la lumière de l'Intelligence agente qui lui prodigue ses formes intelligibles dans une suprême délectation. Quant à Isaac Israëli, il reprend les thèses des anciens épicuriens : après la mort, les âmes des justes sont rassemblées en chœur dans l'orbe suprême pour y chanter et pratiquer la justice, tandis que celles qui ont cédé à l'obscénité brûlent dans un grand feu perpétuel. Le christianisme est très tenté par cette idée, beaucoup croient à l'enfer. Mais voici ce que je propose à la suite de mon Maître Albert le Grand : l'amour est si naturel à l'âme que, sans lui, elle se brise en des souffrances intérieures qui la tuent. Dieu aime tellement l'âme qu'à vouloir l'empêcher d'aimer on lui ôte sa vie et son essence, on la détruit... C'est la jouissance qui est naturelle ; elle résulte de l'accomplissement de l'amour dont la fonction innée consiste à faire l'être, à le dynamiser, à le dépasser. Le commandement d'amour est pour l'âme un commencement d'être. En effet, la conversion de l'Intellect – le mouvement par lequel l'âme se tourne par son intellect agent vers la lumière incréée du Premier Intellect – n'est pas seulement génératrice de connaissance : de par le statut même de l'activité intellectuelle, elle est, pour l'âme, constitutive de son être. Sans amour l'âme n'est rien, avec lui, elle est bienheureuse. L'amour est la jubilation de l'intelligence dans l'intelligence divine. Tu as bien saisi aujourd'hui ce qu'est le «point de connaissance» d'Albert le Grand ; il est le château fort intérieur, la cime par où la Déité fait l'être, fabrique l'univers. Ce point qui condense tout ce qui, dans l'Univers et dans l'Intellect, se différencie. Ce point n'est autre que la lumière de l'Intelligence dans le «maintenant» d'où elle bouillonne vers l'extérieur. Cette puissance de l'âme ne saisit pas Dieu seulement là où il est bon, seulement là où il est vrai ; elle cherche plus loin et va jusqu'au Fond et saisit Dieu dans son unité et dans sa solitude, elle saisit Dieu dans son désert et dans son propre Fond. Alors quel est le but de l'âme ?

– Je ne sais pas.

– Je crois au contraire que tu le sais. Le but de l'âme est le même que celui du philosophe, le même que celui du savant, le même que celui de l'univers : la conjonction avec le débordement d'intelligence et de joie que l'on appelle Dieu. Le but de l'âme, c'est la volupté ultime d'une connaissance de soi, de la connaissance que Dieu a de lui-même. Et cela n'est pas uniquement affaire d'individualité. Dante, que tu connais peut-être et décédé il y a peu, a développé un nouveau mot d'ordre : la vie selon l'intellect est la fin de toute la société humaine, de toute civilisation. Il s'agit d'une entreprise à laquelle ne peut parvenir un seul individu, ni une seule famille, ni un seul village, ni une seule cité, ni un seul royaume particulier, ni même un ordre monastique, l'entreprise s'adresse à l'humanité tout entière. En somme, où que l'on se tourne, le fruit de l'amour c'est la joie d'une connaissance sans cesse rebondissante sur elle-même.

– Mais alors, Maître, dites-moi dès maintenant quel est le secret de cette conversion de l'intellect humain dans l'intellect divin?

– C'est l'humilité du silence, la vacuité. L'humilité n'est pas d'abord une attitude psychologique, c'est l'état naturel de l'univers qui se convertit en Dieu, l'exalte et le glorifie dans toutes ses étoiles, dans tous ses mondes, dans toutes ses plantes, ses animaux et les humains aussi. L'homme humble reçoit immédiatement le flux de la grâce. Dans ce flux de la grâce, la lumière de l'intelligence s'élève immédiatement, et Dieu ruisselle dans une lumière qui ne peut être voilée. Si quelqu'un était à ce point ceint de cette lumière, il serait tellement plus noble que les autres hommes qu'il serait pour eux ce que l'homme vivant est à un homme peint sur un mur. L'humilité, c'est-à-dire le lieu où l'amour s'incurve sur lui-même, le lieu, sous l'être, où le plus qu'être rebondit dans son Origine, constitue le foyer même de la Déité. En effet, à partir de quoi la création est-elle possible? À partir de l'incréé. À partir de quoi l'être est-il possible? À partir de Rien. Or ce Rien dans le Tout, c'est l'humilité. C'est le foyer de la Trinité et celui de l'univers. Ce que recherche l'homme noble, ce n'est pas d'abord un état psychologique d'extase, mais la conscience qu'il est ce qui n'est pas encore, ce qui devient par essence, le dépassement de lui-même. L'humilité, c'est d'abord l'état de l'univers. En s'y reconnaissant, l'humain accomplit sa mission dans la Déité : la conversion de l'amour et le dépassement de l'être. L'humilité c'est l'union avec le foyer de la conversion. Dans l'union, c'est Dieu lui-même qui trouve en lui-même le lieu de son opération sur l'âme. Autrement dit : c'est en Dieu lui-même que l'âme de l'homme pauvre pâtit Dieu et jouit de lui.

– Mais comment arriver à cette humilité ? lui demandai-je spontanément.

– L'humilité dans l'humain, c'est la pauvreté, c'est-à-dire l'abandon du point de vue partiel par l'élargissement de l'intelligence embrassant l'Intelligence de Dieu. En somme, pour que l'être se réalise, la Déité doit creuser en elle un point vide de tout être, si humble, si pauvre que tout le pouvoir divin y trouve sa gloire. Place à l'expression, à la réalisation de toute vie par la grâce ! L'homme sage reconnaît qu'il est d'abord ce point, goûte cette humilité comme un lieu privilégié où Dieu se fait vraiment Dieu, Dieu de débordement, de dépassement, d'effervescence créatrice. S'il incombe à l'intellect de dépasser toutes les pensées pour conduire l'âme en son fond, il lui faut aussi, sur le point d'aboutir, se perdre lui-même.

– Dois-je me nier ?

– La vie se charge de creuser du vide en chacun de nous, par ses déceptions, ses souffrances, ses revirements, ses humiliations...

– Tout cela semble se précipiter dans votre vie depuis quelque temps à un âge où l'on aimerait tant la tranquillité.

– La vie est bonne, alors elle veut tout m'enlever jusqu'à ma dignité. Et si je la laisse tout me prendre, l'humilité se fera en moi, un vide, une profondeur de vide, exactement ce qu'il faut pour que l'intelligence divine se retourne sur elle-même et produise toute la création. Ainsi, je serai témoin, moi qui n'ai plus rien, que l'univers est un débordement de joie et d'intelligence. Voilà mon legs, voilà ce qu'est une spiritualité de l'intelligence. Cette spiritualité doit continuer son chemin coûte que coûte, malgré Virnebourg, malgré l'Inquisition, malgré ma mort.

– Mais que restera-t-il de vous sur cette terre?

– L'approfondissement du sentiment humain constitue le plus grand apport de l'homme à Dieu. Lorsque l'humain arrivera dans les bras de la Trinité, son cœur sera tout entier surélevé. Pendant que l'homme contemplera en larmes l'objet ultime de ses aspirations en lui disant : «Alléluia, tu es mon Tout», Dieu le contemplera tout aussi bien, lui disant : «Béni sois-tu fils d'homme car dans tes pupilles je contemple une profondeur qui autrement me resterait à jamais cachée. Tu es ma foi, mon courage et ma joie.» L'humain est appelé à la conquête, par foi, science et participation, de la Déité tout entière, cela doit être dit, cela doit être transmis sans réserve. Je te confie à toi aussi cette mission, Conrad. Ce qui te restera de moi, c'est le sentiment de joie que me donne la conscience de vivre en Dieu et cela est bien suffisant. Change ta timidité en humilité et va prêcher cette nouvelle extraordinaire que Jésus est venu démontrer par sa vie.

– Vous vous êtes bien vengé de votre envie de tranquillité et de simplicité en confiant une charge aussi lourde à un esprit aussi frustre.

Là-dessus il me sourit avec une créance telle que je me suis cru, un moment, digne de ce qu'il m'avait confié.

Chapitre V

L'enjeu du procès

Il fallait s'en méfier, Thomas d'Aquin nous avait instruits sur le sujet : «Le commerce, considéré en lui-même, a un certain caractère honteux, en raison du désir du gain, de l'amour de la richesse, du fait qu'il permet à l'argent d'engendrer l'argent.» Par contre, son vice est heureusement limité par l'effort et le travail nécessaires aux déplacements des marchandises. On ne peut en dire autant de l'usure proscrite dans toute la chrétienté. Elle pourrait ouvrir une surenchère sans autres limites que la folie des hommes. Un franciscain m'en donna un jour cette image : «Figure-toi, me dit-il, un noble riche mais paresseux. Il se déguise en commerçant et sollicite les passants, non pour leur vendre quelque chose, mais pour leur prêter cinquante sous d'or du lever jusqu'au couchant du jour suivant moyennant cinq sous d'usure. Un premier badaud adhère à l'idée. Il part avec les cinquante sous, les brandit devant un boutiquier qui, le croyant riche, accepte de lui vendre vêtements et étoffes qui seraient payés le lendemain. Vêtu de bonne façon, il court rencontrer l'évêque et le persuade d'acheter les tissus à fort prix. Après cette transaction qui n'était au fond que rapine, le passant paie le boutiquier tel que convenu, revient vers le commerçant et lui remet, à temps, les cinquante sous d'or et en plus, les cinq sous d'usure. De cette transaction, le badaud conserve vingt sous, mais sa journée a été épuisante, si bien que, le lendemain, il s'assoit un peu plus loin dans la même rue où le riche fainéant fait toujours commerce de prêts et, pas plus bête, il propose lui aussi aux promeneurs de disposer à sa place de son argent afin que, sans rien faire, il puisse continuer de s'enrichir grâce à l'usure de son avoir. Quelques mois plus tard ils sont dix dans la même rue à faire la même chose. Il s'agit là de la multiplication d'une nouvelle sorte de mendiants, sauf que ces nouveaux mendiants ne sont pas pauvres mais riches. Leur seul travail consiste à prendre d'une main un peu plus que ce qu'ils donnent de l'autre. Cependant, à la différence des mendiants, ce qu'ils prennent ne leur sert pas seulement pour le boire et le manger, mais aussi pour un luxe qui les fait lentement pourrir. Non, il ne faut jamais le permettre; il est assez de faire l'aumône aux pauvres sans le faire aux riches.» Depuis ce jour, je me suis toujours demandé quel serait le futur d'une société où l'usure ne serait pas interdite. Cela ne pourrait qu'accélérer la chute des hommes dans le gouffre des extrémités : les uns se perdraient dans leur surplus tandis que les autres périraient dans leur misère. Sans doute surviendrait-il un temps où ces hommes seraient à ce point fous qu'ils en perdraient toute religion sauf peut-être celle du veau d'or. Les richesses ne doivent pas résulter de l'habileté à tromper mais d'un travail raisonnable et honnête. Alors vous comprenez mon hésitation lorsque le général me commanda de servir de secrétaire à un commerçant des basses terres, Guglielmo Berbèri, qui venait pour faire des affaires avec nul autre que l'archevêque.

Cet homme court et replet possède à la place des yeux de véritables petites billes noires, vives et mobiles, qui accrochent le regard de son interlocuteur et l'entraînent partout où va son discours. Bien que ce négociant parlât sans arrêt, je ne pus savoir ce qu'il venait faire à Cologne ni quoi que ce soit de ses intentions et de ses projets. Néanmoins, j'avais ordre de le suivre et de l'assister en tout. Après une préparation minutieuse où il me fit pratiquer mon jeu dans les moindres détails, nous allâmes rencontrer Virnebourg à son palais et dans ses appartements privés.

– Que d'honneurs pour moi, commença Guglielmo, de rencontrer le seigneur d'une des plus grandes villes du monde, célèbre pour son commerce, ses arts et sa chrétienté. La maison des Virnebourg, dont vous êtes le sommet, est sans aucun doute parmi les plus puissantes d'Allemagne, et maintient par son autorité et ses commerces, la cohésion de l'État pendant que notre roi combat en Italie en vue de refaire l'empire. Dieu, qu'il est heureux que l'Église, dont vous êtes la puissance, assure l'ordre en ce pauvre monde où la sauvagerie des barbares couve encore sous les cendres. J'aime, aujourd'hui plus que jamais, mon humble métier puisqu'il me permet de rencontrer une si exceptionnelle personne...

– Je vous sais gré de vos compliments, monsieur, cependant j'ai beaucoup à faire en ces jours où il faut combattre non seulement la fainéantise du peuple, mais l'hérésie de certains qui ont mandat de le diriger.

À ce moment, je devais simplement baisser humblement la tête. Ce que je fis avec beaucoup de difficulté.

– J'ai été informé de vos soucis, reprit Guglielmo, et la chose me dépasse à ce point que là-dessus j'ai pour habitude de me taire. J'irai droit à mon sujet. Voilà M. Riccardo degli Alberti qui, je crois, vous est connu...

– Il me vend à l'occasion des tissus assez rares qui lui parviennent d'Italie en paiement pour des droits de commerce aux foires de Milan, Venise et Bologne où ma famille occupe une place forte...

Bien que l'archevêque arrivât à conserver le rythme naturel de sa voix, je le vis ramener un pied tremblant sous sa chaise afin de dissimuler tout signe de nervosité. Quant à moi, je m'appliquais à me tenir si parfaitement immobile qu'ils en vinssent à oublier pour un moment ma présence.

— Voilà justement, il m'a avancé six cents gros vénitiens...

— Six cents, dites-vous, la somme est importante.

La quantité et la qualité de la devise sembla ranimer sa quiétude et susciter sa curiosité.

— J'en conviens, continua Guglielmo, mais elle était nécessaire pour mes achats de tapisserie, ici à Cologne. Je descends par la suite les vendre à Milan.

— Vous allez donc chez mon frère qui y commerce la tapisserie.

— Hélas, j'ai eu une offre supérieure, hier chez les dominicains.

— Chez les dominicains.

— J'ai logé chez eux, la sécurité y est reconnue, et j'y ai rencontré une connaissance, l'épouse de Gauthier de Bruges, de la plus noble maison du Nord. Elle m'a proposé une affaire que je ne pouvais refuser. Cependant, elle voulait une monnaie de Barcelone pour régler une lettre de change et c'est pourquoi je suis venu ici dans l'espoir que vous acceptiez d'échanger mes gros vénitiens.

J'étais très surpris. J'avais moi-même escorté Guglielmo dans l'une de ses rencontres avec Jutta au monastère et jamais il n'avait parlé d'affaire de cette sorte. Guglielmo n'avait cessé de s'entretenir des béguinages de Bruges, de la ferveur et de la foi de ces femmes, et des dons qu'ils leur faisaient, lui et son ami Gauthier, mais jamais il ne m'avait parlé des commerces tenus par cette femme.

— Et pourquoi le ferais-je? demanda le prince.

— Il serait tellement agréable à mon ami, le seigneur de Bruges, que vous acceptiez ce service. Cela pourrait apaiser les sentiments de Riccardo degli Alberti et vous assurer la plus grande fidélité de Gauthier.

Sur ces propos, l'archevêque devint très méditatif. Il resta longuement songeur et silencieux. Il semblait faire des calculs autant politiques qu'économiques... Pour ma part, je levai explicitement un sourcil en toussant distraitement comme si je ne saisissais rien du fond de leur échange, ce qui était totalement vrai. Finalement il ouvrit la bouche :

— Supposons que j'accepte votre devise et que je me charge directement de la lettre de change de madame l'épouse de votre ami...

Je ne voyais pas comment cette proposition pouvait être acceptable. Guglielmo y risquerait tout sans contrepartie, mais je devais taire toute surprise et afficher la plus pure naïveté au sujet de ces tractations qui me dépassaient en effet. Néanmoins il me fallait esquisser un sourire un peu niais qu'il me peinait de faire.

— Cela conviendrait à merveille, répondit le plus simplement du monde Guglielmo.

Je devais me montrer absolument candide, même si le négoce devait aboutir à quelque résultat purement fantaisiste. Or justement, la proposition de Virnebourg équivalait, pour Guglielmo, à un coup de dés de plus de six cents gros d'argent !

— Sans doute aviez-vous prévu cette éventualité ! avança l'archevêque.

— J'ai ici la lettre.

Il avait effectivement cette lettre de change qui n'en avait pas l'air et la lui donna. Je ne comprenais plus rien. L'archevêque lut, fronça les sourcils et finalement sourit.

— Donnez-moi la somme et je fais honneur à la dame, conclut-il. Cependant, veillez à la parfaite discrétion de l'opération.

Je devais montrer que je trouvais la chose parfaitement normale, qu'étant sans familiarité avec le commerce, je ne devinais aucune irrégularité. Tel que prévu, je jetai un regard affirmatif à Virnebourg pour le convaincre d'une discrétion qui lui serait d'autant plus assurée que je ne comprenais rien à l'affaire.

– J'y veillerai sur mon honneur et celle du comte de Bruges, affirma sans hésiter Guglielmo. De votre côté, je crois que vous me comprendriez si je demandais bien humblement un mot de votre main et certifié de votre sceau avant de vous donner une aussi importante somme. Il tendit à l'archevêque une note qu'il devait copier. Virnebourg la lut attentivement, hésita en se serrant les lèvres. Guglielmo sortit la très lourde bourse, l'épaisse monnaie d'argent sonnait. Finalement, l'archevêque griffonna rapidement les quelques mots, signa, mit le sceau et le donna à Guglielmo. Celui-ci lut le parchemin et suggéra, en indiquant du doigt :

– S'il était possible d'ajouter ici «dans les trente jours suivant la date d'aujourd'hui».

Virnebourg hésita à nouveau, corrigea et donna le pli.

J'avais rédigé un procès verbal de la transaction qui n'avait que peu à voir avec ce qui s'était réellement passé. En fait, j'avais simplement écrit de mémoire ce que Guglielmo m'avait donné en dictée la veille. Le commerçant fit semblant de lire le document et le signa, le tendit à Virnebourg qui le parapha et me le remit pour que j'y souscrive en témoin et m'assure de sa conservation aux archives du monastère. Nous nous sommes retirés du palais. Guglielmo apparaissait pleinement satisfait de son affaire. Il refusa néanmoins de répondre à mes questions. Lorsque je fis rapport au Général de la mystérieuse transaction, il me dit simplement de n'en parler à personne. Personne d'ailleurs ne semblait au courant, ni Maître Eckhart, ni Tauler, ni même Jutta. Personne surtout ne semblait prêter attention à ce qui se passait.

Guglielmo resta plusieurs jours au monastère; il participait à nos prières, il chantait étonnamment bien. Il tentait de respecter la règle dominicaine mais contrevenait régulièrement au silence. En tant que commerçant, il avait coutume de faire la navette entre le nord de l'Allemagne et le nord de l'Italie. Il connaissait non seulement les affaires du commerce, mais aussi celles du monde et de la noblesse jusque dans ses sommets. Il relatait toutes sortes d'anecdotes dont l'une qui me parut particulièrement significative du caractère qu'il prêtait à Louis de Bavière.

– Le soir du couronnement du roi, racontait-il, il y eut à la ville un magnifique bal masqué auquel assista l'impératrice. Un cavalier entièrement vêtu de noir l'invita à danser. Un homme masqué se pencha alors à l'oreille de l'empereur et lui demanda s'il savait avec qui était l'impératrice : «Avec quelque prince souverain, sans doute, répondit-il. – Moins que cela», dit l'homme. Seigneur, comte, baron, chevalier, écuyer, page, valet, palefrenier, manant, toutes les conditions furent nommées, mais chaque fois un «moins que cela» méprisant parvenait à l'empereur. N'y tenant plus, celui-ci s'approcha du cavalier noir, lui arracha son masque et l'on reconnut le bourreau. Furieux, l'empereur tira son épée, mais le bourreau ne manquait pas d'esprit : «Quand vous me tueriez, l'impératrice n'en aura pas moins dansé avec moi et, s'il y a déshonneur à cela, elle n'en sera pas moins déshonorée. Faites-moi plutôt chevalier et si quelqu'un attaque la gloire de votre dame, de la même épée dont je fais justice, je ferai raison. – Le conseil est bon, répondit l'empereur, cependant chevalier c'est trop, pourquoi pas homme de justice? Désormais, tu ne t'appelleras plus le bourreau, mais le juge terminal. À compter de cette heure, tu es le dernier des nobles et le premier des bourgeois.» À dater de ce jour, en effet, le bourreau marcha seul, derrière les nobles et devant les bourgeois, dans toutes les cérémonies, y compris durant la promenade qu'on faisait accomplir aux condamnés à travers la ville avant de les inviter au repas du bourreau, où ce fonctionnaire trinquait avec les autorités et se nourrissait copieusement pour se donner plus de cœur à l'ouvrage.

Le commerçant ne cessait de pérorer sur le combat que se livraient le civil et le religieux pour s'investir de l'entièreté du trône impérial avec tous pouvoirs sur la terre et dans le ciel. Il parlait de l'empereur et du pape comme de vulgaires gladiateurs dans une joute tactique hautement grotesque. Il prenait un malin plaisir à dépouiller de toute voilure tant Sa Sainteté que Son Altesse.

«L'empereur, disait Guglielmo, veut à tout prix réussir le rêve de Barberousse, mais chez lui l'orgueil remplace la magnanimité, si bien qu'à vouloir l'Empire, il est sur le point de perdre l'Allemagne.» Ce commerçant avait d'étranges idées sur l'Empire. Il me rappela d'abord le rêve de Barberousse dont il faisait la description suivante : «On avait élu Frédéric Barberousse. D'une profonde intelligence, énergique, il était convaincu des droits du pouvoir laïque et entendait les faire respecter par le pape. Il tourna ses regards vers l'Italie et rêva de reconstituer le Saint-Empire romain germanique, ce qui le conduisit comme ses prédécesseurs à un conflit ouvert avec le Saint-Siège. Au début, c'était pourtant la lune de miel (c'est son expression) avec le pape qui, aux prises avec la population révoltée de Rome, se vit secouru par le roi. En échange de quoi le pape Adrien IV le couronna empereur à Rome, en 1155.

«Frédéric, continuait tout aussi péremptoirement Guglielmo, profita de la situation pour raffermir son pouvoir sur tous les évêques allemands, qui devaient revenir à son obédience. Il était soutenu par une nouvelle conception juridique que mettait en honneur la faculté de droit de Bologne à la suite de sérieuses recherches sur les principes fondamentaux du droit romain : en droit romain, l'empereur a le pas sur les prêtres, et Barberousse a trouvé là un point d'appui pour assurer sa primauté. Mais, en 1157, se tint à Besançon une diète d'Empire au cours de laquelle le cardinal Bandinelli présenta un message au pape lui rappelant, comme si c'était nécessaire, que c'est du pape que l'empereur tenait la couronne impériale et non l'inverse. Ce à quoi le chancelier Rainald de Dassel riposta vertement, si bien que le conflit refit surface. Toutefois, en 1158, dans une lettre collective, les évêques soutinrent l'empereur et non le pape, si bien que la papauté se rétracta. Les évêques préféraient, affirmait sans façon Guglielmo, la division des pouvoirs puisqu'il était plus facile de manœuvrer entre deux chefs plutôt que sous la conduite d'un seul. L'empereur descendit alors en Italie avec ses armées, menaçant ainsi directement le Saint-Siège. Pape et empereur négocièrent, mais le pape mourut et on fit l'élection, à sa place, du fameux cardinal Bandinelli qui prit le nom d'Alexandre III. Celui-ci excommunia l'empereur et jeta l'interdit sur l'Allemagne où l'on ne pouvait plus célébrer la messe ni donner les sacrements. L'empereur força les évêques allemands à le soutenir solennellement. Pour valoriser sa propre personne, l'empereur canonisa lui-même Charlemagne à Aix-la-Chapelle. Ainsi Barberousse apparut comme l'héritier de l'ancien empereur franc. Après quoi il redescendit en Italie et marcha sur Rome, où il entra le 30 juillet 1166. Il proposa de régler le conflit pontifical par l'abdication des deux papes, ensuite de quoi un nouveau pontife serait élu. Alexandre III refusa, bien entendu. Il y eut une épidémie et l'empereur dut battre en retraite devant les Lombards. En même temps, une série de révoltes ravagèrent l'Allemagne et il fut vaincu à Legnano. Il ne lui resta plus qu'à négocier avec le pape, et la paix fut signée à Venise. L'empereur reconnut Alexandre III. En échange, celui-ci confirma les nominations épiscopales faites par les anti-papes en Germanie. Ainsi l'empereur fut défait en Italie, mais ses adversaires y furent fortement affaiblis et donc prêts à collaborer avec l'empereur. »

Guglielmo décrivait l'histoire comme si elle échappait à la main de Dieu. Il la nivelait, lui enlevait toute verticalité, si bien que l'écume des événements n'avait plus d'autres significations que de répercuter les passions les plus basses de l'homme. Cela induisait dans mon âme, sans que j'en prenne immédiatement conscience, une sorte d'angoisse de plus en plus mordante. Sur ce fond d'angoisse, les doutes, comme des chiens affamés, venaient se jeter et risquaient d'avaler tout le sacré que j'attribuais à l'existence humaine.

Pourtant, Guglielmo continuait inlassablement : «Barberousse renforça considérablement ses pouvoirs en Allemagne. En même temps, un autre seigneur apparut, Otton de Wittelsbach, qui reçut la Bavière. Pour renforcer encore davantage ses pouvoirs, Barberousse annonça le mariage de son fils, Henri, roi des Romains, avec Constance, princesse de Sicile. Ce fut une manœuvre géniale qui enleva au pape l'appui des Siciliens. Afin d'ajouter à son prestige, il partit en croisade mais, sur la route de l'Orient, il se baigna dans un fleuve du Taurus et succomba à une congestion. La légende continua ce que l'histoire avait refusé : Barberousse n'est pas mort et il reviendra lorsque l'Allemagne sera construite pour un règne perpétuel. Malgré tout, après la mort de Barberousse, son œuvre s'effrita entre les mains d'Henri VI. Marié à Constance de Sicile, il voulut reconstituer la partie italienne de l'Empire. Hélas pour lui, la population italienne avait déjà atteint un haut niveau culturel, elle avait conscience de sa personnalité et se rebuta. Néanmoins, Henri VI parvint à faire proclamer son fils Frédéric, âgé de trois ans, roi des Romains. Trois ans plus tard, Henri VI mourut, laissant pour lui succéder un héritier encore enfant dont le pape Innocent III devint le tuteur. Or ce pape, celui-là même qui avait reconnu l'œuvre de saint François d'Assise, rêvait d'établir le *Dominium mundi*, la domination du monde par le Saint-Siège.» Là-dessus, Guglielmo indiquait par grands gestes et serrements de paupières sa plus grande désapprobation. Il allait jusqu'à insinuer que ce pape se prenait pour la théocratie personnifiée et il disait qu'autour de lui se développait une réflexion théologique grotesque prétendument appuyée sur l'Écriture et le droit féodal, d'où il ressortait que l'empereur n'avait rien à dire. «L'Allemagne, continuait Guglielmo, ne voulant pas être en reste, désigna un nouveau souverain : Otton, jeune frère d'Henri VI. Le pape ne savait qui soutenir. Il choisit Otton afin de diminuer la puissance des Souabes. Otton le trahit et descendit en Italie. Le pape utilisa contre lui Frédéric qui avait grandi et qui s'était trouvé un allié de taille en la personne de Philippe Auguste, le roi de France. Otton fut vaincu, Frédéric devint le roi des Romains et attendait le titre d'empereur. Cet ancien élève du pape était devenu athée (Guglielmo haussait les épaules et esquissait des mimiques singulièrement cyniques) si bien qu'il se laissa attirer par le monde musulman. Il fut excommunié en 1227. Il partit en croisade pour se réhabiliter et rétablir son influence. Il s'y fit remarquer puisqu'il parlait couramment l'arabe et sympathisait avec l'Islam. Il revint avec honneur mais après avoir perdu bien des pouvoirs en Allemagne. Son absence ruina les efforts de ses prédécesseurs et l'Allemagne devint à demi anarchique. Il respecta une trêve avec le pape. Malgré tout, le conflit s'aggrava et il fut déposé au concile de Lyon. Il mourut sans que rien soit réglé. En fait, c'est le morcellement et la féodalité, insistait Guglielmo, qui sortirent gagnants du conflit entre la papauté et l'Empire. L'empereur était un titre si faible que nul n'en voulait plus. Ce n'est qu'en 1273 que les électeurs, réduits désormais au nombre de sept, dont évidemment l'archevêque de Cologne, firent l'élection de Rodolphe de Habsbourg, comte de Haute-Alsace. L'anarchie atteint cependant son paroxysme. Tandis que de nombreux petits seigneurs se livrèrent au brigandage, on vit les villes chercher à rétablir elles-mêmes la sécurité sur les routes. L'Allemagne n'était plus qu'une fédération de princes, dont le plus puissant était bien entendu l'archevêque de Cologne.

«Henri VII tenta de nouveau de trouver un surcroît de puissance en Italie. Mais cette fois, tout le pays l'appelait. Certains espéraient, une fois de plus, qu'un puissant empereur mettrait fin à tant de guerres féodales et barbares. Quant aux évêques, ils espéraient un empereur pas trop puissant, pas trop faible, juste ce qui fallait pour neutraliser les forces supérieures et leur permettre ainsi de conserver leur souveraineté territoriale. En fait, deux thèses s'affrontaient, soit une tête solide sur un corps unifié, c'est-à-dire l'Empire tel que les Romains l'envisageaient, soit deux têtes qui se neutralisaient l'une l'autre de façon à favoriser les seigneurs évêques. Dante voyait dans l'arrivée d'Henri VII, la promesse d'un nouvel âge d'or, un retour à une Rome chrétienne. À Milan, Henri VII fut couronné roi des Lombards. En 1312, les cardinaux, mandatés par le pape d'Avignon, le couronnèrent empereur à Saint-Jean-de-Latran, car la basilique Saint-Pierre avec la moitié de Rome était occupée par les troupes de Robert d'Anjou, roi de Sicile. C'était le premier couronnement impérial depuis celui de Frédéric II. L'année suivante, Henri VII préparait une campagne contre Robert d'Anjou quand il mourut, dans une abbaye de Toscane. L'air d'Italie restait funeste aux empereurs germains.

«La mort d'Henri VII fut un coup dur pour l'Empire, continuait interminablement Guglielmo. Si devant l'ennemi commun l'unité est la meilleure arme, affirmait le commerçant, pour les puissances internes féodales, c'est-à-dire la plupart des évêques, le mieux consistait à diviser les pouvoirs qui étaient au-dessus deux. En définitive, ils décidaient puisqu'ils élisaient. Une double élection scinda le pouvoir en deux grandes familles : à Frédéric le Bel, duc d'Autriche, s'opposa Louis IV de Bavière. L'un fut sacré roi par nul autre que l'archevêque de Cologne; le suivant, par celui d'Aix-la-Chapelle. Il y a environ cinq ans, Louis de Bavière vainquit Frédéric à Mühldorf, il l'emprisonna au château de Trausnitz et l'y laissa trois ans pendant lesquels, me dit Guglielmo, ses cheveux blanchirent tandis que son épouse perdait la vue pour avoir trop pleuré. À partir de ce moment se réveilla à nouveau la vieille rivalité du pape et de l'empereur. Le souverain pontife somma les électeurs de choisir un nouvel empereur et il excommunia Louis de Bavière. Celui-ci riposta, comme ses prédécesseurs, en accusant le pape d'hérésie et en réclamant un concile œcuménique. Toute une guerre de propagande s'engagea. Les partisans du pape soutenaient que son pouvoir est sans bornes, puisqu'il représente Dieu sur terre, ceux de Louis, que l'empereur a hérité du pouvoir absolu de César, et que défier l'empereur était mettre de la confusion dans l'Église elle-même…»

Guglielmo en avait long à dire, mais la chose m'exaspérait; du moins c'est de cette façon que je ressentais mon angoisse à ce moment-là. Par contre, l'obéissance exigeait que je l'écoute et m'instruise. Or je ne comprenais pas où il voulait en venir, alors je lui demandai directement son opinion :

– De l'empereur ou du pape, lequel devrait diriger le peuple?

– Sincèrement, me dit-il, je reste ambivalent. À vrai dire, des deux j'en préfère un troisième : l'ambivalence elle-même. Il n'est pas bon que tous les pouvoirs soient dans les mains d'un seul homme.

– Mais on ne parle pas d'hommes ici, repliquai-je immédiatement, on parle de papes et d'empereurs.

– Voilà bien le problème, ce dont tu parles n'existe pas. Ce qui existe ce sont des hommes, et lorsqu'un homme est au pouvoir, il ne se hisse que rarement au-dessus des autres hommes. En général, il glisse plutôt en dessous du dernier de ses sujets, plus crétin que lui, plus vil surtout et davantage avide et cupide. Si un homme en tue un autre, le bourreau y veillera, mais que l'empereur ou le pape fasse massacrer toute une ville, qui le punira? Le pire des larrons a-t-il tué dix hommes, cent peut-être? Le meilleur des princes en a égorgé, écartelé, empalé, brûlé, noyé cent fois plus. Alors je crois qu'il vaut mieux que le pouvoir soit divisé. Je préfère deux brigands occupés à se batailler l'un l'autre à un seul qui soit dépourvu de laisse.

– On pourrait croire que tu as feuilleté quelque ouvrage de Guillaume d'Ockham.

– J'ai entendu dire qu'il professait la séparation du pouvoir civil et du pouvoir religieux. Mais, pour ma part, je préfère que ces deux pouvoirs se maintiennent en conflit. Le propre de l'ambivalence, c'est autant de refuser la séparation que de craindre l'unité. Si l'on appliquait l'idée de ce franciscain, le pape disposerait du plein pouvoir religieux et l'empereur du plein pouvoir civil. Cela n'apporterait aucun avantage. Où irait un monde ainsi divisé? Sur le plan intellectuel, ce serait une perte sans remède, et sur le plan politique, un double despotisme. Aujourd'hui, ils se nuisent l'un l'autre, se limitent, se contraignent, se massacrent à l'occasion, n'est-ce pas un grand avantage!

– Tu me surprends grandement! L'Église ne peut s'élever à l'état de Cité de Dieu qu'en rassemblant tous les pouvoirs sous la tutelle du successeur de saint Pierre.

– Alors, mon ami Conrad, je crois que tu ne comprends rien à l'œuvre de ton Maître et je me demande si tu pourras lui être de quelque utilité dans le procès qu'on lui intente.

J'étais assurément blessé. Comment pouvait-il comprendre, lui, laïc et commerçant, quelque chose à l'enseignement du Maître, un dominicain, un maître en théologie? Et plus grave encore, comment pouvait-il affirmer que moi, son élève, moine de chœur, secrétaire de l'ordre, je n'y comprenais rien! Néanmoins, je suivis le conseil du Général qui me disait que le sage apprend des plus humbles et poursuivis ainsi, non sans d'abord avoir pris sur moi :

– Alors instruis-moi que je puisse l'aider.

– Pourquoi crois-tu que le Maître ait consacré tant d'efforts au développement et à l'enseignement des béguines?

– À l'enseignement seulement, pas à leur développement, et il l'a fait par obéissance au supérieur général.

– Trêve de subtilité et de camouflage. Tu sais fort bien que cette mission ne lui aurait pas été confiée s'il ne l'avait pas voulue de toutes ses forces, et tu sais fort bien aussi que les béguinages ne se seraient pas développés sans son enseignement. Alors ouvre les yeux. Le Maître enseigne que l'autorité n'est ni dans le pape ni dans l'empereur, elle est dans chaque homme et dans chaque femme, dans leur château fort, à la cime de leur âme, au plus profond d'eux-mêmes, gravée dans leur cœur. Il enseigne que l'humilité, le détachement, la pureté sont les conditions nécessaires pour accéder à cette autorité. Il enseigne que l'homme doit se conquérir lui-même par la sincérité. Les béguinages sont les lieux de rassemblement des femmes et des hommes libérés d'eux-mêmes par la grâce de Dieu. Ils sont les premiers de la nouvelle Église, non pas l'Église dirigée par le pape, mais l'Église des hommes et des femmes qui ont autorité sur eux-mêmes. Cette nouvelle Église ressemble en tout point à la première Église, celle des premiers chrétiens. Certes, ils avaient des chefs, mais ces chefs ne disposaient que de l'autorité de leur sainteté et non, comme les seigneurs et les rois, d'une autorité de droit, de lois et de forces. Maître Eckhart nous invite à aller en nous-mêmes gagner cette autorité. C'est pour cela que l'archevêque, le pape et l'empereur sont tous ses ennemis. Guillaume d'Ockham a pour ennemi le pape et pour ami l'empereur. L'archevêque profite du pape aussi bien que de l'empereur, mais ton Maître les a tous pour ennemis, parce qu'il propose une voie de libération. Un peuple de fils de Dieu ne peut être un peuple de serviteurs, un peuple de «suiveurs». Les moines eux-mêmes ont toujours cherché à garder leur indépendance vis-à-vis des pouvoirs de ce monde, et il arrive un temps où la véritable Église renaîtra. En fait, elle est déjà née et elle grandit et elle s'étend. C'est pour cela que l'archevêque, le pape et l'empereur veulent la détruire. Ils veulent la détruire parce que leur médiocrité ne peut en aucun cas leur permettre de diriger des femmes et des hommes libérés par la grâce. Ils n'ont d'autorité que sur des morts : dès qu'une personne entre dans le royaume, ils ne peuvent plus la diriger, voilà ce qui les tue. Ou ils détruisent Maître Eckhart, ou ils sont détruits par lui; c'est une guerre à mort, Conrad, une guerre à mort, ne l'oublie jamais. Aussi ils utiliseront toutes les armes, et pendant que vous combattrez quelques points de théologie, ils vous enfonceront politiquement.

– Politiquement! Mais cela n'a pas de sens, répliquai-je. Il s'agit tout de même de la sainte Inquisition.

– N'as-tu pas été témoin de leurs manœuvres politiques! Sous le pont, les femmes que l'on a noyées... Manœuvres sanguinaires s'il en est. Le plus important pour eux n'a rien à voir avec la philosophie ou la théologie, ils veulent en premier lieu discréditer le Maître. S'ils arrivent à la conviction qu'ils peuvent s'en débarrasser sans qu'il y ait de grands soulèvements, c'en est terminé de lui. Alors laissez-nous le combat politique. Les béguinages soutiendront le Maître de toutes leurs forces et feront appel aux paysans et même aux commerçants et aux artisans. Par contre, dans tout ce procès, je vous en conjure, je vous en supplie, évitez que le Maître soit humilié publiquement ou qu'il s'éloigne de ses filles, ou qu'il fasse une déclaration d'orthodoxie. Cela briserait nos efforts pour enhardir la population à le défendre.

J'étais déconcerté. Guglielmo Berbèri était, sans aucun doute, de la secte du Libre Esprit et probablement, avec Gauthier de Bruges et Jutta, l'un des soutiens des hérétiques. Il confirmait implicitement que la secte reconnaissait dans le père Eckhart, leur Maître, leur berger, leur guide, leur saint. Leurs actions risquaient d'enfoncer le Maître encore plus profondément dans l'accusation à laquelle il devait désormais faire face.

Mes conversations avec le commerçant et ses raisonnements fallacieux firent rejaillir mes plus effroyables doutes. Ce commerçant ne serait-il pas venu négocier la libération de Katrei, celle que l'on souhaitait voir devenir la Grande Demoiselle de la secte? Et pourquoi un tel prix? La jeune femme valait-elle toute cette bourse? Auquel cas elle ne pouvait être que grande sorcière, suppôt de Lucifer, princesse des ténèbres! Le Maître était peut-être au courant des intentions de Guglielmo. Pire, n'aurait-il pas lui-même organisé cette évasion dès le couvent de Strasbourg? Était-ce là la raison de la rencontre avec le père de Katrei et les tractations avec Gauthier de Bruges? Cela pouvait expliquer la présence de Jutta. Le père Eckhart menait-il une double vie, dominicain chez nous, chef de la secte du Libre Esprit hors de nos murs? N'en pouvant plus, j'allai rencontrer le Général et, après lui avoir exposé mes inquiétudes, lui demandai de me dire toute la vérité.

– Conrad, me répondit-il, je t'interdis d'entretenir de telles pensées. Le père Eckhart, sois en certain, transcende tous les jeux de coulisses que tu imagines. L'Église de Dieu est quelque chose qui dépasse la conception des hommes. Guglielmo n'est pas entièrement dans l'erreur, Guillaume d'Ockham non plus et le pape n'a pas raison sur toute la ligne, ni l'empereur. L'Église de Dieu va tous nous étonner parce qu'elle arrive de partout, elle utilise tous les accidents de l'histoire, elle grimpe sur les saints et même sur les monstres, les hérétiques y contribuent, l'orthodoxie aussi. L'Église, mon ami, est comme la vie, elle bondit spontanément jusque dans les ordures si bien que celui qui dit : voilà elle est ici, n'en dit que bien peu de chose. Ce qui importe, ce n'est pas de la cerner, d'en faire une maison de sécurité, une architecture de pierres ou de lois ou de droits ou de règles; ce qui importe, c'est de la guetter partout, de la surprendre jusque dans les crimes des hommes, pour s'en nourrir et se hisser en elle jusqu'à Dieu. Le fil des événements nous échappe : l'Église a commencé par la crucifixion d'un juif hérétique, l'histoire des hommes est jusqu'à maintenant l'histoire de la monstruosité humaine dans laquelle perlent de-ci de-là les saints de Dieu. Mais n'oublie pas que la folie des hommes est la nourriture des saints. Le saint, c'est celui qui utilise les péchés des autres pour révéler les vertus de Dieu. Alors ne confonds jamais la trame horizontale de la comédie humaine avec la percée verticale des saints. Les saints ne sont pas toute l'Église, mais ils l'annoncent plus que tous les autres. Si je pouvais dire quelque chose de l'Église, je dirais que c'est l'émergence, ici même et dès maintenant, du paradis, et si je pouvais dire quelque chose du paradis, je dirais que c'est l'élan que Dieu prend dans les monstruosités du monde afin de s'éjecter au-dessus de lui-même. Car qu'est-ce qui est meilleur que la bonté si ce n'est la miséricorde ? Retourne dans ta cellule, médite sur l'Église, surmonte tes doutes et n'en ressors que lorsque ces doutes, vaincus, t'auront hissé plus haut.

Jamais paroles ne m'avaient enfoncé aussi profondément dans les brèches les plus secrètes de mon âme. Je n'arrivais pas à en sortir, ma pensée allait des doutes à l'obéissance, de l'exaltation au désespoir, de la conviction en la sainteté du Maître jusqu'à la certitude de sa déchéance. Ne pouvant m'en sortir malgré toutes les prières et les psaumes, je sortis de ma cellule sans trop m'en rendre compte et allai jusqu'au baptistère au moment même où le Maître et les deux femmes se réunissaient pour prier. Je me recueillis près d'eux.

Le Maître murmurait un psaume :

– «Je suis petit et méprisé; Je n'oublie point tes ordonnances. Ta justice est une justice éternelle, et ta loi est la vérité. La détresse et l'angoisse m'atteignent : tes commandements font mes délices. Tes préceptes sont éternellement justes. Donne-moi l'intelligence, pour que je vive!»

Un peu plus tard je reconnus un autre psaume :

– «L'amitié de l'Éternel est pour ceux qui le craignent, et son alliance leur donne instruction. Je tourne constamment les yeux vers l'Éternel, car il fera sortir mes pieds du filet. Regarde-moi et aie pitié de moi, puisque je suis abandonné et malheureux. Les angoisses de mon cœur augmentent; tire-moi de ma détresse. Vois ma misère et ma peine, et pardonne tous mes péchés. Vois combien mes ennemis sont nombreux, et de quelle haine violente ils me poursuivent. Que je ne sois pas confondu.»

Toutes ces paroles semblaient m'être adressées et, comme si les femmes et le Maître le savaient, ils laissaient le silence les répéter dans mon âme, espérant qu'elles y prennent racine et y apportent la paix. Mais la paix ne venait toujours pas. Alors, comme désespéré, j'allai au-devant de lui et lançai sans pudeur, cette stupide question :

– Comment saurais-je que Katrei est convertie, et qu'il est bon qu'elle échappe au jugement de la sainte Inquisition par l'achat de son crime?

C'est elle qui me répondit.

– Je ne sais que dire, père Conrad, sinon que j'étais enfermée dans une citerne et que maintenant je cours dans la verdure. Lorsque ma mère est morte, je me suis réfugiée dans une toute petite grotte, et puis, lorsque j'ai été bafouée au monastère, je me suis aussi réfugiée dans une minuscule tanière au fond de mon cœur. Là j'ai fabriqué Dieu bien plus que je ne l'ai rencontré, j'ai construit le monde bien plus que je ne l'ai connu. En réalité, je me niais moi-même et, me niant, je niais Dieu et le monde. Je refusais de naître au monde et je refusais de naître à Dieu. J'ai trouvé refuge chez les béguines, je n'avais pas d'autre place où aller. J'étais si fragile, si craintive, si angoissée, si perdue, si confuse; je ne pouvais pas comprendre. Ce que j'avais connu de l'Église n'était que violence et contradictions, hypocrisie surtout : chasteté transformée en perversion, charité métamorphosée en abus de pouvoir, vertus devenues pure apparence, partout une façade totalement contraire à ce qui se passait en réalité dans les cuisines, les dortoirs, les étables, les greniers, les champs, les vergers. Chez les béguines de la secte du Libre Esprit, tout correspondait à mes aspirations. J'aspirais à disparaître ; elles m'enseignaient qu'il fallait s'effacer en Dieu. Je voulais détruire mon corps qui n'était qu'un déchet mille fois souillé ; elles me disaient que j'avais toutes les chances d'être brûlée comme plusieurs des sœurs. Surtout je voulais nier l'amour humain, ne plus continuer à perpétuer l'horreur du monde en y ajoutant des enfants ; elles me rappelaient le rêve des cathares d'amener tous les gens à la pure chasteté afin d'arrêter la continuité d'une espèce qui méritait davantage de disparaître que de se maintenir. On m'avait présenté la pensée de Maître Eckhart, mais sous une version tout à fait déformée. Depuis que je l'ai rencontré, il m'a traité comme sa fille, avec douceur mais sans complaisance. Il a ouvert mon cœur à Dieu. J'ai eu l'impression de sortir peu à peu d'une citerne et d'entrer dans la vie. J'ai vu des fleurs, des arbres, des enfants, des hommes, des femmes, j'ai vu le fleuve, les montagnes, la ville et je me suis rendu compte combien cela était beau et bon. Comme il est agréable de vivre ! Juste respirer l'air m'est soudainement apparu un grand plaisir et une grande grâce. Il m'a semblé que les souffrances de la vie ressemblaient à un petit four dans lequel on fait du bon pain, il en ressort des moments de victoire et de joie. Jésus n'est pas mort autrement que dans nos morts, il n'a pas souffert autrement que dans nos souffrances, il n'a pas pleuré autrement que dans nos larmes, il n'a pas ri autrement que dans nos rires, il n'a pas aimé autrement que dans nos amours. J'ai senti que Dieu était cela, tout ce qui est et bien plus encore, et que la vie humaine permettait à Dieu de se dépasser. J'étais comme morte, et aujourd'hui j'ai le goût de vivre, d'aimer, de me donner entièrement et sans réserve.

Elle avait dit ces mots avec tant de candeur et de simplicité qu'ils continuèrent à danser dans le silence, à revenir comme un cantique très pur. On eût dit un ruisseau qui se mettait à fertiliser un vaste désert. Il y avait tant de sécheresse en moi, tant de dureté. Comme si je m'étais retenu de vivre de peur de pécher. J'avais tout laissé sécher dans la médiocrité, la fausse sécurité, de peur qu'un sentiment ne pointe, qu'une émotion ne vienne à allumer un désir. Et voilà que sa douce parole, plus agréable à entendre que le chant des oiseaux, se mettait à couler dans mon cœur. Le sable se mit à fleurir, sur les rochers on vit pousser des arbres, dans les plaines vinrent courir les animaux, au milieu d'un pré je vis une petite mare d'eau très pure se former. J'avais entièrement tort dans mes conceptions de la femme : ce n'est pas l'homme qui la féconde, c'est elle qui féconde l'homme. Je lui avais demandé de me parler de sa conversion, elle est allée bien plus loin, elle a amené sa conversion dans mon cœur. Je me suis souvenu des leçons du Maître sur la conversion. La conversion n'est pas l'adhésion aveugle à des dogmes et à des adjurations, la conversion c'est une transformation, c'est le passage de la mort à la vie.

Alors j'ai osé la regarder dans les yeux. J'ai cru m'y noyer. J'ai laissé mon regard contempler son visage et la vie s'empara de moi. Je me suis rendu compte que je ne la désirais pas, non, je désirais... je désirais vivre, je désirais aimer, je désirais courir dehors, je désirais pleurer, je désirais rire, je désirais chanter. Je n'avais jamais été chaste. Comment un homme mort peut-il être chaste ? Mais maintenant je savais ce qu'était la chasteté. La chasteté, c'est quand l'amour déborde à ce point que, si vous ne mourez pas d'amour pour votre prochain, vous ne pouvez pas vivre. Non seulement Katrei ne m'avait pas perverti, mais elle avait fécondé ma chasteté.

Le ruisseau qu'elle avait fait entrer en moi avait transformé le désert en forêt et maintenant il débordait. De mes yeux coulaient tant de larmes : chagrin d'avoir été la momie de moi-même, joie de toucher à la vie. Je ne pus dire pour la remercier que ces mots :
– Vraiment Dieu est Vie.
Elle prit ma tête entre ses deux mains et j'éclatai sur son épaule. Il me semble que je m'y suis un moment transformé en océan. Tant de douceur, tant de tendresse, quelque chose que je n'avais jamais connu, pas même enfant. Quelque chose qui m'avait à ce point manqué que j'avais dû le nier. Alors je lui ai demandé pardon pour n'être jamais intervenu et n'avoir jamais banni Herman et Guillaume. Je ne pouvais rien voir, puisque je ne savais pas moi-même ce qu'était un enfant, puisque je n'avais jamais connu la tendresse due à un enfant. J'avais été élevé entre tant de pierres ; comment aurais-je pu comprendre le cri d'une fleur, la plainte d'un ruban d'eau dans une lézarde de mousse ?

Ceux qui ne connaissent pas le silence n'en savent pas toutes les variantes. Le silence est comme le vent qui passe dans un antre. La musique qu'il y fait dépend de la largeur, de la hauteur, de la profondeur et des déchirures dans la pierre. Le silence avait atteint une dimension polyphonique si douce, on eût dit une musique de Hildegarde chantée par un chœur d'anges. Le Maître était en prière et resplendissait d'une joie similaire à la lumière du soleil levant qui réveille l'herbe des champs par une suave caresse. Guglielmo avait raison, je n'avais jamais compris le Maître parce que les armures de fer n'ont jamais pu comprendre les nuances du mouvement de l'air sous l'action du musicien des vents. Un cœur comme celui-là a recueilli en lui-même tant de larmes intérieures, de joie et de peine, de lumière et de ténèbres, d'espoir et d'angoisse, que maintenant ce n'est plus simplement un homme qui prie, c'est tout un peuple, c'est tout un moment de l'histoire, c'est tout une partie de l'univers. En fait, dans l'âme miroir d'un saint, c'est tout l'univers qui se réfléchit et retourne à sa source, et cela produit une pluie de nuances qui amène l'âme à la félicité. Le Philosophe n'avait-il pas énoncé dans ses *Météorologiques* que «la cause initiale des phénomènes qui affectent le monde, le point de départ de leur mouvement, est à chercher dans l'impulsion donnée par les corps qui se meuvent éternellement, c'est-à-dire les astres»? Et pourquoi? «À cause, disait-il, de la continuité qui relie toute chose. Ce monde est nécessairement en continuité d'une façon ou d'une autre avec celui qui tourne là-haut, si bien que toutes les impulsions d'ici réfléchissent le mouvement de là-haut. C'est le principe même de la vie.» «Pour Aristote, rappelait Thomas d'Aquin, le vide n'existe pas.» Alors, par force, tout est lié dans Tout, chaque bruissement des éthers du Ciel entraîne des bourdonnements sur terre. Aussi la prière d'un saint est-elle la prière de l'univers, le retournement de l'art dans l'Artiste, et cela c'est la félicité.

L'âme comporte une substance qui réagit à tout ce qui se passe dans l'univers. L'intellect possible est bien, comme le dit Aristote, la «forme d'un corps organisé ayant la vie en puissance». Lorsque l'intellect possible est allumé par l'acte créateur, il prend vie. Dans le livre sur l'Âme, il est dit que la félicité est ce à quoi tend à aboutir tout philosophe. Cette félicité est appelée intellect saint et pur par Avicenne, mais Aristote, lui, l'appelle intellect divin : c'est cet intellect qui reçoit l'illumination nécessaire aux prophéties et à l'interprétation véridique des songes. C'est lui qui connaît la jouissance de la félicité.

«La nature de l'homme, c'est le bonheur», disait le visage du Maître en prière. Katrei avait laissé passer un souffle de Dieu et j'avais pris vie. Maintenant je voyais le visage du Maître et je lisais le chant du bonheur dans l'âme du saint. Je lui ai demandé s'il pouvait dire quelques mots s'approchant du murmure de Dieu dans son cœur. Il se mit à sourire, puis à rire de bon cœur, sans doute de ma naïveté.

— À une question d'enfant, une réponse d'enfant : Dieu murmure : «Il est tard, viens dormir dans mes bras.»

— Non, ne vous défilez pas, Maître. Dites-moi quelque chose à méditer.

— Si tu le prends ainsi, alors voici ce qui me vient à l'esprit. Dans la petite cachette de l'âme, juste de l'autre côté des bois, je suis allé. C'est là que j'ai éternellement reposé et sommeillé dans la connaissance cachée du Père éternel, demeurant en lui, inexprimé. Dans cet être de Dieu où Dieu est au-dessus de tout être et de toute distinction, j'étais moi-même, je me voulais moi-même, je me connaissais moi-même, voulant créer l'homme que je suis. Et c'est pourquoi je suis la cause de moi-même selon mon être qui est éternel, mais non pas selon mon devenir qui est temporel. La félicité, c'est l'état naturel de l'âme qui assiste et participe à la naissance du cosmos… Mais là j'ai un peu trop de félicité et pas assez de sommeil, alors permettez que je me retire.

Nous sommes retournés à nos cellules. Cette fois j'étais apaisé. Lorsque le Général me vit au son de matines, je lui souris, il me sourit. Nous étions prêts pour les accidents de ce monde, les pieds bien ancrés dans l'essence immuable de la félicité éternelle.

Lorsque Nicolas de Strasbourg fit au Général son rapport de la dernière audience avec Virnebourg et que le Général réalisa que le procès était maintenant inévitable, il entra dans un long silence d'où il ne semblait plus vouloir sortir. Quel outrage ! Quel revers, devait-il penser ; l'archevêché qui avait été donné par Charlemagne lui-même se retournait contre l'ordre des Dominicains. Un dominicain accusé d'hérésie ! C'était inqualifiable, l'envers de la mission dominicaine, le retournement de l'échelle de Jacob; c'était mettre le pied sur l'étrier du chaos. Lorsque Innocent III avait accepté la proposition de saint François d'Assise, tous savaient que ce prétendant à la suprême autorité impériale voulait en fait profiter de la naïveté d'un saint pour développer une horde de bons moines de la rue qui, étant pauvres, seraient près du peuple; étant chastes, seraient crédibles; étant obéissants, seraient soldats de l'Église. Bien plus efficaces qu'une armure de fer, leur bure grossière et leurs paroles sincères arriveraient à lier le peuple au pape malgré la cupidité scandaleuse des évêques et des archevêques. Ces moines pouvaient passer par-dessous l'autorité des archevêques pour relier la population directement à lui, le pape, ce qui lui permettrait de gagner de l'autorité sur les hiérarchies locales. Mais personne ne pouvait soupçonner que les archevêques sauraient récupérer à leur profit cette horde de combattants, sauraient parer à la manœuvre du pape en amenant ces moines un peu fanatiques à leur servir, à eux aussi, de mercenaires, sauraient utiliser, à leur profit, la sainte Inquisition pour imposer leur volonté. Aujourd'hui, le peuple les appelle «chiens de Dieu». Et voilà qu'on se sert de ces chiens contre le seul ordre qui défend encore l'appel à l'intelligence pour maintenir la cohésion et la continuité de l'œuvre de Jésus! Comment donc la chrétienté pourra-t-elle se dégager d'un tel piège? Voilà ce qui devait à la fois attrister et préoccuper le Général.

Tout en travaillant à la réussite du procès, le Général semblait réfléchir dans le plus grand mutisme à la manière de sauver le Studium de Cologne en cas d'échec devant le tribunal. La mission profonde et la visée si grandiose d'Albert le Grand : développer une intelligence et une intégrité du christianisme spirituel qui en garantissent la viabilité, devait à tout prix subsister. C'était un impératif pour la semence du Christ, pour sortir l'humanité de l'errance, de la confusion, du chaos qui, à chaque instant, la rappelle à la nuit, à l'absurde, à la vésanie la plus totale. Ce grand dominicain voulait unir la soif de vérité et de cohérence de la philosophie avec la soif d'authenticité et de consécration propre à la recherche de Dieu. Il fallait absolument progresser dans cette direction. Sans doute le Général devait-il imaginer des chemins par lesquels cette recherche si essentielle pourrait survivre et progresser pour un temps, dans l'ombre et bien cachée, afin de pouvoir resurgir plus tard lorsque l'Église serait prête. Mais comment l'Église pourrait-elle devenir prête à une spiritualité intelligente si toute l'intelligence quittait la théologie pour se concentrer, réduite à la raison, sur les seules sciences de la nature? Comment arriver à faire en sorte que le Studium de Cologne prépare l'Église à revenir à une spiritualité de l'Intelligence divine qui fasse appel à l'intelligence de l'homme, s'il doit se cacher comme les premiers chrétiens dans les catacombes de quelque monastère? N'est-il pas terrible que l'Église se retourne encore aujourd'hui contre le meilleur du christianisme avec l'acharnement et la cruauté des César et des Néron? La hiérarchie de l'Église est-elle devenue l'ennemie de la sainte Église de Jésus?

Je me rendais compte que Guglielmo m'avait fortement influencé, si bien que c'était maintenant les seules explications qui me venaient à l'esprit devant le mutisme du Général. Pourtant, ce mutisme n'était pas total. Le Général ne disait plus que quelques mots de consolation au père Eckhart alors qu'il passait beaucoup de temps à l'officine de Berthold de Moosburg. Cela me confirmait qu'il se préparait davantage à un échec du Maître qu'à un succès. Lors d'un repas, et devant grand nombre de moines, le Général était allé jusqu'à rappeler qu'il avait formellement interdit les sermons de subtilités hors du monastère. Tous comprirent qu'il désapprouvait une partie de l'œuvre du Maître : le fait d'avoir étalé au grand jour et aux esprits mal préparés une pensée qu'il fallait faire progresser d'abord dans le secret de nos communautés monastiques. Là-dessus Guglielmo était sorti sur-le-champ en signe de désapprobation. De son point de vue, le Maître avait eu parfaitement raison. Il s'était inspiré à la source la plus profonde du christianisme en prêchant la bonne nouvelle aux plus simples dans tout ce qu'elle a d'engageant pour l'intelligence, dont le cœur est la plus délicate des parties.

À l'automne, il me fallut consacrer une bonne partie de mon temps à la vérification des récoltes et à la qualité des engrangements et des lieux de conservation. J'avais fait provision d'herbes, et John, qui venait de temps à autre échanger avec moi des connaissances en médecine, était devenu un ami. Je lui transmettais des précisions livresques et il me communiquait une logique d'observation qui me permit d'ajuster des doses et de spécifier des mélanges. Cependant son supérieur faisait de plus en plus de pression sur lui afin qu'il cesse ces rencontres. Tout le monde savait que le père Eckhart devrait se justifier lui-même devant l'Inquisition en janvier, et qu'il n'était pas bon de frayer avec les dominicains. Ce n'était pas que John craignait d'être contaminé par les pestes de l'âme; il ne croyait pas non plus que les démons pullulaient chez les dominicains; non, il riait lorsqu'on lui parlait des Enfers. Cependant, il devait obéissance à ses supérieurs et dut cesser de venir.

Les cloches sonnaient les heures, les prières rythmaient la vie, le travail contenait nos corps, la régularité lissait le temps au point où nos esprits se déliaient du mouvement des choses pour s'ancrer au fond tranquille de l'éternité. Il y avait chaque jour un moment particulier de crue et de délectation; le soir, après complies, nous allions, Suso, Tauler et moi, prier avec les femmes et le Maître. C'était un moment des plus céleste, et l'harmonie de nos chants dans la résonance du baptistère s'élevait très haut. Il m'arrivait à moi aussi d'emprunter une des ces poussées et de m'élever avec l'encens au-delà des mondes sublunaires jusqu'aux sphères motrices de l'univers. Je me rendais alors vaguement compte de la perfection de l'horloge divine. Non pas qu'entre les instants il n'y eût pas des moments de risque, des échappées dans l'inconnu, des glissades dans le mal ; l'horloge divine permettait tout cela et même de là-haut, dans le sein de la Providence, l'Imprévisible projetait des instants de vie et les faisait culbuter dans l'obscurité. Il en resurgissait parfois des possibles étranges et inquiétants. Mais l'archange Chronos qui s'était glissé entre le temps et l'éternité ramenait dans ses roues tous ces lambeaux perdus et les ficelait aux chairs de l'éternité. De cette façon, le mal lui-même servait au bien comme le malheur sert au courage et l'obscurité à la lumière. Il m'est même arrivé de faire des percées au-delà du feu qui entoure le cosmos et après des brûlures d'amour, de m'étendre à l'infini dans le lit de douceur, de quiétude et d'aménité éternelle de Dieu. J'y restais un moment qui n'a pas de rebord, un moment concave qui nous retient en lui. Je m'y perdais pour me retrouver, pour goûter surtout la perfection, la certitude et la sérénité de la Vérité de Dieu. Lorsque j'en ressortais, j'y laissais toujours une plus grande partie de ma conscience ; aussi, au moment où revenu à ce monde, je me noyais dans les yeux de Katrei, il n'y avait rien pour la chair et tout célébrait la beauté et la perfection de Dieu. Il y a chez la femme des reflets de perfection qui remuent dans l'homme une partie de son âme, qui le relancent sans arrêt dans la vie, lui donnant du courage, de l'ardeur et de la générosité. Vraiment elle était belle comme les anges et produisait en nos cœurs ce qu'eux produisent dans nos esprits.

Mais, un jour, les deux femmes et Guglielmo disparurent du monastère. Personne ne les avait vus partir. Par certains points, il y avait apparence d'évasion, mais il était évident à un observateur attentif que les serrures avaient été forcées en surface simplement. Il m'était évident maintenant que Guglielmo avait acheté un laissez-passer à l'archevêque, sans doute assez heureux de se débarrasser d'une femme qui passait pour sainte chez les béguines. Il n'aurait pas été facile d'amener au bûcher à la fois le Maître et la sainte sans soulever une foule trop grande pour les armées de l'archevêque.

Le départ de Katrei était très lourd à porter. On aurait dit qu'un partie de l'âme du monastère s'était envolée. Des colombes s'étaient logées dans la pièce vide qu'elles avaient habitée, et chaque jour j'allais leur porter de la nourriture. Je me plaisais à croire que les femmes s'étaient simplement transformées en oiseaux de volière afin de pouvoir revenir le soir se nourrir dans ma main. Je me pris même à les caresser sur la tête et entre les ailes, mais il y avait toujours un moment où je me rendais compte qu'elles ne reviendraient plus jamais. Elles me manquaient beaucoup. Le Maître me consolait en me disant que je les verrais un jour dans le ciel, et que dès maintenant je pouvais prier avec elles dans la communion des saints. Des larmes alors venaient caresser nos joues pour couvrir un moment de frissons ce qu'elles avaient abandonné pour toujours.

L'hiver s'était étendu sur tout le pays. Noël n'avait pu faire craquer le givre qui s'était accumulé sur mon cœur. Je ressentais un froid qui s'enfonçait jusque dans mes os. La phtisie du Maître le faisait de plus en plus souffrir. Par moments, il arrêtait presque complètement de respirer, une larme de douleur coulait de son œil gauche, puis avec grands efforts, comme lorsqu'on ouvre une très lourde porte figée dans ses ferrures, il arrivait à se dégager pour quelques autres respirations sifflantes. Nous allions tous les soirs au baptistère, généralement pour une simple période de silence. Parfois, cependant, Suso, Tauler ou moi-même nous le harassions de questions avec l'empressement des pirates qui vident un navire de ses trésors avant son naufrage. Je me souviens justement d'un soir particulièrement froid où nous nous étions collés les uns

sur les autres si près de la bougie qu'à tout moment nous risquions de prendre feu. Je me hasardai à poser au Maître une question si banale et commune que Tauler crut un moment que j'avais le cerveau gelé. Je lui avais demandé :
– Pourquoi la souffrance ?

Après avoir bien ri de ce retour au catéchisme des enfants, il me répondit avec la lenteur nécessaire à sa respiration, quelque chose que nous n'avions jamais lu ni entendu :

– Dieu aurait pu se contenter d'être Dieu, mais ce n'est pas ce qu'il a fait, il a choisi de devenir Dieu. C'est à cela que sert le monde, à faire devenir Dieu vraiment Dieu. Parce qu'un dieu qui est Dieu est bien moins Dieu qu'un dieu qui le devient. Être parfait est bien moins parfait que de devenir parfait, être bon est bien moins bon que de devenir bon ; être heureux est impossible, il faut le devenir ; être compatissant est impossible sans la fragilité ; être courageux ne se peut pas sans risque et sans souffrance. Qui peut connaître la joie sans jamais avoir connu la douleur ?

– Mais si Dieu connaît les mouvements de la souffrance et de la joie, alors comment peut-il être éternel ?

– Dieu ne peut pas simplement être et ne peut pas simplement reposer éternellement. S'il était simplement un être, sa bonté, sa beauté, sa vérité, sa miséricorde, son amour lui seraient imposés par son être, il n'en n'aurait ni la liberté, ni le bonheur, ni la conscience. Dieu ne peut être cela, il doit devenir cela, il doit faire cela de lui. C'est pourquoi Dieu s'est d'abord retiré dans un grand mystère afin de se laisser de l'espace pour devenir ce qu'il est. Cela démontre qu'Albert le Grand et Denys l'Aréopagite avaient bien raison de considérer que Dieu est bien plus que de l'être. Dieu est un plus-être qui déborde vers l'être. Pour cela, il a dû se retirer dans son mystère, ce qui produisit le Verbe, et ainsi se libérer de l'obligation d'être immédiatement absolument lui-même. Si Dieu n'avait pas d'abord résolu son identité dans le Verbe, il ne pourrait que se réaliser immédiatement et absolument lui-même, il n'y aurait de place que pour lui. Cela limiterait Dieu, l'empêcherait de se connaître et de se dépasser lui-même. Dieu ne peut pas non plus être simplement éternel, il doit être plus qu'éternel et pour être plus qu'éternel, il doit d'abord être moins qu'éternel. Dieu devait prendre le temps qu'il fallait pour se dépasser, il inventa donc un temps éternel pour un dépassement éternel. Ainsi Dieu se fait plus qu'éternel en se faisant aussi temporel.

– Et l'Homme, qui est-il ? demandai-je.

Eckhart éprouva de la difficulté à prendre sa respiration mais finit par laisser entendre :

– Je suis le temps que Dieu prend à se faire vraiment Dieu, dit l'Homme.

– Mais l'univers, l'espace, le mouvement ne sont pas que du temps ! s'exclama Tauler.

– Bien sûr que l'espace est un des résultats du temps. Imagine un bourgeon qui devient une feuille, puis la feuille rougit, tombe et meurt. Tu imagines bien cela. Maintenant imagine que cela se passe de plus en plus vite. Il arrive un temps où le bourgeon meurt exactement en même temps qu'il s'ouvre ; en d'autres termes, il n'existe pas parce qu'il n'a pas le temps d'exister. Chaque chose n'est que le temps qu'elle prend à croître et à disparaître. Sans le temps, elle n'existe pas, elle n'a pas le temps d'exister. Maintenant imagine les distances, imagine par exemple le monastère d'Erfurt, celui de Strasbourg et celui de Cologne. Ils forment un triangle et l'espace est ce qui les sépare. Un jour tu décides de les visiter, mais par un miracle de Dieu, tu marches de plus en plus vite. Par ce miracle de Dieu, il arrive un temps où passer d'un monastère à l'autre se fait si rapidement que tu arrives au deuxième et au troisième exactement en même temps que tu pars du premier. Cela voudrait dire que tout l'espace aurait entièrement disparu. Les trois monastères seraient le même, l'espace qui les séparait ne serait plus.

L'espace n'est que le temps, le temps que l'on met à passer d'un endroit à un autre. Si cela ne prenait aucun temps d'aller de la terre au soleil, il n'y aurait pas d'espace entre le soleil et la terre. L'espace n'est que du temps. C'est pour cela que je dis que l'Homme est le temps que prend Dieu à se connaître, à s'aimer, à se défier, à se dépasser, à se faire vraiment Dieu, Dieu de bonté, de compassion, de courage, de miséricorde, de connaissance... Pour faire l'Homme, Dieu s'est retiré de la connaissance qu'il avait de lui-même, il s'est retiré dans le mystère, laissant du temps et de la nuit. Ensuite, il s'est mis à faire danser la nuit pour qu'elle rayonne de la lumière, et il s'est mis à faire danser la lumière pour qu'elle rayonne la vie. Et moi et toi, nous sommes le retard que Dieu a décidé de prendre sur lui-même pour se faire éclater les entrailles.

– Je ne comprends plus, avouai-je.

– Je veux dire, répondit Eckhart, que le temps permet à Dieu de développer un sentiment de courage, un sentiment de joie, un sentiment de bonheur. Le bonheur ne peut exister sans l'effort. Et l'effort nécessite le temps. Alors moi je dis que je suis le retard que Dieu a décidé de se donner à lui-même pour se faire éclater les entrailles. Et voici ce qu'il y a dans le ventre de Dieu : la neige, les champs couverts de blancheur, les forêts, les bêtes, la lune, le soleil, les étoiles. Il nous en met plein la vue. Et nous, nous sommes les yeux par lesquels Dieu prend plaisir à se contempler, à se voir déverser en cataractes de lumière et de splendeur. Nous existons tant que Dieu reste retiré en lui-même afin de nous donner le temps d'arriver à lui. Dans ce temps, il se dépasse; un temps éternel pour un dépassement perpétuel. Dans le temps Dieu passe sous l'être pour dépasser l'être. «Oh! mon Dieu, quel doux temps, le temps pour aimer, le temps pour te connaître, le temps pour prendre courage, le temps pour explorer les reflets que tu prends dans chacun d'entre nous et en toutes choses. Que j'aime ce temps! Oh! mon Dieu, retiens-toi encore un peu, le temps que je te goûte encore un moment. Et si tu refermes le temps sur lui-même, je sais que ce ne sera que pour un temps. Car tu as décidé de te donner le temps et que sans ce temps, tu cesserais d'être un vrai Dieu, tu ne serais plus qu'une masse statique et infiniment petite perdue dans l'inconnaissance de soi. Non, tu es un Dieu de vie, j'ai ma vie en toi et pour toujours. Je traverse aujourd'hui de grandes nappes de souffrance et de solitude mais au fond de moi-même, au tréfonds de mon être, il y a toujours et toujours une ondulation de joie qui recueille les fruits de cette souffrance. Je ne peux pas me donner à toi, parce que je suis à toi, mais je me délecte dans la conscience de cet amour qui nous unit, moi et toi, au temps et à l'éternité.»

Il se mit à tousser et une goutte de salive chargée de sang s'échappa de ses lèvres. Nous l'avons aidé à regagner sa cellule, mais lorsque nous voulûmes entrer pour le veiller, il refusa.

Chapitre VI

L'Inquisition

« ... Le futur dominicain fait un long noviciat durant lequel il reste cloîtré et se livre à de sérieuses études philosophiques et théologiques. Après ses très saints vœux de chasteté, de pauvreté et d'obéissance, il entre dans un couvent où il continue ses études et reçoit les ordres majeurs du diaconat et de la prêtrise. Dès lors, il partage sa vie entre l'étude, la méditation, l'enseignement, l'administration et l'action, la cure d'âmes, la prédication le long des routes et sur les places des villes. Tout cela en pratiquant l'absolue pauvreté et de nombreux jeûnes et mortifications. Drapés dans la robe blanche de prémontré, recouverts de la chape noire des chanoines espagnols, ces prêcheurs incomparables et impeccables, du fait de leur formation intellectuelle, animent les universités et fournissent de grands savants et de grands saints à l'Église.»

C'était le Général lui-même qui parlait. Il avait demandé à être entendu par le tribunal de la sainte Inquisition. La pièce était sombre, c'était l'hiver, les nuages se faisaient lourds. Le tribunal se détachait tant bien que mal de l'obscurité grâce à de nombreux candélabres. Derrière un massif parapet formé de balustres lourds et sombres sculptés de flammes et de démons, élevée sur une tribune de plus de deux coudées, sur un fond de boiserie hachurée de colonnes particulièrement noircies, se détachait la figure blanche et glacée de Virnebourg. À sa droite, Maître Reinher Friso, tout aussi pâle, jetait sur la salle ses yeux perçants comme ceux des chats dans la nuit. À sa gauche, Albert de Milan, plus jeune et large d'épaules, apparaissait inquiet. Près de lui était assis Pierre Estate, frère mineur chez les franciscains, qui avait les mains jointes et faisait paraître de prier le ciel, et finalement, à côté de Maître Reinher, le secrétaire de Virnebourg, vieillard enfoui dans un capuchon qui lui cachait presque entièrement le visage. Au pied du tribunal, on avait disposé une petite table pour les deux notaires attitrés du procès.

Dans l'assistance peu nombreuse formée de quelques dominicains, trois ou quatre notables et quelques franciscains, on pouvait remarquer Gérald de Podahns, vice-procureur général des Dominicains, qui se tenait au côté de Nicolas de Strasbourg, prêts tous les deux à intervenir en cas de nécessité. Un peu à l'écart, les deux accusateurs : Herman de Summo et Guillaume de Nidecke. Personne, pas même les franciscains, ne s'approchait d'eux. Ils avaient troqué leur soutane de moine pour les habits somptueux et colorés de la noblesse. On pouvait apercevoir sur leur mante les armoiries de leur famille. Plusieurs, sans doute, avaient remarqué la similarité de leur écusson avec celui de la maison de Virnebourg.

Le Général s'était avancé un peu en direction du tribunal, mais n'était pas entré dans le cercle des accusés, ni même celui des témoins. Il continua sur sa lancée :

– L'ordre des Dominicains s'assure de la parfaite cohésion de ses membres. Chacun y est reconnu pour son orthodoxie. S'il arrivait qu'un moine, qu'il soit simple convers, père de chœur, Maître, prieur ou même provincial, puisse manquer de quelque façon, dans sa pensée ou dans son action, à un seul élément de la foi ou de l'Église, il lui serait immédiatement reproché son erreur et s'il persistait, il serait banni de l'ordre sur-le-champ.

L'homme que l'on accuse n'est pas une personne indépendante et isolée, c'est un dominicain reconnu et l'on ne peut l'accuser sans douter de l'intégrité de l'ordre lui-même. Or personne n'a, d'aucune façon, fait quelque reproche à l'ordre. Si l'ordre est dans l'orthodoxie, tous ses membres le sont.

Il lança un regard en direction de Herman et de Guillaume.

– Père Barnabé de Cagnoli, reprit Maître Reinher, j'ai entendu dire que certains de vos savants ont contesté les thèses nominalistes de Guillaume d'Ockham, est-ce exact?

– Oui en effet.

– Ainsi donc ce franciscain pourrait, selon certains d'entre vous, se trouver dans l'erreur. Considérez-vous cela possible?

Le Général ne savait plus que répondre. S'il disait oui, il défaisait son propre argument; s'il disait non, il devait admettre que dans ses rangs les moines qui avaient attaqué Guillaume d'Ockham étaient dans l'erreur et que lui, le supérieur général, n'était pas intervenu. Il se trouvait piégé et ne disait rien. Maître Reinher savourait ce premier gain et, pour le déguster un peu plus, ajouta sur un ton sarcastique :

– Je vous trouve bien imprudent de venir défendre ainsi l'un de vos moines au risque d'entraîner tout l'ordre des Dominicains avec lui. Mais je vous connais assez pour savoir qu'en cas de danger pour votre ordre vous saurez lâcher prise.

– Je ne suis pas seul dans cette aventure, riposta Barnabé, la voix un peu grelottante. Michel de Césène, maître général de l'ordre des Franciscains, soutient actuellement Guillaume d'Ockham dans son procès à Avignon. L'ordre se doit, par devoir, de soutenir ses maîtres et ses savants...

Tout le monde avait bien compris l'expression : «par devoir». C'était fait, le supérieur général avait élégamment

225

abandonné le Maître. Eckhart devait désormais se défendre par lui-même. Je sentis un frisson chez tous les dominicains de l'assistance.

– Voilà un exemple que je ne vous conseille pas, maître Barnabé, reprit Reinher pour enfoncer davantage la décision du Général. Au moment où nous vous entendons, Michel de Césène et Guillaume d'Ockham ont quitté l'Église de Dieu et se sont enfuis sous la protection de Louis de Bavière. Ils rejettent aujourd'hui explicitement l'Église comme ils le faisaient implicitement auparavant.

Cette fois, c'étaient aux franciscains de trembler, mais nous étions tous stupéfaits. Pierre Estate devint très nerveux et avait peine à retenir sa fureur. Plusieurs franciscains quittèrent la salle, sans doute pour tenter de vérifier l'information. Mais, comment douter de Reinher Friso l'Inquisiteur, le théologien, le savant, le Maître ? Le père Barnabé reprit ses esprits et tenta de récupérer à son avantage la situation :

– Vous voyez que nous avions raison sur un point : Guillaume d'Ockham confirme pour ainsi dire, tacitement, son erreur. Or, ici au Studium de Cologne, nos thèses rejettent la nouvelle et étrange vision d'Ockham et s'en tiennent à l'orthodoxie de saint Augustin.

– Le raisonnement est faible, maître Barnabé, interjeta Reinher, la vérité se trouve habituellement au milieu et le contraire d'une erreur constitue souvent une deuxième erreur. D'ailleurs, ce qui était en cause à Avignon n'était pas tant le nominalisme d'Ockham que sa proposition de séparation des pouvoirs religieux et des pouvoirs civils.

Là-dessus le supérieur général riposta sans toutefois élever la voix :

– Il me semble que cette proposition de division des pouvoirs découle directement d'un nominalisme qui sépare tout ce qui est uni en Dieu.

– Voilà une simplification qui ne fait pas honneur à votre esprit, contre-attaqua Reinher. Le nominalisme ne sépare rien, il convient simplement et avec humilité que notre pensée mortelle ne peut accéder qu'aux choses singulières de la multiplicité et que les idées, si elles existent, échappent à l'homme. C'est pourquoi l'homme doit s'en tenir aux Évangiles, à l'obéissance, et aux approximations empiriques des sciences de la nature. Mais n'allons pas plus loin, ce n'est pas ici le procès d'Ockham, mais celui d'Eckhart, et il nous tarde de l'entendre.

Tout le monde savait que Reinher tolérait le nominalisme d'Ockham et que c'est pour cela que Virnebourg l'avait choisi, mais personne ne soupçonnait qu'il pouvait le soutenir au-delà même du procès d'Avignon et en dépit de la déroute d'Ockham. Pierre Estate ne regardait plus en la direction de Reinher. Sans doute avait-il très hâte que l'on change de sujet. Au moins le père Eckhart savait désormais à qui il avait affaire.

Le vieillard contourna le cercle des accusés et s'avança lentement très près du tribunal. C'était le 24 janvier 1327. Depuis novembre il faisait si froid ! Chaque jour l'hiver avait enfoncé son gel un peu plus profondément dans sa chair jusqu'à ce qu'il atteigne la moelle de chacun de ses os. Ses orteils s'étaient racornis sous l'effet de l'arthrite, ses doigts pouvaient avec peine retenir une plume, ses genoux enflés restaient rigides, son dos contorsionné lui donnait l'apparence d'un bossu. Ses poumons avaient séché et durci si bien que, lorsqu'il toussait, il rejetait du sang et des lambeaux de chair. Sous l'ordre de Virnebourg, le Général avait dû se résigner à claustrer le Maître dans sa cellule ; il n'en sortait que pour les prières et les repas. C'était pitié de le voir serrer son bol chaud entre ses deux mains dans l'espérance d'amener un peu de chaleur dans sa poitrine. Tout son corps était devenu glace et douleur. Après la nomination de Berthold, et surtout depuis le départ des femmes, j'avais l'impression qu'il n'avait plus autant de cœur au combat. Il lui semblait que Katrei et Berthold formaient les deux ailes de sa mission,

227

qu'ils prolongeraient l'œuvre et que, de ce fait, il n'avait plus tant besoin de combattre. Katrei avançait du côté spirituel, et Berthold du côté intellectuel. Je lui disais qu'il était fort dangereux que ces deux ailes soient ainsi polarisées ; il me rassurait en disant que Suso et surtout Tauler allaient poursuivre la voie dans son unité. Je n'arrivais pas à lui exprimer que sa présence m'était indispensable à moi aussi qui vacillais toujours, mais qui l'aimais par-dessus tout. Peut-être le devinait-il puisqu'il ne cédait pas encore. Il y avait dans cet homme physiquement brisé, particulièrement isolé et presque abandonné, des réserves d'énergie qui n'appartiennent qu'aux héros et aux saints. Il prit la parole et je fus consterné par la vigueur et la solidité de son premier trait.

– Seigneur l'archevêque, chers docteurs en théologie, chers franciscains et vous, mes amis, il n'est pas bon que la lampe soit mise sous le boisseau, mais elle doit s'élever par son humilité au-dessus du monde afin qu'il profite de sa lumière. C'est pour cela que je suis ici, non pour me défendre, mais pour participer à l'œuvre du Verbe, en démontrant une fois de plus jusqu'à quel point il est notre lumière. Dans les propositions qui sont mises en cause par mes accusateurs, plusieurs sont de simples erreurs, involontaires sans doute, de transcription ou de traduction. Mais ceux qui sont là pour m'accuser n'ont pas cru bon de les rectifier malgré les preuves apportées par mes défenseurs. Cependant, là n'est pas l'essentiel. Pour comprendre et interpréter adéquatement la pensée des maîtres dont je continue, avec d'autres, l'œuvre par mandat de mes supérieurs, il importe de revenir aux fondements même du christianisme. Il est dit dans l'évangile de Jean : « Jésus était la véritable lumière qui, en venant dans le monde, éclaire tout homme. Elle était dans le monde, et le monde a été fait par elle. » Le monde a été fait par la lumière, dit l'évangéliste. Or nous savons que la lumière matérielle découle de la lumière intellectuelle qui elle-même dérive de la lumière spirituelle. En somme, l'univers est une intelligence qui s'émerveille de l'esprit de Dieu. Tout ce que nous voyons, fleuves, montagnes, arbres, oiseaux, lune et soleil jusqu'aux étoiles, révèle la jubilation intellectuelle irrépressible de l'univers lorsque son intelligence se roule dans la profondeur de l'esprit divin. Cette intelligence nous habite : «Celui qui agit selon la vérité vient à la lumière, dit Jean, afin que ses œuvres soient manifestées, parce qu'elles sont faites en Dieu.» Et plus loin : «Pendant que vous avez la lumière, croyez en la lumière, afin que vous soyez des enfants de lumière.» Or si la lumière nous habite et si l'univers est fait par la lumière, cela signifie que nous devons utiliser notre intelligence pour connaître Dieu et pour connaître l'univers.

– Si je saisis bien, reprit Albert de Milan, vous soutenez que l'intelligence peut accéder à Dieu, vous n'êtes donc pas loin de penser que la philosophie peut arriver par ses propres lumières à la théologie. Vous revenez à votre *Commentaire sur l'Évangile de Jean*, où vous avez dit : «C'est de la même source que proviennent la vérité de l'enseignement de la théologie, de la philosophie naturelle, de la philosophie morale, des savoirs pratiques et théoriques et même du droit positif. Cette source unique, c'est l'Intelligence divine, la lumière du Verbe.»

– Maître Albert, je perçois que vous cherchez véritablement la vérité, alors considérez cet argument. Imaginez seulement un instant que l'apôtre Jean ait tort et qu'il n'en soit pas comme il dit. Imaginez que, par incohérence de Dieu, l'intelligence humaine soit de nature différente de celle qui illumine l'univers et qui le meut. Cela signifierait que chacun d'entre nous, sans exception, nous ne pourrions rien connaître de Dieu ni rien connaître du monde.

– Mais nous aurions les Évangiles! riposta Pierre Estate.

– Par quelle lumière pourrions-nous savoir que ce sont des Évangiles? Par quelle lumière pourrions-nous les comprendre? Par quelle lumière pourrions-nous en vivre? Seuls ceux qui ont des oreilles peuvent entendre...

– C'est par Jésus que nous entendons, répondit-il sans réfléchir.

– Que pourrait Jésus de Nazareth si sa lumière, la lumière du Verbe, n'était pas en nous pour toujours et à chaque instant? Par quelle lumière pourrions-nous savoir que Jésus a dit la vérité?

– Vous laissez entendre que Jésus pourrait avoir menti, attaqua Pierre Estate, les yeux en flammes et le doigt indiquant le ciel.

Là-dessus Albert de Milan jeta un regard sur Pierre Estate, qui en disait long sur son inimitié pour les esprits tant étroits que bourrus. L'homme maintenait cependant ses yeux de feu sur l'accusé, mais sans pouvoir dire mot. La plupart des franciscains semblaient incommodés par les emportements de leur confrère. Seul Herman et Guillaume osaient sourire. Le Maître détourna ses yeux du franciscain et s'approcha d'Albert de Milan.

– Il y aurait grands malheurs pour la Cité de Dieu si l'on disait à l'homme que ses lumières naturelles, sa philosophie et sa science sont incapables de toucher au divin, de reconnaître la vérité de l'erreur, la justice de l'injustice, la bonté de la méchanceté. Si tel était le cas, l'homme tout entier démissionnerait devant ses propres idéaux, il se retournerait sur lui-même, ne vivrait plus que pour la satisfaction des plaisirs des sens, ne pourrait même plus discerner une autorité légitime d'une autorité déraisonnable. Il s'ensuivrait non seulement la sécheresse de l'âme, l'ineptie de l'esprit, mais aussi le chaos et le désespoir.

– Mais devons-nous dire que cela est vrai simplement parce que si c'était faux ce serait grand malheur? demanda Albert de Milan.

– La vérité doit être belle et bonne; si quelque chose n'est pas beau et bon, ce n'est pas vrai non plus.

– Pouvez-vous le démontrer? demanda-t-il.

Pierre Estate semblait s'impatienter; il savait qu'Albert avait ouvert la porte à une longue harangue de laquelle il se désintéressait complètement. Reinher semblait accepter le jeu, mais restait figé dans son éternel visage pyrrhonien, allant jusqu'à douter de la valeur de chaque mot à représenter quelque chose de réel. Quant à Virnebourg, on aurait pu croire qu'il avait été remplacé par une sculpture de marbre de façon à vaquer à ses affaires et à ses commerces pendant que tout ce beau monde se perdait dans des dédales, de son point de vue, inutiles et insipides. Le père Eckhart, lui, apparaissait prendre plaisir à converser avec Albert de Milan. Il y avait quelque chose de personnel et d'intime qui se tissait entre les deux hommes et certains, je crois, oublièrent un moment le rituel judiciaire pour les écouter avec contentement. Le Maître s'adressa à lui en ces termes :

– S'il est essentiel à son bonheur, à son espérance et même à sa survie que l'homme conserve foi dans ses capacités d'atteindre Dieu et la nature par les lumières dont il dispose, cet homme ne peut être apaisé et rassuré que s'il se voit convaincu que son intelligence, l'intelligence de Dieu et l'intelligence du cosmos sont, au fond, une même intelligence, une même lumière, le logos, le *noûs*, le Verbe. En somme, il doit être convaincu que sous la diversité repose l'unité. Voilà donc ce qui doit être démontré. Il me faut évidemment faire cette démonstration en me fondant essentiellement sur des sources philosophiques fondées sur la raison naturelle.

Les païens de la Grèce, ne connaissant pas l'Évangile, ont été amenés à se poser cette question à partir de différentes observations très simples. Par exemple, si tous les corps de nature différente, de bois, de pierre ou de chair, ont tous le même comportement lorsqu'on les élève, à savoir celui de tomber, il s'ensuit qu'ils doivent contenir quelque chose de commun. Ou bien encore, si la nourriture que nous mangeons se transforme en os, en muscle et en chair, il est nécessaire de considérer que la nourriture et le corps sont faits d'une même substance. Pour Thalès (– 625/– 545), si le mouvement appelle une stabilité, le discontinu appelle le continu et le multiple appelle l'unité. En effet le mouvement du mouvement du mouvement à l'infini ne bouge pas. Seul quelque chose de stable en lui-même peut être en mouvement. L'eau, par exemple, reste de l'eau tout en formant des ondes et des vagues. De même, la discontinuité de la discontinuité de la discontinuité jusqu'à l'infini est impossible. Zénon d'Élée l'a démontré par l'exemple d'une flèche qui devrait franchir la moitié de la distance avant d'atteindre la cible, puis la moitié de la moitié de la distance ainsi de suite. Il démontre ainsi que dans une discontinuité qui irait à l'infini, aucun mouvement ne serait possible. Sous la discontinuité, il y a nécessairement le continu. De la même façon, le multiple du multiple du multiple à l'infini se dissoudrait totalement dans le néant. L'être suppose donc un fond d'unité. Pour Thalès, tout en ce monde résulte des transformations internes d'une substance première unique. Voilà une première évidence et cette évidence soulève une question : quelle est la substance première et une qui permet le mouvement, la dynamique du réel ?

Plusieurs réponses ont d'abord été explorées. Pour Anaximène (–586/–526) ce serait l'air, alors que pour Anaximandre (–610/–545) ce serait l'«indéterminé», puisque seul l'Indéterminé peut être déterminé. Anaxagore (–500/–428) poursuit dans le même sens et suppose qu'au sein du substrat primordial «non limité» tout se trouve mêlé, émulsionné sous forme de particules, infinies en petitesse comme en nombre. En fait, chaque être distinct contiendrait en lui-même des particules de toutes choses, les atomes. Mais ce phénomène de transformation, remarque Anaxagore, doit bien avoir une explication. Après l'exploration de diverses réponses, la deuxième question est donc posée : quel dynamisme pousse ce substrat primordial à se transformer lui-même ? Qu'est-ce qu'une chose qui se transforme elle-même, en elle-même et par elle-même ? C'est un intellect (le *noûs*) pense Anaxagore. Pour Pythagore (–580/–500), cet intellect est d'abord un créateur de nombres et les nombres en relation les uns avec les autres actionnent le monde. À la même époque, Parménide (vers –500) ouvre la question de l'être. L'être est : de l'être il y en a alors que du non-être, il n'y en a pas. De ce fait, l'être est nécessairement sans passé, ni futur ; il est incréé, identique à soi, d'une seule continuité, immobile et sphérique. Il fallait dépasser cela. Un être qui serait rempli d'être serait si collé à lui-même qu'il ne pourrait pas se connaître. Or, de la connaissance, il y en a. La question devait donc être posée : comment l'être est-il accessible à la pensée ? C'est la question que tentera de résoudre Platon (–428/–348). Si l'être est condamné à être ce qu'il est, s'il est si plein de lui-même qu'il n'a pas de place pour se réfléchir, il n'est capable ni de liberté ni de connaissance. Pour qu'il y ait de la connaissance, il est nécessaire que le Premier dépasse son propre être et le réfléchisse. De plus, pour que l'homme connaisse les choses, il doit y avoir une réalité commune entre l'homme et les choses. En effet, deux réalités entièrement séparées l'une de l'autre ne peuvent se connaître. Platon affirme donc une parenté de nature entre l'être et la connaissance. Si les choses peuvent être connues, c'est qu'elles originent et se meuvent elles aussi, comme les idées dans une pensée. Les Idées forment à la fois la chose et la connaissance de la chose. Sur ce plan, Aristote (–385/–322) prolonge Platon. La matière se retrouve du côté de la puissance, l'Idée est devenue la «forme» et se retrouve du côté de l'acte. Pour Aristote la forme est l'acte de la matière.

– Maître Eckhart, questionna Albert de Milan, vous dites que le Premier doit dépasser l'être. Néanmoins, dans

les Saintes Écritures, Dieu dit : «Je suis celui qui suis», n'y a-t-il pas là contradiction ?

– Pas du tout, reprit Eckhart. Dire que le Premier dépasse l'être ne consiste pas à dire qu'il n'est pas. Au contraire, c'est affirmer que sa créativité prime sur tout de sorte qu'il peut être ceci ou cela, sans que ni ceci ni cela ne scelle son être. Comme l'avait fait remarquer Platon, qui voulait dépasser Parménide et sortir du fatalisme de sa religion, si ce qui unit toutes choses n'était qu'une intelligence donnée, un «être-intelligence» défini d'avance, il serait condamné à lui-même, incapable de se dépasser. Tout ce que ferait un tel être serait si parfaitement son être qu'il n'aurait aucune liberté. Platon voulait échapper à cette terrible limitation. Il voulait passer de l'être statique au devenir dynamique. Moderatus de Gadès (vers 50) a suivi Platon sur ce chemin, il voyait un Premier Un au-delà de l'Être, Acte pur, Sur-Intelligence qui produisait un Second Un, l'Être intelligible, et finalement un Troisième Un, l'Âme du monde. Cela est assez près de notre conception de la Trinité. Nous disons aujourd'hui que la Déité est Père dans son mystère qui transcende tout y compris sa propre intelligence, qu'elle s'est projetée dans le Verbe, le Logos, l'intelligence que le Père a de lui-même afin de créer et d'animer un univers qui s'émerveille en son Esprit-Saint.

– Vous nous rappelez les païens, reprit Albert de Milan. La chose est intéressante, mais Jésus est venu et il a dépassé Platon.

– Vous avez entièrement raison, maître Albert. Jésus fut non seulement un saint, mais aussi un sage. C'est pourquoi son Église ouvre les portes aux saints et aux sages. Dès les premiers pas du christianisme, Philon d'Alexandrie (– 20 à 50) osa une première tentative d'unification des sources juives et des sources grecques du christianisme. Il se confronta à l'incontournable question de l'alliance entre la divinité et le monde, donc à la question de l'alliance entre l'Un et le Multiple. C'est par le Logos qu'il tente de comprendre cette alliance. Le Logos est la Parole divine, l'action efficace en même temps que la sagesse, en même temps que la régulation des nombres et des équations et que l'expression du droit positif. C'est l'éternel Premier «engendré», réservoir des archétypes, et c'est à son image que tout est créé. Le Logos constitue donc l'intermédiaire entre Dieu et les hommes, le lien entre le Tout et les parties. Plus tard chez Plotin (205 – 270), l'Âme du monde apparaît procéder de l'Intellect (le *noûs*). L'Intellect constitue le sommet de l'Être. L'Intellect est le Sujet qui se donne lui-même comme objet et en lui, l'ensemble des Archétypes. Mais, croit Plotin, cette haute Unité est pourtant duale, puisqu'elle se pense elle-même, elle se divise en sujet et en objet et ainsi s'extrait de l'Unité absolue. Son existence renvoie donc à un «Un» plus élevé encore. La source de l'Être ne peut être qu'au-delà de l'Être. Pour Plotin, le «Faire-Être» (Premier Un) n'est pas (il est au-delà de l'être); il ne possède pas les propriétés limitatives de l'être, c'est-à-dire de s'équivaloir à lui-même. La première et la plus haute émanation de l'Un, c'est l'Intellect-Être, le Sujet-Objet. En lui surgit un monde autocréateur. Oh! combien j'aimerais que l'on me comprenne là-dessus! À cette éternelle procession descendante s'ajoute un universel retour; l'Intelligence se réfléchit dans la jubilation de l'univers. Le cosmos entier est mû par un désir d'unité, par un besoin impérieux de coïncider avec sa source première. Voilà l'essence de l'esprit...

Maître Reinher s'impatientait, d'autant plus que Pierre Estate était sur le point de s'endormir ou du moins il en faisait montre. Quelques franciscains bavardaient entre eux. Les accusateurs ne quittaient pas des yeux le visage de Virnebourg, espérant qu'il ramène les deux philosophes à l'ordre. Mais il n'en faisait rien. C'est Reinher qui intervint :

– Concluez, père Eckhart, je vous prie, concluez.

– De cela nous pouvons retenir deux choses essentielles. La première, c'est que la philosophie est capable de s'approcher du christianisme dans ses fondements profonds : à preuve l'exemple de ces philosophes. La deuxième est que le but de l'homme est la connaissance. Cette connaissance va de la communion d'intelligence entre Dieu et l'homme, l'extase, jusqu'au plaisir d'en découvrir les multiples nuances dans les sciences de la nature et dans les arts.

Pierre Estate, qui s'était éveillé ou qui en fit semblant, s'objecta :

– Cela n'explique en rien votre effarante affirmation et je vous cite, père Eckhart : « Dans l'âme, il existe un quelque chose d'incréé et d'incréable grâce auquel, si toute l'âme en était faite, nous serions tout entier éternels. »

– Bien au contraire tout cela l'éclaire à merveille. Si saint Jean a raison et que la lumière est le Verbe et que cette lumière a fait le monde et qu'elle nous habite, il faut en conclure que chaque homme et chaque femme porte dans le sein de son âme, dans son château fort, un germe du Verbe. Ce germe, il peut le faire grandir ou, hélas!, l'éteindre. Si le Christ est le Verbe, si le Verbe est incréé et si le Verbe nous habite, il s'ensuit que chacun d'entre nous a un quelque chose d'incréé au fond de son âme.

Pierre Estate riposta d'une voix aussi aigre que forte :

– Vous raisonnez comme si le péché n'existait pas. L'homme a péché et, par son péché, il a brouillé définitivement sa pensée, si bien qu'il est dans la nécessité d'attendre la mort pour arriver, si Dieu le veut, à la connaissance. La marque de la faute est inscrite dans nos corps tournés vers la concupiscence.

Eckhart reprit avec une voix étonnamment douce :

– Je considère que le Salut est infiniment plus fort que la pente de la chair. Si l'Intelligence, le Verbe, ne nous sauvait pas à chaque instant du sens commun, de nos préjugés, de nos haines, de nos rancœurs, de notre étroitesse d'esprit, son Royaume nous échapperait. Mais, frère Estate, le Verbe nous sauve à chaque instant de notre égoïsme, de notre haine et de notre petitesse d'esprit, de sorte que chacun de nous, homme et femme, sommes capables de connaître Dieu et de l'aimer.

– Vous parlez des femmes en oubliant qu'elles n'ont d'intelligence qu'assujetties et guidées par des hommes conformément aux lois de Dieu.

– D'où vient, père Estate, la confiance que vous avez en cette idée ?

Maître Reinher, prévoyant le piège, intervint immédiatement :

– Ils n'est pas question de femmes ici, revenons aux points importants de la discussion. Les platoniciens, c'est connu, et il n'était pas nécessaire de le rappeler, considèrent que les idées, par exemple le chien, l'arbre, etc., existent dans un ciel d'idées. Pour connaître les choses du monde, il suffirait de saisir ces idées dans leur essence. Si Platon avait raison, nous devrions tous nous isoler dans un lieu tranquille, plonger en nous-mêmes et sortir les chiens, les chats et les arbres de notre esprit, de sorte que le monde serait inutile. Cependant aucun chien n'est le chien de Platon, et heureusement, car la vie serait fade et inutile. Vous avez cité les platoniciens, mais pourquoi pas les nominalistes ! Pour Roscelin par exemple, (1050 – 1120) l'idée d'homme est tout juste la réalité physique d'une émission vocale.... Gilbert de la Porrée (1076 – 1154) quant à lui met en doute la réalité des relations ; seuls les singuliers existent, leurs relations sont pures abstractions. Abélard (1079 – 1142), n'allait pas aussi loin. Il a plutôt proposé un modérateur. « Ce qui autorise, dit-il, à imposer au genre, par exemple l'homme, et à l'individu, par exemple Abélard, le même prédicat, c'est qu'il désigne un certain état du réel, par exemple l'être homme. » Mais la réflexion décisive vient de Jésus lui-même. Le Christ accordait attention à chaque personne, à chaque être, en lui donnant une réalité propre. Si Platon avait raison au-delà du Christ, il ne faudrait pas aimer son prochain dans sa différence, mais l'Homme en général dans son abstraction. Comprenez-vous, père Eckhart, et vous tous qui êtes ici, jusqu'à quel point sont pernicieuses, vicieuses et dangereuses les idées des païens! Elles nous amènent à négliger la misère réelle de nos semblables, la connaissance attentive de chaque chose pour nous perdre dans des abstractions. Le monde nous a été donné dans toute sa matérialité, chaque chose étant un être singulier qui a toute sa valeur et voici que les platoniciens en font des abstractions. Saviez-vous que Platon croyait à la métempsycose tout comme après lui les cathares? Mais, pire que cela, une société platonicienne ne serait composée que d'individus tournés sur leur propre purification. Le monde ne serait qu'une illusion; il serait donc inutile de chercher à l'améliorer. La Cité de Dieu existerait uniquement dans le ciel et nous n'aurions pas à la faire sur terre. Il serait inutile de convertir les barbares, nous n'aurions qu'à attendre qu'ils découvrent par eux-mêmes l'Évangile...

– Puis-je reprendre la parole, maître Reinher? demanda Eckhart.

– Je vous l'accorde, père Eckhart, mais je vous prie de vous montrer moins païen et plus chrétien.

– Albert le Grand a bien indiqué le chemin permettant de dépasser Platon et de redonner à l'univers un rôle supérieur à celui de copiste des Idées. C'est le propre du parfait de tenter sans cesse de dépasser ses propres formes. Aussi Dieu démultiplie sa créativité dans l'intelligence universelle et dans celle de chacun d'entre nous. Je suis heureux aujourd'hui d'être en présence d'un homme qui accorde de l'importance aux singuliers et qui saura donc montrer de la compassion et de la considération à ma personne particulière ici présente, qui ne me jugera pas à partir d'une idée arrêtée et toute faite d'avance. Il serait intéressant de faire la critique des nominalistes, je vous l'accorde. Dans la mesure où ils tournent notre attention sur les souffrances de ce monde et sur notre devoir d'y veiller, je les admire. Cependant, je vous rappelle que, lorsque Roscelin a appliqué son nominalisme à la très Sainte Trinité, il a été immédiatement condamné par l'Église pour la simple raison qu'il devait, par nécessité de cohérence, affirmer qu'en Dieu comme ailleurs seuls sont réels les individus. La Trinité ne pouvait donc être pour lui qu'abstraction. Mais il ne s'agit pas ici du procès des nominalistes, celui-ci a eu lieu à Avignon, là où il se devait d'avoir lieu puisqu'il s'agissait du procès d'un maître en théologie, le père Guillaume d'Ockham, et, comme vous nous l'avez appris, il a été perdu. Ce n'est pas de ce procès dont il faut parler, mais de celui d'un maître dominicain, accusé par deux moines ici présents qui tentent de se venger pour les réprimandes qu'en tant que supérieur je leur ai faites au sujet de certains actes si immoraux et si répugnants que je vous fais grâce de les mentionner ici. Pour des raisons fort confuses, ce procès se fait ici, à Cologne, en présence de commissaires dont je n'ai jamais vu les autorisations pontificales, alors que j'ai pu lire les autorisations de Nicolas de Strasbourg qui devait sévir contre mes accusateurs; ce qu'il n'a pu faire à cause de la protection de l'archevêque ici présent. Je ne reviendrai pas là-dessus. Il s'agit de mon procès, maître Reinher, mais je constate que vous ne m'entendez qu'à travers les thèses nominalistes. Vous poussez les idées de Platon à l'extrême, vous me prêtez sans discernement ses exagérations et ensuite, il vous est facile de me ridiculiser. Dans ce procès, ce n'est pas votre vision nominaliste du platonisme qu'il faut juger. Si j'avais à juger votre vision grossière du platonisme, je dirais qu'elle fait erreur sur un grand nombre de points. Le dominicain que vous avez à juger n'est pas le platonicien qui est dans le ciel de votre esprit, maître Reinher, mais l'être singulier qui est devant vous, et la pensée de cet homme n'est pas la caricature que vous en faites, mais une synthèse parfaitement chrétienne de la plus haute philosophie et de la plus noble théologie du monde civilisé. Cette synthèse n'est pas improvisée, ce n'est pas «ma» synthèse, elle a été entreprise par saint Denys et par les Pères de l'Église. Saint Augustin y a joué un rôle majeur, Albert le Grand et Thomas d'Aquin ont continué. C'est cette synthèse que j'ai défendue, avec bien d'autres maîtres, à l'université de Paris, et c'est cette synthèse qui continue de se raffiner et de se préciser au Studium des dominicains à Cologne. Me permettez-vous d'être plus précis, maître Reinher?

L'homme resta interloqué et ne pouvait rien dire, de sorte que le Maître continua :

– Jamais Platon n'a imaginé l'Idée comme «quelque-chose-existant-ailleurs», c'était plutôt pour lui un principe actif immanent aux choses et immanent à la connaissance des choses. L'Idée constitue un acte qui cause ce à partir de quoi tout être est ce qu'il est et peut être connu tel qu'il est. De plus, c'est Aristote et non Platon qui insistait sur le genre et l'espèce notamment chez les animaux. Platon pensait davantage à l'Idée de beauté, de bonté, de vérité, etc. Malgré cela, les propositions de Platon présentaient de sérieuses difficultés, par exemple celle du temps. Est-ce que les idées existent avant le monde et arrivent ensuite dans la matière après un certain temps? C'est ce que vos propos laissent croire. Dans votre platonisme, le chien précède les chiens et le chat précède les chats. Vous considérez donc que l'éternité est antérieure au temps. Vous établissez donc un lien temporel entre l'éternité et le temps. Cela n'a évidemment pas de sens et produit une vision ridicule du platonisme. Le rapport entre le temps et l'éternité n'est pas un rapport temporel, comme si les Idées existaient avant leur manifestation, c'est un rapport extatique, cela est bien démontré chez saint Denys.

– Nous ne sommes pas à l'université de Paris, intervint Pierre Estate...

– C'est justement le drame! riposta sévèrement Eckhart. Il serait très intéressant de disputer de ces choses devant un public d'étudiants, librement mais avec rigueur. Nos idées progresseraient et s'affineraient du fait même de leurs contradictions. Pour que la foi chrétienne atteigne une grande pureté, il lui faut des lieux où des idées adverses puissent se confronter. Hors de moi l'idée que la philosophie et la théologie que je propose soient parfaites. Bien des points restent à discuter, bien des questions demeurent obscures. Des discussions, avec les nominalistes et les franciscains, nous permettraient certainement de progresser. Mais le malheur, c'est que nous ne sommes pas ici pour discuter, mais pour conclure un procès d'Inquisition. Cela équivaut à dire que non seulement je serais dans l'erreur, mais que cette erreur ne doit pas être discutée, ni à Cologne, ni à Paris, ni ailleurs. Ma condamnation signifierait aussi et surtout que je m'entêterais dans cette erreur avec l'intention de nuire à l'Église. Or, être dans l'erreur sans le savoir, je le puis, et dites-moi quelle est mon erreur, mais s'entêter est affaire de volonté, je ne puis l'être sans le savoir. Les franciscains qui sont ici et nous les dominicains avons des vues divergentes, j'en conviens et je crois même que cela est profitable, mais devons-nous nous accuser mutuellement d'hérésie et nous condamner sur des intentions qu'il est manifeste que nous n'avons pas?

– Ce n'est pas nous qui vous accusons d'hérésie, père Eckhart, répliqua Pierre Estate, mais deux de vos dominicains. Et j'ai bien entendu vos discours. Vos propositions, père Eckhart, ne s'écartent pas de l'orthodoxie sur des points secondaires et discutables, bien au contraire, vous attaquez la foi dans ses fondements mêmes. Vous pensez que la philosophie peut accéder à la foi, vous croyez que l'intelligence de l'homme peut comprendre la foi, vous considérez que, lorsqu'un article de foi ne peut être accepté par la raison, il doit être rejeté. Alors vous allez me dire par quel raisonnement vous arrivez à conclure que le monde n'est pas éternel, que Marie est vierge, que Jésus est Dieu et homme, que la résurrection se fera dans la chair, que l'adultère est un péché mortel, que l'hostie contient réellement le corps du Christ, que le pape et les évêques sont l'autorité de Dieu sur terre, que Jésus est monté aux cieux le troisième jour, etc. Tout cela fait partie de la foi et ne peut être démontré par raison ou par philosophie. Alors donc, si vous n'acceptez de la foi que ce que la philosophie peut comprendre, vous rejetez presque tout de la foi et non seulement vous rejetez la foi, mais vous détruisez les fondements mêmes de la foi. La foi n'est pas fondée sur la raison, elle est fondée sur l'écriture et l'enseignement de l'Église. Alors tant que vous soutiendrez la raison, vous mettez en péril l'Église.

Le Maître resta longtemps dans un silence qui apparut terrible et mortel. Tout semblait se jouer sur cette question. Tous savaient qu'aucune philosophie n'était arrivée, même de loin, à ces articles de foi et de morale. Si le Maître admettait que la philosophie ne pourrait jamais aller jusque-là, il se contredisait, s'il ne l'admettait pas, il était dans l'obligation de démontrer, par raisonnement philosophique, chacun de ces points de l'orthodoxie. Dans les deux cas, il était perdu. Le Maître s'assit un moment sur une chaise, il respirait péniblement, ses douleurs semblaient gagner sur lui, finalement il se redressa, s'approcha de Pierre Estate et lui répondit :

– Ne réduisez jamais l'intelligence à la seule raison, l'intelligence pénètre des mystères qui échappent à tous les raisonnements. Ensuite, posez-vous la question suivante : combien de temps pourra survivre une religion qui soutient inconditionnellement des dogmes et des dicta qui sont hors de l'intelligible ? S'il faut le glaive et le bûcher pour convaincre les fidèles, je crains pour l'avenir de l'Église. Il est vrai que la philosophie devra réaliser de grands travaux pour s'unir à la théologie et vice versa (il appuya sur ces mots vice versa), il est vrai que ces travaux sont loin d'être terminés, et il est possible que l'intelligence, même au-delà de la raison et même au-delà d'elle-même puisse échouer dans cette synthèse, mais je crois qu'il vaut vraiment la peine d'essayer. Pouvons-nous nous entendre sur ceci : il est trop tôt pour trancher ce débat, acceptons simplement qu'il se fasse. L'avenir dira s'il est mieux pour l'Église d'être dynamique et cheminante que statique et dogmatique. Pour le moment, dois-je rappeler au tribunal que je me conforme jusque dans les détails à toutes les articles de foi et à tous les points de moralité?

– Êtes-vous prêt à avouer pleinement l'orthodoxie de votre foi, intervint Albert de Milan, qui souhaitait réellement que l'on en restât là, et à rectifier les erreurs notées dans les quarante-neuf propositions amenées au tribunal?

– Oh, Dieu vivant! Que l'on me dise en quoi j'ai tort et, dès que je comprendrai mes erreurs, je les rectifierai sur l'heure. Mais comment corriger des propositions pour lesquelles je ne saisis pas la faute? Expliquez-moi en quoi j'ai tort et quelle est mon erreur.

– Sur tout, cria Pierre Estate, vous avez tort sur tout et même sur ce que vous venez de dire. Vous voulez comprendre où vous avez tort, c'est justement là votre plus grande faute. Comprendre, comprendre, comprendre! Vous n'avez que ces mots! Il faut que vous obéissiez sans comprendre, un point c'est tout.

– Mais frère Estate, répondit Eckhart, visiblement épuisé, vous me demandez de mentir, car prononcer le son «oui» alors que l'intelligence ne comprend pas, c'est manquer à la plus élémentaire des sincérités. Vous ne pouvez pas sensément me demander de simplement répéter des mots dont je ne comprends pas le sens.

– Alors vous venez d'avouer votre hérésie, riposta presque aussitôt Pierre Estate, vous venez d'avouer devant nous tous que le démon a eu raison de vous. Vous êtes à ce point plongé dans l'hérésie, vicié dans votre pensée tordue que vous ne pouvez même plus accéder à la foi. La philosophie vous a perdu.

Maître Reinher avait beau regarder sévèrement le frère Estate, il continuait sans retenue :

– La philosophie est l'arme de Satan, elle détruit la foi encore davantage que le péché de la chair. Il n'a pas suffi de la condamnation de l'évêque de Paris, Étienne Tempier, en 1277, qu'un surgeon de cette plaie vient poindre jusqu'à Cologne. «Une transgression qui n'ose même pas s'afficher comme telle, disait Tempier, doublée d'une technique de faussaire honteux, voilà tout l'art des philosophes qui, outrepassant les limites de leur spécialité et tout en répandant leurs erreurs exécrables, ou, pour mieux dire, leurs orgueilleuses et vaines insanités, cherchent à donner l'impression qu'ils n'assument pas réellement ce qu'ils disent. Ils disent en effet que certaines choses sont vraies selon la philosophie, qui ne le sont pas selon la foi catholique, comme s'il y avait deux vérités contraires, comme si la vérité des Saintes Écritures pouvait être contredite par la vérité des textes de ces païens que Dieu a damnés». Allez-vous dire, père Eckhart, comme Averroès l'impie : «Je crois que la foi est vraie mais je pense qu'elle n'est pas vraie»? Vous dites que vous croyez, mais cela n'est pas vrai, vous ne croyez pas. Votre foi est rongée de l'intérieur par la philosophie qui détruit tout ce que la raison trouve faux. Vous ne croyez pas, vous spéculez!

– Frère Estate, intervint finalement Albert de Milan, vous avez bien parlé et nous aimerions entendre le père Eckhart à ce sujet.

Père Eckhart, qui s'était assis, tenta de se relever, mais ne le put. Il lui était interdit de parler de son siège. Alors il se tourna vers moi pour que j'aille le supporter. Ses yeux étaient pleins d'eau. Je m'avançai jusqu'à lui, le pris par les épaules et le soulevai. Il arriva à dégager sa respiration et au bout d'un moment répliqua :

– Ne savez-vous pas que la philosophie est le dépassement de la raison dans le but de se complaire dans la Sagesse et l'Intelligence de Dieu? Ne jugez pas trop vite. Notez avec attention ce qu'Aristote dit des esprits détachés dans le livre qui suit sa *Physique*. Le plus grand de tous les maîtres qui aient jamais traité des sciences de la nature, parlant de ces purs esprits détachés, dit qu'ils ne sont formes d'aucune chose, qu'ils reçoivent leur être fluant directement de Dieu; et ils contemplent l'être pur de Dieu sans diversité. Aristote nomme cet être limpide et pur un «quelque chose». Il a fait la démonstration que l'intelligence de l'homme peut toucher au sublime. Denys l'Aréopagite, dans son traité de théologie mystique, décrit l'enchaînement réglé des méthodes qui conduisent à Dieu : traversée du langage, mais aussi de la pensée, qui, par dépassements successifs de l'affirmation et de la négation, par dépouillement de toutes les images, mènent à une certaine exténuation du pensable et du compréhensible où s'accomplit une union avec celui qui est au-delà de toute essence et de toute connaissance. La foi est un état de la pensée arrivée à son maximum et non une suspension de la raison et un refuge pour la stupidité et la paresse intellectuelle.

– Vous parlez de félicité intellectuelle, protesta immédiatement Pierre Estate, qui se sentait particulièrement touché. La béatitude n'est pas affaire d'intelligence, mais de volonté et de morale. C'est le renoncement à la chair et la conduite impeccable qui font le saint. Or vous avez soutenu que les femmes sont égales aux hommes, et qu'il est bon de prêter attention à leurs boniments; c'est là mettre en grand péril tout l'édifice moral de l'Église. Vous me citiez Aristote tantôt, mais vous avez omis de dire que, pour Aristote, Thomas d'Aquin lui-même le confirme, les femmes sont des indéterminées. Elles n'ont pas le choix, elles doivent être déterminées ou au moins être déterminables par l'homme. Aristote a comparé la femelle à la matière aspirant au mâle comme à une forme, c'est-à-dire à une détermination. En termes moraux et juridiques, cela signifie que la femme est déterminée quand elle appartient à un homme : son père, son frère; si elle est mariée, elle appartient à son époux et, si elle est nonne, elle relève d'une communauté masculine. Elle est déterminable quand rien n'empêche qu'elle appartienne à quelqu'un, c'est le cas des célibataires assujetties à leur père et à leurs frères. Or vous avez écouté des femmes, vous avez encouragé le béguinage, vous avez mis en péril l'Église. De cette façon, vous ouvrez la porte aux pires des péchés, ceux de la chair. Ne savez-vous pas que le mauvais usage du coït mène l'homme en enfer et met en péril les prémices même de la civilisation? Mais il y a encore pire! En encourageant les femmes à penser, en leur enseignant les subtilités de la philosophie et de la théologie, vous entraînez toute la raison au dévergondage, à la dérive, à l'indétermination, au chaos. Votre hérésie est bien plus grande que celle des béguines que vous protégez et qui vous prolongent, c'est une hérésie d'hérésie puisque, par la philosophie et la femme philosophe, vous ouvrez les portes de l'Église à toutes les hérésies et à toutes les démences.

Je tremblais de colère en tenant le Maître, parce que je savais jusqu'à quel point il détestait l'idée d'infériorité des femmes. Mais, après un moment, je me rendis compte que moi aussi j'avais vécu presque toute ma vie, comme Pierre Estate, terrifié par la pensée et par la femme. Ma colère se changea en pitié. Le Maître mit la main sur mon bras, ouvrit la bouche mais ne put articuler de son. Il ferma les yeux un instant, dégagea sa respiration et arriva à prononcer :

– Vous ne savez pas ce que vous dites.

– Votre orgueil, père Eckhart, est ce qui m'apparaît le plus détestable en vous, riposta Pierre Estate.

Alors le Maître s'approcha de l'homme en disant :

– Un franciscain inconnu, disciple de Bonaventure, affirmait qu'il y a deux sortes d'humilité : l'humilité de vérité qui naît de la considération de notre fragilité, et l'humilité de sévérité qui naît de la conscience de nos fautes. L'humilité de vérité est la racine de la magnanimité, l'humilité de sévérité est la racine de la compassion. Je crois que vous ne connaissez ni l'une ni l'autre.

Reinher Friso saisit l'occasion pour prendre la parole et tenter d'élever le débat :

– Dans votre traité de *L'Homme noble*, vous allez jusqu'à détruire la signification même de ce mot, mettant en danger tout l'édifice social. Macrobe le dit bien : «La terre est la lie des éléments.» Les paysans sont les ouvriers du fumier. La terre tout entière est tordue par la honte devant la noblesse des étoiles, c'est pourquoi elle est courbe comme le dos des paysans. La terre est donc le lieu de l'humiliation radicale. Mais il est heureux que la lumière des sphères trouve sa voie chez les nobles afin de se répandre d'étage en étage chez tous. Sans cette fonction, la civilisation n'existe plus et on en revient à l'homme sauvage et barbare. Dante Alighieri a éminemment démontré l'importance de l'*Influentia* de la noblesse. Or vous, père Eckhart, vous liez la noblesse à son contraire, la pauvreté. Vos propositions vont donc jusqu'à mettre sens dessus dessous tout l'ordre social. Comment pouvez-vous justifier une telle chose ?

– Mon propos est spirituel, maître Reinher. Jésus a dit : «Bienheureux les pauvres»; ce n'était pas d'abord un traité sur l'ordre social ! J'ai voulu attirer l'attention sur l'humilité de vérité. Ce qui est en bas sert de dépassement à l'être. Aller sous l'être, dans la ténèbre, dans les possibilités et les puissances afin d'y faire surgir la beauté dans ce qui donne l'apparence d'être laid, la bonté dans ce qui semble méprisable, la noblesse dans ce qui paraît vil, c'est l'œuvre même de la lumière du Verbe qui rebondit dans l'obscurité pour revenir au Père chargé de la noblesse et du sentiment de dépassement. Il en va de Dieu comme du soleil au plus haut de sa profondeur sans fond, dans le fond de son humilité. Oui! C'est pourquoi l'homme n'a pas besoin de demander à Dieu, au contraire : il peut lui commander, puisque la hauteur de la déité ne peut regarder qu'au fond de l'humilité ; l'homme humble et Dieu sont un et non deux. Ce qui est le plus haut dans sa profondeur sans fond répond à ce qui est le plus bas dans sa profondeur sans fond. Ce qui fait la grandeur et la noblesse de Dieu, c'est l'humilité du cœur humain. Plus je reconnaîtrai mon humilité, plus Dieu sera élevé et ma noblesse aussi. Vous parliez de Dante. Ne dit-il pas dans un des chants du *Purgatoire* : «Ouvre ton cœur aux vérités qui viennent et sache que, dès l'heure où le fœtus se trouve bien chevillé de cervelle, vers lui se tourne alors le Moteur premier qui réjouit l'art de nature : il souffle un esprit neuf, d'abondantes vertus qui tirent à lui ce qu'il y trouve actif, en lui le mue, et fait une âme seule qui vit et sent et sur soi se revire.»

– Vous avez bien l'art des faux-fuyants, Johannes Eckhart, reprit Pierre Estate. Vous enveloppez de miel et de subtilité le mal et le péché qui grèvent votre esprit et votre âme. Mais ne vous méprenez pas. La sainte Inquisition sent l'odeur de Satan qui suppure de vos belles paroles. En identifiant l'homme à Dieu, en assujettissant la foi à la philosophie, en renversant l'ordre social jusqu'à placer les pauvres au-dessus des nobles, en jetant l'Église dans l'indéterminé par l'émancipation des femmes, non seulement vous êtes hérétique, mais vous brisez les cloisons qui séparent les chrétiens de Satan. Par votre faute, l'Allemagne court les plus grands dangers. Que dis-je, la civilisation de la chrétienté tout entière se trouve en péril.

– Si l'Église dont vous parlez, riposta Eckhart, peut être détruite chaque fois qu'un homme ou une femme réfléchit, alors ce n'est pas l'Église de Dieu. L'Église de Dieu, elle, est suffisamment grande pour contenir tout l'Homme et suffisamment solide pour accepter sa critique.

Il y eut un grand moment de silence. Le Maître s'écrasa sur sa chaise. Il était si épuisé que je craignais pour sa vie. Alors Virnebourg se leva droit et avec fracas :

– Vous avez été entendu, père Eckhart, le tribunal rendra son verdict en temps et lieu.

Là-dessus Nicolas de Strasbourg rétorqua énergiquement :

– Nous en appellerons au pape. Ce procès n'est qu'une parodie semblable à celui du Sanhédrin...

Virnebourg frappa de toutes ses forces sur la table et conclut avec autorité :

– Faites, faites, monsieur, appelez au pape et vous verrez bien que l'Église est plus forte, plus consistante et plus puissante que le Sanhédrin.

Nicolas et moi avons aidé le Maître, qui marchait difficilement, à sortir de ce lieu sombre et sinistre. Nous l'avons amené dans les cuisines du couvent pour qu'il puisse se réchauffer un peu. Suso et Tauler vinrent nous rejoindre dès qu'ils surent que nous étions de retour. Je servis au Maître un bouillon d'herbes et lui fis respirer des vapeurs de camphre. Malgré le bruit des préparatifs du souper, il s'était formé un petit halo de tranquillité autour de nous. Le Maître s'endormit le front entre les bras, sur la table. Il reprit des forces et, au bout d'une heure, se réveilla. Il souriait comme un enfant, regarda les victuailles et surtout goûta la chaleur de la cuisine. On lui servit des légumes et un bouillon de poulet.

– Cela me rappelle mes années d'enfance auprès de ma mère, raconta-t-il. Je ne la quittais pas un instant, j'aimais les odeurs de la cuisine.

– Mais, repris-je, votre mère n'était-elle pas noble femme et votre père chevalier ? D'où vient qu'elle s'affairait dans la cuisine comme une servante et d'où vient que votre père vous permettait d'y être?

– Nous recevions beaucoup et ma mère aimait que toutes choses soient parfaites, alors elle y mettait du sien. Mon père n'appréciait pas que je sois avec elle tout le temps, mais ma mère ne s'en laissait pas imposer et mon père concédait. Elle chantait toujours ou presque, elle débordait de joie quels que soient les soucis de la famille et les humeurs de mon père. Mais la vie n'est pas un fleuve tranquille! J'avais environ dix ans lorsque arriva la chevalerie de mon frère. C'était soleil et fête. Au son de leurs propres chants, les danseurs caracolaient près du jardin. D'autres jouaient au trictrac, aux boules, aux échecs. Les amis de mon père possédaient un jeu de cartes importé des Indes. Ils jouaient beaucoup. Les dames et les pucelles s'étaient réunies sur les terrasses pour coudre, broder, filer, tout en conversant et en chantant des chansons de toile. Dans le jardin, auprès des enfants, des soubrettes racontaient des contes de fées. Les hommes revenaient tout juste de chasse. Mais deux d'entre eux et mon frère n'étaient toujours pas de retour. La plupart des hommes avaient rehaussé leurs vêtements avec des couleurs vives, mon père portait toujours les plus beaux. Ma mère connaissait fort bien l'art tinctorial qui donne des verts encore plus vifs que ceux du printemps après un jour de pluie. Il portait une encolure d'écureuil gris coupé d'hermine dont il était particulièrement fier. Tous étaient vêtus de leurs plus beaux atours. À part quelques soulèvements chez les paysans, nous avions jusque-là été plutôt épargnés. Mais la misère prépare des griffes qu'il n'est pas long de subir. «Du fait de leur paresse, les rustres et les campagnards trouvent le ban fort lourd», disait-on. J'avalais ce jugement. Je ne comprenais pas. Je ne connaissais ni leurs travaux ni leurs misères. Plusieurs étaient d'anciens esclaves casés sur des tenures et pouvant jouir d'une petite manse servile moyennant des redevances. Je les croyais bien traités et, avec mon père, je me moquais de leur fainéantise. C'est une dizaine de jours plus tard, après avoir fui de la maison, que j'ai compris, lorsque j'ai vu leur mansarde d'une seule pièce sur terre battue où de maigres volailles faisaient leurs fientes. Pas de chaise, pas de table, aucun meuble sauf l'unique coffre de planche dans lequel reposaient tous leurs effets. Ils portaient presque tous leurs vêtements sur leur dos : chausses de toile, souliers de liens, chemise et bliaud, robe, manteau et cape. Ils se levaient avant le soleil et après la prière s'en allaient travailler. À peine avaient-ils de quoi déjeuner, une tranche de mauvais pain assaisonné d'herbes suffisait pour l'heure de midi et ils prenaient une bouillie d'orge pour le souper. Un œuf parfois et un peu de viande le dimanche. De temps à autres, du petit gibier que les nobles dédaignaient de chasser. Ils se couchaient rompus passé le crépuscule. Voilà, c'était toute leur vie, comme une ride ouverte à la sueur, fendillée par la maladie, les deuils, la peur des diables et des mauvaises fées. Ils ne savaient rien de Dieu, rien du monde et craignaient tout : l'invisible encore plus que le visible. Mais cette misère longue et lourde qui les tenait si loin des apaisements et des consolations qu'un peu d'éducation leur aurait donnés, je ne la connaissais pas encore lorsque mon frère arriva sur son destrier en riant et en criant. Avec deux amis, ils avaient capturé un paysan et ses deux filles. Ils les traînèrent jusque dans la cour, et devant mon père en habit de bal, mon frère vociféra : «Ce sont eux. – Fort bien, répondit sèchement mon père, faites-en ce que vous voulez pourvu que je ne les revoie plus sur mes terres.» Ils les assommèrent sur-le-champ et les jetèrent sans autre cérémonie dans le feu sur lequel cuisaient déjà des sangliers. Une des jeunes filles ne perdit pas connaissance et sortit du brasier en criant, ils la rattrapèrent et, à coups de pied, la poussèrent une autre fois dans le feu. Elle en sortit horriblement meurtrie pour y être jetée à nouveau. C'était atroce. La scène m'est toujours restée en mémoire et encore aujourd'hui j'en fais des cauchemars. J'avais dix ans. Je me suis jeté dans les bras de ma mère. Je savais que je ne serais jamais chevalier. Dès que je pus, grâce à l'intervention de ma mère, j'entrai au couvent d'Erfurt alors que je n'avais pas encore tout à fait quinze ans. Tu vois, Suso, comme toi, j'ai eu une dispense achetée par ma famille, mais aujourd'hui j'ai terriblement peur du feu, pas celui de l'enfer, mais celui de la cruauté des hommes.

Des larmes coulaient doucement sur ses joues, mais il restait muet et avait peine à respirer. Je lui fis inhaler des vapeurs de camphre et d'eucalyptus. Nicolas intervint pour le rassurer :

– Gérard de Podahns nous supporte. Dès demain, un courrier partira pour Avignon. Que Virnebourg refuse ou accepte l'appel, nous obtiendrons audience auprès du cardinal Jacques Fournier. Dans le pire des cas, il sera demandé des ajustements de vocabulaire, jamais il ne peut être question…

Il n'osait le dire.

–… de bûcher, continua lui-même le père Eckhart. Nicolas, ne t'illusionne pas trop, nous n'avons encore rien vu. Personne n'est plus à l'abri. L'Église suit une trajectoire affolante. Elle fait rupture avec Constantinople et l'Orient, elle se coupe de la paysannerie ; elle n'enseigne plus, elle condamne ; elle ne restaure plus les pauvres, elle ajoute à leur fardeau ; elle ne retient plus le joug des seigneurs, elle y participe. Peut-être ne me brûleront-ils pas, mais ils en brûleront d'autres, des moines, des théologiens, des savants ; par centaines ils les réduiront en cendres. Un jour, je le crains, la population protestera, retirera sa fidélité à l'Église et il y aura beaucoup de sang, de révoltes et de répressions. Il est à redouter que l'Église, telle que nous la connaissons, s'effondre et abandonne l'homme à lui-même. C'est ce jour-là qu'il faudra déterrer les manuscrits qui n'auront pas été brûlés ; c'est peut-être pour ce jour-là

qu'ils auront été écrits. Parce que c'est dans ce vide que le
Verbe prend sans cesse appui et se relance plus loin et plus
haut. Il faut continuer, Suso, il faut continuer, Tauler, il
faut que Berthold continue, il faut que Katrei continue et
toi aussi, Conrad, même si tout cela est enterré pour des
siècles. Nos manuscrits émergeront du dedans même
des débris de l'Église agonisante, et c'est par eux que le
véritable christianisme renaîtra.

Il manquait de souffle, toussa, cracha un peu de sang et
continua :

– Il ne me brûleront pas parce que je brûle déjà par en
dedans et que ce feu m'emportera avant le leur. Ils n'ont
de pitié que pour eux-mêmes, ils préfèrent que je meure
tout bêtement de misère plutôt que d'assumer ma
condamnation.

Il se reposa un peu, prit quelques bonnes respirations
au-dessus du bol de camphre et d'eucalyptus que je venais
tout juste de réchauffer, se dégagea les poumons et
poursuivit :

– Tu te souviens qu'en décembre 1310, j'ai été élu provincial de Teutonia, mais que l'élection n'a pas été confirmée par le chapitre général de Naples. Au contraire, on
m'envoya pour la troisième fois à Paris où je devais
combattre les thèses franciscaines. Je me rappelle avoir traversé les campagnes françaises, puis la vallée de la Marne,
pour gagner étape par étape, de couvent en couvent, la
capitale de toutes les sciences. En traversant le Petit-Pont
qui me conduisait sur la rive gauche, domaine de
l'université, je pensais à la lumière du Verbe qui vient
jusqu'à nous. Je n'avais plus de doute, j'étais convaincu
que l'Église devait traverser l'épreuve de la philosophie,
l'épreuve de l'intelligence humaine et que, si elle ne le faisait pas, tôt ou tard elle serait abandonnée. Toute civilisation est émancipatrice de l'esprit. Il arrive donc forcément
un temps où une religion, quelle qu'elle soit, doit
répondre aux esprits éveillés et clairvoyants. Pour cela, il

faut se préparer, discuter, réfléchir dans un climat de rectitude, de rigueur et d'ouverture. Les Grecs ont finalement abandonné leur religion parce qu'elle n'était pas à la hauteur de leur philosophie; nous devons en tirer leçon, et rapidement. Aujourd'hui les musulmans nous renvoient Aristote à travers les commentaires percutants d'Averroès. Une certaine rationalité pointe de la cohue. Des esprits nouveaux ont soif, nous devons leur donner une eau autrement limpide. J'ai voulu m'y consacrer entièrement avec humilité et abnégation, comme Thomas d'Aquin l'a fait, mais en allant plus loin, au-delà d'Aristote, en tenant compte des derniers disciples de l'école d'Athènes que l'Église, par étroitesse d'esprit, a massacrés. On peut tuer les hommes, mais les idées demeurent. Quand je suis allé à Paris, la vague soulevée par l'interdit d'Étienne Tempier s'était beaucoup apaisée, le climat apparaissait plutôt serein. J'ai résidé au couvent des dominicains sur la rue Saint-Jacques. Il y régnait l'effervescence d'un groupe de chevaliers de la pensée qui se préparaient à la bataille, une joute franche qui permettrait à chacun de dépasser sa propre philosophie. Mais nous étions loin d'imaginer le terrible piège qui allait bientôt nous être tendu. Le 3 avril de la même année devait avoir lieu, dans nos murs, oui, dans un couvent dominicain, saint Dominique nous pardonne, le procès d'inquisition de Marguerite de Porète, la béguine de Hainaut qui avait écrit, en français, le très beau livre : *Le Mirouer des simples âmes anienties*. Le cas du *Mirouer* était au cœur du concile de Vienne. Guillaume de Paris était le grand inquisiteur de ce procès. J'ai discuté des heures avec lui. Il semblait m'écouter, mais lorsque j'assistai au lamentable procès qui se déroula devant mes yeux, tu ne peux savoir combien j'ai eu honte de l'Église! Ce n'était plus un combat d'hommes raisonnables, c'était la machination de fanatiques timorés qui craignaient l'intelligence humaine au point de se fermer à tout ce qui les dépassait. Marguerite de Porète fut brûlée, place de

Gênes, le 1er juin 1310, et sur le même bûcher tous les exemplaires du *Mirouer*. Le spectacle fut particulièrement horrible, mais pire encore était le scandale de cette flagrante injustice. Aucun homme, aucune femme raisonnable ne pouvait être d'accord avec cette manière de convaincre, c'était pour ainsi dire chasser la raison de l'Église. Et chasser la raison de l'Église, c'était la précipiter dans son propre vide. Lorsque l'Église ne sera plus qu'une autorité de fer et de feu, elle sera déjà morte même si tous les musulmans et tous les hérétiques s'y soumettaient par crainte ou par ambition. Soumission n'est pas foi. Un peu plus tard, le concile de Vienne condamna les huit erreurs des bégards et des béguines sur l'état de perfection. Il est vrai qu'elles allaient un peu loin dans l'idée d'abnégation et d'anéantissement d'elles-mêmes, mais c'étaient des femmes sincères et bien moins médiocres que la plupart d'entre nous. Il aurait suffi de discuter avec elles et, pourquoi pas, de les inviter à l'université. C'est ce dernier point surtout qui scandalisa Guillaume de Paris; il refusait, comme tout le monde, que les femmes puissent entrer à l'université à titre d'étudiantes. Mais pourquoi les hommes avaient-ils le droit de discuter du nominalisme d'Abélard et même de l'averroïsme modéré de Boèce de Dacie et de Siger de Brabant, alors qu'on offrait aux femmes des contrefaçons de procès et d'horribles exécutions?

Il respira à nouveau le médicament et continua :

– Katrei et Jutta me manquent beaucoup. Avez-vous eu des nouvelles d'elles? Sont-elles arrivées saines et sauves à Bruges?

– Nous n'avons pas reçu de message confirmant leur arrivée, répondit Tauler, mais il n'y a pas lieu de craindre; le sauf-conduit de Virnebourg était bien valide et Gauthier avait prévu une solide escorte.

Le Maître entra un moment en lui-même et se mit à sourire. Il semblait soudain si heureux qu'on le crut confus. Alors Suso lui demanda spontanément :

– À quoi pensez-vous, Maître?

– Si un roi riche ayant une fille très belle la donne en mariage au fils d'un homme pauvre, tous les membres de cette famille paysanne sont ennoblis, n'est-ce pas?

– Vous pensez au Fils de Dieu, reprit Suso.

– Bien entendu, continua le père Eckhart. Un maître dit : «De ce que Dieu s'est fait homme, tout le genre humain s'en trouve élevé.» Ce maître a bien parlé, mais j'en fais peu de cas. À quoi me servirait-il d'avoir un frère qui serait riche si je demeurais pauvre? À quoi me servirait-il d'avoir un frère sage si je demeurais fou?

– Et vous, que dites-vous? questionna Suso.

– Moi, je dis autre chose qui va plus loin : Dieu a assumé la nature humaine tout entière. La béatitude que le Fils, la lumière, nous a apportée était à nous. Là où le Père engendre sa lumière dans le fond le plus intime de notre âme, là notre nature se déploie. Cette nature est une et simple. Pour pouvoir subsister sans intermédiaire dans le dénuement de cette nature, il nous faut être sorti de notre égoïsme au point de vouloir autant de bien à celui qui est au-delà des mers qu'à nos amis. Car l'univers tout entier est notre affaire. En second lieu, il nous faut avoir un cœur pur. En troisième lieu il nous faut être dénué de néant.

– Que voulez-vous dire par «être dénué de néant»? interrogea Suso.

– Supposons que je prenne dans ma main un charbon ardent. Si j'accuse le charbon de me brûler la main, j'ai tort. C'est le néant qui me brûle. Le charbon a en lui quelque chose que ma main n'a pas. Si ma main avait en elle tout ce que le charbon est, elle aurait elle aussi la nature du feu et ne ressentirait pas de brûlure. De même, si j'avais la nature de Dieu qui n'a pas de néant, je ne pourrais jamais souffrir. Je souffrirais sans souffrir. Aussi véritablement que le Père engendre la lumière en lui-même, aussi véritablement il l'engendre au sein de notre âme. Ici le fond de Dieu est mon fond et mon fond est le fond de Dieu. Tant que tu opères tes œuvres pour le royaume des cieux, pour Dieu ou pour ta béatitude, donc, à proprement parler, du dehors, tu n'es pas vraiment droit. On pourra te supporter, mais le meilleur n'est pas là. Car vraiment, si tu te figures que par l'intériorité, le recueillement, la douceur, tu recevras davantage de Dieu qu'au coin du feu ou dans l'étable, c'est exactement comme si tu prenais Dieu, lui enveloppais la tête dans un manteau et le reléguais sous un banc. Car qui cherche Dieu sous un mode saisit le mode mais oublie Dieu qui est caché sous le mode.

– Mais pourquoi alors, père Eckhart, cherchez-vous la vérité et la sainteté ?

– Si vous demandiez mille ans durant à la vie : «Pourquoi vis-tu ?», elle ne dirait rien d'autre que : «Je vis parce que je vis.» La raison en est que la vie tire sa vie de son propre fond et jaillit de ce qui lui est propre : c'est pour cela qu'elle vit sans demander le pourquoi, parce qu'elle ne vit que d'elle-même. Maintenant, si l'on demandait à un homme véritable, quelqu'un qui opère de son propre fond : «Pourquoi vis-tu ? Pourquoi opères-tu tes œuvres ?», s'il voulait répondre droitement, il ne dirait rien d'autre que : «J'opère parce que j'opère.»

Le Maître s'endormit presque subitement, penché sur la table, la tête entre les bras. Le repas avait été servi et la cuisine s'apaisa doucement dans la tiédeur des dernières odeurs. À complies, je restai seul près de lui et m'endormis tranquillement, adossé sur le foyer de pierre.

Sous le dôme de l'immense cathédrale, Virnebourg resplendissait de magnificence; sa mitre rouge et argent défractait en tous sens les lumières que lui décochait l'immense vitrail du jugement de Dieu qui le surplombait. Pierre Estate, dans une soutane de laine chenue, irradiait une lumière si pure qu'on eût dit un soleil à son zénith. Sa main gauche s'élevait au ciel tandis que sa main droite pointait en direction de l'encoignure la plus sombre du chœur. Je m'approchai, car je voulais démasquer qui était ainsi condamné avec tant d'aplomb et de vigueur. Sous l'escalier, couvert de haillons crasseux et funestes, portant de lourdes chaînes aux mains et aux pieds, il y avait Eckhart. Il me regarda un instant, ses yeux n'avaient ni couleur ni vie ; il ressemblait à une statue d'albâtre. Cependant il tenait dans sa main droite une petite fleur blanche qui frémissait sous l'action d'une brise inconnue. Pierre Estate, du haut de la chaire, prononça avec la plus grande autorité :

– Cet homme a voulu, à son tour, offrir au monde la pomme de la connaissance et nous faire oublier que nous ne sommes pas Dieu. Il a allumé chez les hommes et même chez les femmes l'espoir vain d'une science unique du monde et de Dieu. Dans tout son orgueil, il a désappris que nous ne sommes qu'une poussière ténébreuse jusqu'au tréfonds de nous-mêmes. Vanité des vanités, nous ne sommes que le vent de notre cervelle. Quand donc l'homme comprendra-t-il qu'il ne peut rien dire du monde, sinon des mots, des allégories et des nombres ? Encore moins peut-il convoiter Dieu. Sans les Écritures et l'autorité de l'Église, la pensée ne peut que s'effondrer dans son propre vide. Certes, la raison peut améliorer notre sort sur la terre, fabriquer des outils, élargir nos zones de confort, mais toujours elle restera dans l'ignorance. Elle ne pourra jamais rien conclure ni de l'existence de Dieu, ni même de l'existence du monde. Homme, tu n'es rien que de la poussière d'étoile, la répercussion des gires et des culbutes des sphères célestes. Accepte ton sort, tais-toi et travaille.

Le peuple qui était là écoutait, béat, les dicta de Pierre Estate. C'était le peuple le plus débile que l'on pouvait imaginer, capable de croire que les atomes de Démocrite sont aptes à produire des vapeurs intellectuelles et de vaines pelures de conscience. Leur religion ne servait plus

que de maigres consolations rituelles déjà prêtes à s'éva-
nouir. Leur vie n'était plus qu'un jeu de société qui avalait
leur substance cérébrale et digérait leur émotivité exacerbée autant que futile. Ils étaient les esclaves d'eux-mêmes.
Le monde était devenu une machine à transformer l'effort
humain en plaisirs somnifères.

Deux gardes chassèrent, à coups de bâton, le Maître à
l'extérieur des lieux. Il fut attaché au poteau et des fagots
qu'on alluma furent jetés sur lui. Le pauvre homme
gémissait lamentablement. L'un des gardes me reconnut
et me demanda si j'étais son disciple. Je lui répondis que
non. «Je n'ai fait qu'obéir au Général de ma communauté,
lui répondis-je. – Non, il ment, s'écria une femme qui se
trouvait près de là. Je l'ai vu sympathiser avec lui au milieu
de belles et jeunes hérétiques.» Là-dessus, les gardes
m'empoignèrent et me jetèrent dans le feu.

Lorsque je me réveillai, le Maître n'était plus là à mes
côtés. J'étais seul, terriblement seul. Une trappe s'ouvrit
sous mes pieds, je tombai dans l'abîme, et toutes portes se
refermèrent sur moi avec grand fracas. La noirceur fut
immédiate et totale. J'étais abandonné et tombais dans l'infini. Je prenais conscience que j'allais sombrer ainsi indéfiniment dans l'abîme, que jamais, jamais je ne rencontrerais
ni un visage, ni une main, ni une chose, ni une poussière, ni
une limite. L'abîme seulement. Ma pensée elle-même se
disloquait : je n'arrivais plus à former une idée sur quoi que
ce soit; je n'arrivais plus à fixer un souvenir; pas une seule
image ne se formait, ni même la représentation qu'il n'y
aurait sans doute plus jamais d'image. Alors mon cœur se
vida de toute sa substance. Je ne ressentais plus rien, pas
même l'angoisse de ne plus rien ressentir. Je tentai de saisir
ma tête entre mes deux mains, mais il n'y avait rien à
saisir : mes jambes, impossible, mon tronc, anéanti lui
aussi, et puis je n'avais plus de main du tout : que du vide,
que du noir. Pas un son autre que la dernière résonance
des battants qui se fermèrent définitivement sur moi et

même cela disparut. Je ne savais plus rien, n'avais plus de prise sur rien, même pas sur le terrible néant qui me faisait ainsi disparaître dans sa digestion éternelle. J'aurais voulu sentir la mort qui guette chaque homme de la terre afin qu'elle repousse une petite boule de vie sur elle-même, qu'elle en fasse une pelote dans une poitrine, une masse qui bat, un rythme quelconque, juste cela, un corps qui pulse. Cela m'aurait paru le plus doux des présents, mais rien n'arrivait, pas même la peur du rien. Le fil du temps devint de plus en plus linéaire, sans le moindre frisson, sans la moindre enflure, mince, si mince qu'il se rompit. Quand il n'y eut plus rien, pas même le temps, et que toutes distances s'effondrèrent dans le même trou noir infiniment minuscule, dans la même inanité, j'entendis le silence qui sifflait une égalité absolue. Je ne saurais dire, mais le néant arrivait à se faire sentir comme une équanimité primordiale, l'ondulation infiniment subtile de l'éternité avant l'arrivée de l'Homme viateur. Il me restait l'impression étrange que le néant n'est pas rien mais qu'il est Tout : accueil du possible, tréfonds de la vie, substrat premier.

C'est alors que je me réveillai vraiment, en même temps que le Maître, au son d'un ustensile que les cuisiniers avaient laissé tomber dans leur hâte de préparer le déjeuner. En allant reconduire le père Eckhart à sa cellule, je lui racontai mon cauchemar. Il ne me répondit que par cette énigme :

— Il est si bon de suspendre un instant, même dans son sommeil, le jugement que l'on porte sur tout et sur chaque chose. Cela nous permet des rencontres étonnantes qu'il est impossible d'habiller de mots. Il suffit de les garder dans notre cœur et d'en couver le sentiment.

Cela ne m'éclairait en rien, je ne comprenais pas ce qui m'était arrivé. Ce rêve avait renouvelé en moi des angoisses et des doutes terribles, plus grands que ceux qu'avait soulevés Guglielmo. Alors je courus auprès de

Barnabé, le Général. Il était très préoccupé, n'avait que peu de temps à me consacrer. Mais j'étais si anxieux, je lui relatai précipitamment mon rêve, ma confusion extrême et ma détresse sans limite.

– Je crois, répondit sèchement le Général, qu'il te faut prendre tes distances. Des hommes comme toi n'ont pas le sens des nuances et des subtilités. Eckhart est allé trop loin, non pas tant par ce qu'il a dit, mais plutôt par rapport à ceux à qui il s'adresse. Il ne discrimine pas entre les enfants et les hommes. J'ai convoqué hier soir Berthold, Suso et Tauler, il faut rectifier la cible : prêcher aux débutants Thomas d'Aquin et réserver Eckhart à l'élite. C'était la décision du chapitre général auquel le père Eckhart ne s'est pas conformé. Il a continué à exagérer dans ses images et par l'étendue de son auditoire. Il a mis en péril le Studium, les béguinages et même le cœur des moines les plus simples tels que toi, Conrad. Tu risques de te retrouver coincé entre la pensée rationnelle d'Aristote et le cœur mystique de saint François d'Assise. Vois-tu, nous, les dominicains, nous cherchons à faire l'unité entre le cœur et la raison. C'est très bien, mais le grand risque, c'est d'aboutir à un cœur trop rationnel et une pensée trop intuitive, le risque c'est de se retrouver perdu entre les deux. L'avantage de Guillaume d'Ockham c'est qu'en séparant les deux, la raison peut vraiment être rationnelle, et le cœur vraiment se faire art et amour. Ockham sépare trop, Eckhart pas assez. Saint Augustin et Thomas d'Aquin sont arrivés à un meilleur équilibre. C'est pourquoi j'ai demandé aux élèves d'Eckhart de revenir à saint Thomas tout en intégrant le meilleur d'Eckhart. Mais toi, Conrad, tu es trop fragile et tu ne dois pas t'aventurer sur de telles sentes. Tiens-toi collé sur ce qu'il y a de plus simple : les commandements de Dieu, les commandements de l'Église et la règle des prémontrés telle que l'a voulue notre fondateur. Tiens-toi loin des femmes et discipline-toi chaque jour.

J'étais assommé. Je lui demandai ce que je devais faire.

– Tu accompagneras le père Eckhart jusqu'au bout, mais reste sur tes gardes. L'obéissance te secourra comme elle l'a toujours fait. Veille à ce que le père Eckhart soit reconduit dans sa cellule et à ce qu'il y reste tel que prévu. Demain il ira à l'église des Prêcheurs et présentera, devant la population, ses excuses.

Après ces mots, plus jamais je n'ai retrouvé la sérénité. Pour la première fois, l'autorité du Général ne réussit pas à refermer complètement la porte qu'avait entrouverte Eckhart. Par contre, cette porte restait figée à un angle d'ouverture singulièrement cruel : assez large pour ouïr l'invitation de la ténèbre et pas assez pour y pénétrer véritablement. Les mots du Général avaient congédié la paix que m'avaient communiquée les dernières paroles de Katrei, mais ils avaient aussi balayé la sécurité que me procurait l'obéissance. Quelque chose était mort en moi. Tel un chevalier figé dans son armure, j'allais au combat à la manière d'une machine mue par la parole d'un général. À peine me restait-il suffisamment de substance pensante pour me demander si c'était là obéissance ou abdication !

L'église était pleine à craquer. Il avait neigé toute la nuit mais, au matin, la lumière avait quelque chose de diaphane et de surnaturel. Les rayons qui pénétraient par les vitraux monochromes donnaient à la pierre qui suintait une brillance particulière. Il faisait froid, très froid. Les vapeurs qui sortaient de nos bouches se maillaient aux encens purificateurs pour former une sorte de brume rosée de laquelle surgissaient l'autel, la tribune que l'on avait préparée pour la confession du Maître et la chaire d'où le Général allait prêcher. Virnebourg et les commissaires de l'Inquisition, à l'exception de Reinher Friso, étaient là sur des trônes rouges que l'on avait fait venir de l'archevêché.

L'Inquisition

Après avoir demandé pitié pour nos fautes, Barnabé de Cagnoli monta en chaire pour haranguer ainsi la foule :

– Paul, notre père à tous, le premier prêcheur et le plus parfait, a écrit un jour, et c'est parole de Dieu : «Christ notre Seigneur, par qui nous avons reçu la grâce et l'apostolat, pour amener en son nom à l'obéissance de la foi tous les païens...» Le fondement de la foi, c'est l'obéissance. C'est la désobéissance d'Adam qui nous a perdus, c'est l'obéissance du Christ qui nous a sauvés. En tant qu'homme, le Christ ne pouvait pas comprendre pourquoi son Père l'envoyait dans le monde afin de mourir sur la croix pour nous sauver. Cet amour échappe toujours à la raison humaine. C'est folie du point de vue des philosophes. Mais le Christ a été assez sage pour abandonner sa sagesse humaine et s'en tenir à l'obéissance à Dieu. C'est pourquoi saint Paul affirme haut et fort : «Ainsi donc, comme par une seule offense, celle d'Adam, la condamnation a atteint tous les hommes, de même, par un seul acte de justice, la justification qui donne la vie s'étend à tous les hommes. Car, comme par la désobéissance d'un seul homme, beaucoup ont été rendus pécheurs, de même, par l'obéissance d'un seul, beaucoup seront rendus justes.» Il déclare un peu plus loin : «Ne savez-vous pas qu'en vous livrant à quelqu'un comme esclaves pour lui obéir, vous êtes esclaves de celui à qui vous obéissez, soit du péché qui conduit à la mort, soit de l'obéissance qui conduit à la justice? Mais grâce soit rendue à Dieu de ce que, après avoir été esclaves du péché, vous avez obéi de tout cœur à la règle de la doctrine dans laquelle vous avez été instruits.» L'homme n'a pas le choix de l'obéissance, soit qu'il obéisse au péché, soit qu'il obéisse à la doctrine de l'Église. Il n'y a pas un sentier pour chacun, il n'y a qu'une seule route, et elle est étroite; une seule, et c'est l'obéissance. Elle est étroite parce qu'il y a une infinité de manières de faire le mal, mais une seule de faire le bien. Ne faites pas le mal et forcément vous êtes dans le bien, obéissez et vous aurez le paradis en échange. Ne vous aventurez pas sur des voies subtiles par des raisonnements compliqués. Tenez-vous-en à l'essentiel : «Car, dit encore saint Paul, les armes avec lesquelles nous combattons ne sont pas charnelles; mais elles sont puissantes, par la vertu de Dieu, pour renverser des forteresses. Nous renversons les raisonnements et toute hauteur qui s'élève contre la connaissance de Dieu, et nous amenons toute pensée captive à l'obéissance de Christ. Nous sommes prêts aussi à punir toute désobéissance, lorsque votre obéissance sera complète.» Le père Eckhart n'a pas voulu vous tromper, mais les temps sont troubles. Les Maures ne se sont pas contentés de nous chasser de Jérusalem, ils se sont insinués chez nous par leurs manuscrits subtils et difficiles à combattre. Le père Eckhart s'est fait prendre malgré sa bonne foi, et vient se rectifier ici publiquement afin que tous sachent qu'il n'est pas hérétique, même s'il s'est trompé en plusieurs endroits. Il nous faut maintenant lui faire miséricorde. Paul nous l'a dit : «De même que vous avez autrefois désobéi à Dieu et que par votre désobéissance vous avez maintenant obtenu miséricorde, de même ils ont maintenant désobéi, afin que, par la miséricorde qui vous a été faite, ils obtiennent aussi miséricorde. Car Dieu a renfermé tous les hommes dans la désobéissance, pour faire miséricorde à tous.» C'est pourquoi le père Eckhart est venu demander pitié et miséricorde à l'archevêque.

Le Maître s'avança péniblement jusqu'à la tribune. Il était brisé de corps et d'esprit. Je lus pour lui en latin d'abord et en allemand ensuite le texte de rétractation et d'adhésion à l'orthodoxie que le Général avait préparé pour lui et que deux prieurs avaient signé à sa place.

— Devant l'archevêque et les commissaires ici présents, moi, Johannes Eckhart, dominicain et maître en théologie, j'ai erré sur bien des points et enseigné des erreurs que je regrette amèrement. Il n'est pas vrai que nous pouvons en ce monde connaître Dieu, il n'est pas vrai que mon petit doigt a tout créé, il n'est pas vrai que nous sommes sur terre tous égaux, il n'est pas vrai qu'il y a dans l'homme quelque chose d'incréé et d'incréable, il n'est pas vrai que le monde existe de toute éternité, il n'est pas bon pour les femmes de se retrouver dans des béguinages. J'ai dit bien d'autres choses tout aussi fausses et m'en repens. Je demande la miséricorde pour mes fautes et me soumets à tout ce que l'Église me dictera de faire, de penser ou de croire.

Le Maître voulut parler, mais il regarda simplement la foule. Il ouvrit la bouche, la referma aussitôt. Il versa une larme que tous crurent signe de repentance. Après la messe, accompagnés de quelques moines, nous nous rendîmes, Eckhart et moi, jusqu'à la résidence de Maître Reinher Friso. L'homme se présenta à sa fenêtre et je lui lus le même texte et le Maître se tut de la même façon.

Durant la semaine qui suivit, je n'adressai pas la parole au Maître et le Maître ne m'adressa pas la parole. Il était totalement enfermé en lui-même. À plusieurs reprises je le crus mort, mais si je le secouais et lui ouvrais une paupière, il se réveillait d'une sorte de léthargie dans laquelle il sombrait à nouveau dès que je m'éloignais. Je ne me laissais pas toucher par ses souffrances. J'espérais seulement qu'elles lui épargneraient quelques-unes des nombreuses années de purgatoire qu'il s'était préparées. Moi-même, j'acceptais le froid que je partageais avec lui, serrant mon cilice et me donnant la discipline à grands coups afin que Dieu me pardonne d'avoir cru un moment aux folles espérances de cet homme perdu. Je luttais de toutes mes forces contre les souvenirs de Katrei que je voyais, malgré tous mes efforts, nue et sensuelle. À force de jeûne et de veille, de fouet et de scarole, je réussis à me libérer des élans de concupiscence qui cherchaient à m'emporter dans leurs enfers.

Un courrier arriva de l'archevêché avec deux ordonnances officielles de la sainte Inquisition. La première mettait en cause Nicolas de Strasbourg accusé de complicité. Non seulement l'archevêque n'avait pas consenti à sévir contre Herman de Summo et Guillaume de Nidecke comme le réclamait le mandat signé par Avignon, mais voilà qu'il se retournait contre le visiteur du pape lui-même. L'autre ordonnance concernait le père Eckhart. On rejetait son appel comme frivole et non avenu, et on récusait sa confession comme superficielle et factice. On avait retiré certaines des phrases mises en cause dans la première comparution, et on en avait ajouté d'autres tout à fait nouvelles et de pires conséquences.

Un moment, je repensai aux avertissements de Guglielmo : «S'ils voient que le peuple ne soutient plus le Maître, ils l'achèveront purement et simplement. Je vous en prie, évitez qu'il soit humilié en public.» Mais je me ravisai. L'Église ne pouvait descendre aussi bas!

CHAPITRE VII

La dernière marche

Gérald de Podahns, vice-procureur général des Dominicains, accompagné de Nicolas de Strasbourg, visiteur du pape, repartit pour Avignon avec ordre du général Barnabé de Cagnoli d'obtenir que soit entendu Maître Eckhart, ou son procureur, au sujet de l'accusation que l'archevêque Henry II de Virnebourg maintenait malgré tout bon sens et sans tenir compte des rétractations et soumissions publiques du maître dominicain aux autorités de l'Église. Le cardinal Fournier, censeur principal dans la cause de Guillaume d'Ockham, celui que l'on voyait comme successeur de Jean XXII, devait entendre le Maître et rendre jugement. Mais il était aisé de deviner que le Général ne faisait plus confiance au Maître pour se défendre, non qu'il doutât de sa foi, mais il craignait l'échauffement de ses paroles et l'emballement de son esprit. On eût dit qu'il espérait que la mort naturelle l'emportât avant l'audience, de sorte que Gérald de Podahns puisse le représenter avec toute la soumission et le flegmatisme nécessaires à l'entreprise. La mort en effet hantait le vieillard qui souffrait grandement du froid et de la faim depuis le début de l'hiver.

Vis-à-vis du Général, j'accomplissais mon devoir du mieux que je pouvais : je notais les paroles et les gestes du

Maître tout en gardant mes distances. Vis-à-vis de moi-même, je m'affairais à réviser chaque leçon du Maître afin de ne conserver que les notions les plus sûres, et de rejeter ce qui pouvait résulter d'un trop grand enthousiasme, d'un engagement excessif du cœur. Je me souviens entre autres de cette réflexion que je me faisais : le Maître accorde beaucoup trop d'importance à la cohérence : ce n'est pas parce que la Trinité est fondée sur l'égalité qu'il faut en déduire que tous les hommes sont égaux spirituellement, y compris les femmes ; ce n'est pas parce que l'univers est «un» qu'il faut conclure que le mal n'est que de l'absence, le péché, qu'une dérive temporaire et l'enfer, que de l'inexistence ; ce n'est pas parce que Dieu est bonté que l'univers est débordement perpétuel de joie ; ce n'est pas parce qu'il est intelligent que tout dans ce monde est bon ; ce n'est pas parce qu'il est vérité que toute pureté mène à la connaissance. Le Maître ne regardait qu'un côté des choses. Il refusait de voir que le péché avait tout déformé, qu'il avait évacué toute cohérence de ce monde, et que c'était pour cela que la philosophie ne pouvait comprendre que le monde idéal et non le monde après la chute, que le divin et non l'humain, que ce qui devrait être et non ce qui est et devient. Il avait travaillé au développement d'un nouvel ordre social qu'il aurait voulu plus égalitaire et plus serein, fondé uniquement sur le pouvoir de conviction et non sur l'autorité de la force, sur la sainteté qu'il disait «naturelle» chez les hommes et sans tenir compte des penchants qu'il fallait mater ou briser. Ce n'est pas tant ce qu'il disait qu'il fallait filtrer, mais ce qu'il ne disait pas ou refusait de dire, sur les sacrements, l'autorité, le rachat des péchés, la tache originelle, la virginité de Marie, etc. De plus, il avait travaillé à ouvrir une brèche dans l'ordre social en encourageant les béguinages, lieu où l'autorité de l'intériorité pouvait suppléer à l'autorité des hommes. En toute chose il allait trop loin. Il jetait les perles aux pourceaux, il ouvrait les mystères de la communion spirituelle à la populace et aux femmes.

Cependant, c'était aussi un homme d'obéissance et de soumission, et à ce titre il m'avait surpris, édifié même. C'était au pire du froid et de la faim, un de ces jours où l'hiver mord jusqu'à la moelle des os, où l'on vendrait son âme pour un bol de lait chaud, où la morosité et la lassitude s'ajoutaient aux souffrances du corps pour affaiblir non seulement la volonté, mais l'esprit et la mémoire. La mort épiait le Maître qui se tenait assis ou blotti sur sa paillasse. Il la défiait néanmoins car il n'avait pas renoncé; il voulait parler à Avignon, convaincre le pape, corriger l'Église, sauver les béguinages, sauver l'œuvre intellectuelle du Studium, sauver la réputation des dominicains. Alors il combattait jour après jour une mort qu'il lui aurait été facile d'absorber, aussi facile que l'on prend une coupe de vin et puis deux, trois... jusqu'à l'ivresse, l'évanescence, l'indétermination, la quiétude d'une ténèbre qui a perdu ses crocs, qui cesse de nous faire peur et qui nous endort finalement sur sa poitrine molle et tiède. John avait demandé de rencontrer le Maître, seul. Le Général avait acquiescé, mais en secret il m'avait soufflé à l'oreille de rester près de la porte et de noter. Ce que je fis. Après s'être brièvement informé de sa santé, John joua cartes sur table :

– J'ai un message de Michel de Césène et de Guillaume d'Ockham, qui sont présentement à Pise sous la protection de Louis de Bavière. Ils sont au courant de vos déboires avec l'Église. Malgré vos divergences de vues, ils ont grande considération pour votre œuvre et vous demandent d'examiner leur proposition.

– Et quelle est leur proposition? demanda le Maître.

– Il est évident que l'Église fait fausse route en voulant s'accaparer le trône de César et assujettir le civil au religieux. Sous la protection du futur empereur, Guillaume d'Ockham et Michel de Césène s'engagent avec une détermination sans limites dans la lutte contre la papauté. Comme Dante et Marsile de Padoue, ils rejettent toute dépendance mutuelle entre l'ordre temporel et l'ordre spirituel. Leur critique de la théocratie implique même une décléricalisation, non seulement de la politique, mais aussi du monde et de l'Église. Ils ouvrent une nouvelle dynamique, ils renoncent aux préoccupations purement spéculatives et lancent un appel vibrant aux intellectuels, les exhortant à combattre la puissance des papes, sinon, ils ne sont que des chiens craintifs et muets refusant d'aboyer et d'avertir que le loup rôde dans la bergerie. Je vais les rejoindre et voudrais vous amener avec moi. J'ai la conviction que votre pensée est favorable aux intentions d'Ockham. Vous ramenez l'autorité dans le château fort de l'âme, et l'obéissance au tréfonds de la conscience; les chrétiens que vous avez dans l'esprit n'ont donc pas besoin d'une Église d'autorité mais simplement d'une Église d'inspiration; ils n'ont pas besoin d'un ordre prédéfini, mais d'une ambiance spirituelle et intellectuelle... Toute l'Allemagne vous aime et vous suivra, les femmes surtout et par elles les générations futures...

– Je crois que vous en avez assez dit, John, intervint Maître Eckhart. Le seul argument susceptible de m'influencer, c'est qu'à Pise il fait plus chaud qu'à Cologne et que le printemps y arrive plus tôt. Pour le reste vous oubliez le point le plus fondamental : l'Église c'est l'histoire de la sainteté et non l'histoire de la politique. Il ne s'agit pas de construire quelque chose, John, mais de faire fleurir les arbres. Il faut engraisser le sol et lui donner de l'eau, il faut mettre le levain dans la pâte, il faut souffler sur les champs et même sur les mers, alors ne me parlez pas de pierre et de mortier, d'organisation et de structure, ces choses qui se perdent dans le temps. Si pour réduire la folie des empereurs, il peut être utile de diviser les empires, ils seront divisés de toute façon. Mais si pour diviser la folie, vous disjoignez la science, la connaissance et la sagesse, alors vous ouvrez une porte à une folie plus grande encore. Il est possible qu'Ockham ait plus de succès que moi dans les prochains siècles, mais s'il a ce succès, il viendra un jour où tout sera si divisé que le cœur des hommes n'aura plus ni foi, ni confiance, ni espoir. On exaltera les arts les plus désespérés, les philosophies les plus absurdes, les sciences les plus destructrices. Chaque moi deviendra un petit château avec son seigneur cupide et sans pardon; il n'y aura plus de cité, que des foires; il n'y aura plus d'Église, que des sectes; il n'y aura plus de philosophie, que des théories; il n'y aura plus de science, que des équations; il n'y aura plus d'amour, que des intérêts. Lorsque cette folie fera souffrir jusqu'au suicide, il est probable que l'on en revienne à l'unité et que l'on se demande où en était le Studium de Cologne lorsqu'il fut abandonné par l'Église et par l'État. John, il faut apporter de la lumière et non tenter de déplacer les choses vers la lumière. Il pourrait bien faire l'affaire de l'Église et de l'État de se diviser le pouvoir et ainsi d'agrandir leur dictature sur les hommes, mais alors comment arrêter la chute et éviter que chaque homme ne devienne son propre despote et celui des autres? À quoi sert de diviser le mal? Si cela en réduit l'ampleur pour un temps, cela en multiplie la graine, et il vient un temps où tout le champ est contaminé. Non, deux empereurs en amèneront mille et mille, dix mille, ainsi de suite jusqu'au pire despotisme : celui du citoyen parfaitement égoïste et se justifiant de l'être. John, crois-moi, mieux vaut libérer le bien que de tenter de disloquer le mal... Mais je t'accorde qu'à Pise c'est déjà le printemps et que les premiers rayons seraient très doux.

Ce sur quoi il se mit à rire, puis à tousser si fort que John dut davantage user de médecine que de sophisme... On ne revit plus John. Il dut quitter secrètement Cologne. Le reste de l'hiver fut tout aussi terrible. Chaque matin, lorsque j'allais réveiller le Maître et lui porter sa bouillie d'avoine, je craignais de le retrouver mort. Mais chaque

271

fois, il se retournait, me souriait, me saluait et puis mangeait tout ce que je lui donnais. Vraiment, c'était un homme bon, généreux, patient et courageux. Je me disais qu'avec un peu plus de sagesse, un peu plus de modération dans les idées et dans le verbe, il aurait fait un grand saint. Mais rien n'est plus difficile à maîtriser que le tempérament et, lorsque le feu du cœur entre dans l'enceinte de la raison, inévitablement, il pousse à l'immodération et à la superfluité des émotions.

Il avait bonne intention, il voulait introduire, injecter la conversion de la lumière dans chaque homme. Il voulait mener chaque homme et chaque femme par son prêche et son verbe à l'avènement de la pensée dans l'écoute attentive du Verbe intérieur qui le transit. Il s'agissait de laisser éclore ou naître le Verbe lui-même dans l'âme de ceux qui prient en esprit et en vérité. Il visait à instruire l'homme à l'auscultation intérieure du Verbe. Il voulait fonder un nouveau rapport à la parole qui, dans l'espace sonore d'un sermon vibrant, intime le mystère secret de la naissance du Logos dans l'âme. Il cherchait à donner tout son sens à la vocation de prêcheur : prêcher c'est parler au sujet de la Parole, laisser sourdre la Parole de l'espace ouvert par la prière, laisser jaillir la Parole entre les mots du sermon, faire vibrer la Parole dans l'enceinte d'amour que constitue une chapelle, une église, une paroisse. «Nous devons faire la diction du Verbe, le faire entendre partout où nous allons, disait-il. Nous devons ouvrir le temps à l'audition de Dieu.» Mais il y avait un risque. Il n'est pas facile d'isoler les passions du cœur et de s'en tenir à l'équilibre des choses. Certes, les deux dénonciateurs ont tiré avantage de simples ambiguïtés dans les mots ou ont impunément découpé des phrases de manière à les rendre absurdes ou choquantes, les énoncés étant normalement examinés *prout sonnant* pour ce qu'ils donnent à entendre, abstraction faite de leur contexte. Cela étant dit, plusieurs formulations sont inutilement déroutantes, excessives ou

paradoxales. Il s'efforce de privilégier le rare et le nouveau
et refuse de répéter le sûr et l'indubitable. Il croit que la
créativité éveille l'âme alors que la répétition l'endort. De
cette façon il s'est trahi lui-même et il est probablement
son pire ennemi devant le tribunal. Barnabé a certainement raison, et j'ai grand plaisir à lui obéir, il faut sauver
Eckhart de lui-même, sauver son œuvre des passions et
des flammes d'Eckhart. Il ne faut pas lui en vouloir, tout
homme possède ses propres déséquilibres. Il est rare que
l'on arrive à l'égalité du cœur, seuls les saints y parviennent. Eckhart n'y est pas arrivé. Cela ne jette pas toute son
œuvre par terre, mais cela exige cependant une critique
rectificative. Il appartiendra à ses successeurs d'aller mieux
que lui là où il voulait lui-même aller. C'est à cela que se
préparent Suso, Tauler et Berthold. Pour moi, le Général
me le déconseille parce que : «Je n'en ai pas l'intelligence»,
dit-il.

Barnabé de Cagnoli est vraiment un homme réfléchi et
modéré, à qui l'on peut se fier. Il tient l'ordre bien ancré
dans les mœurs du temps, ancré avec certitude dans l'orthodoxie sans abandonner l'espoir de saint Augustin :
rendre raisonnable tout ce qui l'est, et accepter d'aller au-
delà de la raison naturelle lorsque nécessaire. Barnabé sait
que ce travail sera long, très long et qu'il faut éviter que les
gens ordinaires, les femmes et les sans-instruction ne
soient troublés par ces débats qui doivent se faire en
cercles clos par des hommes forts et érudits. Il n'avait
donc pas le choix d'isoler le Maître et de me prévenir quo-
tidiennement contre ses enflures de pensée, d'autant plus
que son âge affectait de plus en plus ses facultés. Évidemment, il y avait le froid et la faim qu'on lui imposait mais :
«La pénitence, disait Barnabé, assagit et aplanit ce qui est
excessif.»

Par bonheur, le printemps arriva particulièrement tôt,
se mit à réchauffer les pierres, à sécher les suintements, à
verdir les légumes, à vivifier l'eau. Le soleil faisait revivre le

Maître en même temps que les arbres et l'herbe des champs. Le regain de viridité des plantes en décoction que je lui donnais, les premiers légumes, le soleil surtout ressuscitèrent peu à peu le vieillard qui voulait de nouveau combattre. On lui donna la permission d'aller au jardin, il y passait presque toutes ses journées.

Il avait changé, il ne parlait presque jamais. Il était si tranquille que les écureuils montaient sur lui et mangeaient les petites graines de pain qu'il laissait tomber sur sa soutane. Il pouvait regarder une fleur des heures durant, suivre des yeux un petit oiseau, sourire en regardant les nuages culbuter les uns sur les autres au-dessus de sa tête. L'épreuve de l'hiver, ajoutée à l'âge, l'avait sans doute rendu quelque peu sénile. L'affaissement de sa mémoire contribuait probablement aussi à mousser en lui cette forme d'ivresse perpétuelle que l'on retrouve parfois chez les simples d'esprit. Il avait régressé à l'extrême, me semblait-il, et se comportait de plus en plus comme un paysan. Il se mit à marcher, à désherber, sarcler dans le jardin, à rire de bon cœur avec les convers et les jardiniers à gages. Je le surpris même à chanter des chansons de toile, de celles que les femmes chantent aux petits enfants.

Un matin, il m'attrapa par la manche et me montra un buisson de roses dans une niche de broussaille :

– Vois combien divine se fait la lumière! me dit-il.

Je ne voyais pas comment une plante pouvait être sans péché ni faire preuve de vertu, alors je ne savais pas comment lui répondre. Il le vit bien et voulut m'expliquer :

– D'un seul rayon toute cette splendeur! Toutes les couleurs y sont, et le parfum, et les guêpes qui en prennent le nectar; on dirait que la divinité fuse de partout, qu'elle rayonne et flambe, qu'elle pénètre et imprègne, qu'elle enveloppe et réjouit, qu'elle chante et pleure de joie, qu'elle vient à notre rencontre, qu'elle nous caresse comme une maman, nous touche, nous frôle, nous enlace, nous emporte, nous aspire finalement dans son étreinte qui ne laisse rien d'inerte, ni du corps, ni du cœur, ni de l'âme, ni de l'esprit.

Il montra le ciel du doigt en faisant des cercles de plus en plus grands jusqu'à tituber en tournant sur lui-même et continua :

– Ne vois-tu pas que nous sommes ici chez nous dans le palais de Dieu, dans sa bienveillance, dans son amour, dans sa joie, dans son enthousiasme, dans son allégresse, dans sa simplicité, sa pureté, sa transparence ; ne vois-tu pas que nous appartenons à ses jeux, à ses plaisirs, à ses sentiments, à ses amours ! L'univers est notre maison, il est traversé de Dieu. À travers lui, Dieu arrive en nous, nous régale, nous restaure, nous rassasie ; il nous arrose de ses flux les plus doux ; il émerge de nous par tous nos désirs, nos inclinations, nos soifs, nos faims, nos combats, nos victoires, nos désespoirs. Ne vois-tu pas que Dieu aime arriver à toi par moi et à moi par toi, qu'il aime se cacher et être trouvé ? Tu vois le ciel, tu vois la terre, c'est ici chez nous, Conrad, nous sommes dans notre maison ; en dessous de la lune, au-dessus d'elle, nous serons éternellement à rejaillir quelque part dans cette demeure de Dieu, toujours un peu plus comblés de sa présence ineffable et vivifiante. Cela me suffit, Conrad, cela me suffit ; je ne veux plus rien savoir d'autre parce que rien d'autre n'est un savoir ou une connaissance. La vraie sagesse c'est que cela nous suffit. Le comprends-tu ? Tout le reste embrouille et perd. Notre intelligence se réjouit dans l'intelligence de Dieu, voilà la vérité, en fait, voilà notre dialogue avec la vérité.

– Mais le péché, Maître, la souffrance, les canons de l'Église, l'inclinaison au mal, le drame humain, les malheurs de ce monde…

– Pourquoi me parles-tu du néant qui s'en va alors que moi, je te parle du divin qui s'en vient ? Ne détache pas une section du temps de la trame de l'éternité, une portion de l'espace du tissu divin, ne déchire pas le vêtement, que Dieu a fait d'une seule pièce, pour en faire des guenilles ou des haillons. La vision des bienheureux c'est la vision de l'Être dans son entier et dans son mouvement, et non la vision d'un bœuf de labour qui trace son sillon penché sur la terre et va sans rien percevoir du paysage qui l'enveloppe et le nourrit.

Je haussai les épaules. Que peut-on dire à un vieillard égaré ?

Aucun cheval, ni mule, ni charrette ne furent mis à notre disposition. Nous devions affronter seuls, le Maître et moi, tous les risques du voyage. Je partis comme on part en pèlerinage, plein de péchés à faire pardonner, d'indulgences à obtenir, en disant adieu à tous mes frères, car le pèlerin ne sait jamais à quelle cathédrale ses pas le conduisent, à celle de la terre ou à celle de l'au-delà. Il sait seulement qu'il marche et qu'il marchera tant qu'il aura péché. Le péché fait la distance et donc fabrique l'espace que le pèlerin tente de défaire en revenant au centre, à la grande Cathédrale, la Cathédrale des cathédrales.

En chemin, un commerçant, barbe blanche et dos voûté, reconnut le père Eckhart et le salua comme on salue le plus grand des amis. Il nous prit sur sa péniche qui revenait à Strasbourg. Le couvent de Strasbourg nous étant fermé depuis que le prieur avait succombé à ses blessures suite à la révolte des moines antiéckhartiens, le commerçant qui s'appelait Guibert nous accueillit chez lui. Il nous proposa de continuer le voyage en compagnie de son aîné qui devait escorter sa sœur, Ida, donnée en mariage à un vigneron de Chalon. Le Maître accepta derechef sans me consulter d'aucune façon.

La route qui nous amenait jusqu'au Rhône était réputée dangereuse, mais Gislebert, le frère d'Ida, était valeureux en armes, possédait belle épée et savait s'en servir. Les mauvaises langues de Strasbourg disaient même qu'il aimait se battre. Nous étions équipés d'un solide haquet tiré par deux bons chevaux. Sauf Ida, nous n'avions de bagage que ce qui nous était nécessaire pour le voyage. Quant à Ida, elle était promise, dot payée en contrat d'achat des vins de Bertolf, le vigneron. L'affaire était bonne pour les deux familles. La famille de Guibert s'assurait d'un apprivoisement prioritaire en qualité supérieure, et Bertolf n'aurait plus à se tracasser de l'écoulement de ses vins en Allemagne, jusque dans les basses terres et plus loin puisque Guibert transigeait sur tout le Rhin et par le Rhin jusqu'en Angleterre.

Il approchait midi et nous descendîmes de la charrette pour prendre le pain et laisser les chevaux à une touffe d'herbe bien grasse qui se trouvait près d'un ruisseau. La pucelle ne voulut rien manger et, à travers son voile, tentait d'étouffer ses pleurs. Le Maître s'approcha d'elle pour lui parler, mais elle se releva d'un coup et s'enfuit dans les bois. Gislebert ne broncha pas, convaincu qu'elle reviendrait d'elle-même mais, elle ne revint pas. Le Maître partit à sa recherche le premier, Gislebert le suivit. Quant à moi, je surveillais les chevaux. Le soleil avançait et ils ne revenaient toujours pas. M'inquiétant, je les appelai à voix forte. C'est là que je dus ameuter les brigands. Toujours est-il que je me suis réveillé dans les bras du Maître qui m'épongeait le front avec de l'eau froide. Ils étaient tous les trois revenus, mais le haquet et les chevaux avaient disparu. Gislebert rugissait contre sa sœur. Il prit une branche verte et bien noueuse pour la fouetter comme il se devait, mais le Maître intervint. Gislebert n'eut pas grand effort à faire pour le contourner, d'autant plus que je l'encourageais à ne pas tenir compte du Maître et à frapper fort. Elle nous avait coûté deux chevaux, une voiture, nos effets et mis dans un sérieux embarras qui pouvait nous coûter la vie. On ne pouvait donner à un homme une fille aussi sotte et si mal dressée. Mais le Maître ne voulut pas céder. Il alla jusqu'à bousculer Gislebert, qui ne voulait évidemment pas frapper le vieillard. Dans l'empoignade, le voile de la jeune fille fut arraché et sa robe déchirée jusqu'à la ceinture. Je vis alors combien juvénile était la promise. Elle n'avait sans doute pas plus de douze ou treize ans. Il était encore temps de la redresser. Cependant elle n'était pas facile et, comme une chatte enragée, profita de la protection momentanée du Maître pour griffer son frère au visage et lui tirer les cheveux de toutes ses forces. Gislebert la frappa avec assez d'énergie pour la calmer sans toutefois la blesser au visage; ce qui aurait pu contrarier le futur époux. Il fallait l'en féliciter, mais le Maître ne l'entendait pas de la même façon.

– Mon ami, s'exclama-t-il, je te trouve bien dur pour ta sœur et bien faible pour toi-même. Comment un homme valeureux peut-il en venir à frapper une aussi jeune fille?

– Mais, père Eckhart, je…, eut-il à peine le temps de répondre.

– Ce n'est pas à coups de fouet que tu vas comprendre ta sœur et connaître ce qui l'inquiète.

– Mais de quoi parlez-vous? Il n'y a rien à comprendre, répliqua-t-il en haussant les épaules.

– Nous ne savons rien de cette jeune fille, alors que pouvons-nous faire pour l'aider?

– L'aider! reprit Gislebert, mais nous n'avons plus de charrette ni de chevaux, on ne peut pas la transporter sur notre dos jusqu'à Chalon.

– Je ne te parle pas de l'aider à marcher sur cette route qui l'éloigne d'elle-même, je te parle de l'aider à avancer sur un chemin qui la rapprocherait d'elle-même.

Gislebert resta interloqué et la jeune fille réajusta sa robe, reprit sa mante et s'approcha du Maître qui l'entoura de ses bras.

· – Marchez devant, vous deux, enjoignit le Maître. Je reste derrière avec elle pour entendre sa confession.

Ils marchèrent à l'écart tout le reste de l'après-midi. S'il l'a confessée, ce fut rapide et la pénitence légère, car au bout d'une heure à peine, ils bavardaient et riaient comme deux enfants. Nous arrivâmes avant la nuit à une petite auberge fort tranquille où nous pûmes nous restaurer et où nous comptions passer la nuit. La soirée était douce et les aubergistes accueillants. Après le repas, le Maître qui avait bu d'un trait les deux coupes de vin qu'on lui avait servies, sans préambule lança la question :

– Savez-vous ce qu'est le mariage?

Personne n'osait répondre.

– Alors, si vous ne le savez pas, pourquoi donc amener cette enfant à Chalon?

Gislebert serrait les poings mais n'osait répliquer.

– Et toi, mon enfant, sais-tu au moins à quoi tu t'engages?

Elle voulut ouvrir la bouche, mais son frère lui jeta un regard cinglant qui la paralysa net.

– Donc tu ne sais pas, toi non plus, ce que tu vas faire à Chalon. Il est alors grand temps de t'instruire, ma fille, vu que tu es en devoir de te prononcer sur la proposition de ton père.

Gislebert commanda une cervoise et la but d'un trait en regardant ailleurs.

– Si je comprends bien ton frère, il nous dit à sa façon : «Vous pouvez toujours causer, la chose est pour ainsi dire faite.» Alors, causons. Et toi, mon secrétaire, notaire à tes heures, homme de loi, homme de religion, tu sais sans doute comment instruire cette fille. Dis-lui, je te prie, ce qu'est le mariage.

Avais-je le choix de répondre? Je le fis comme je l'aurais fait devant un groupe de jeunes gens ordinaires d'une paroisse quelconque.

– Le mariage est à la fois civil et religieux, répondis-je. Au civil, l'accent est sur la *copulatio* pour fin de procréation. Son rôle est d'assurer sans dommage la transmission d'un capital de bien, de gloire, d'honneur, et de garantir à la descendance un sang de rang égal ou supérieur à celui des ancêtres. Les hommes de famille détiennent le droit et le devoir de marier les jeunes et de bien les marier, c'est-à-dire, d'une part, de céder les filles, de négocier au mieux leur pouvoir de procréation et les avantages qu'elles doivent léguer à leur progéniture, d'autre part d'aider les garçons à prendre femme convenable.

Gislebert avait l'air très satisfait de ma réponse.

– Et qu'est-ce que prendre femme? demanda le Maître.

– C'est, pour le mari, de l'amener chez lui où elle cesse de relever de son père, de ses frères, de ses oncles, pour être soumise à son mari. Toutefois elle demeure une étrangère tant que l'on n'est pas certain qu'elle s'est totalement consacrée à sa nouvelle famille. On doit la surveiller et prévenir les risques de trahir le lit et le sang. On doit la garder à part. Il faut aussi s'assurer de sa virginité, car on ne peut donner ce qui est perdu; si elle n'est pas vierge, elle peut enfanter d'un autre homme et faire mentir le sang. Ce qui est terrible crime.

– Et pourquoi tant de méfiance? demanda le Maître.

– Les enfants sont loyaux à leur famille par nature et par intérêt. Les hommes n'ont qu'une famille et ne vivent donc pas de conflit de loyauté, alors que les femmes mariées ont deux familles et, de ce fait, se retrouvent souvent en conflit d'intérêts. En principe, elles devraient privilégier leur mari, mais elles restent attachées par de nombreux liens à la famille de leur père. Leur cœur demeure longtemps dans la confusion et il serait malavisé de leur faire confiance.

Gislebert avait avalé trois ou quatre cervoises et semblait de plus en plus heureux de mes reparties.

– C'est ce que tu dis du civil. Sur le religieux maintenant, que dis-tu? continua le Maître.

– Le mariage met l'accent sur le consensus. Malgré les périls du charnel, le mariage peut devenir la métaphore de l'alliance entre le Christ et son Église. Les accordailles doivent donc relever d'un choix individuel.

Gislebert faillit s'étouffer dans sa bière.

– Ainsi donc il y aurait contradiction entre le civil et le religieux! s'exclama le Maître.

Je commençais à avoir très chaud. Gislebert me commanda une cervoise, espérant sans doute que j'éclaircirais ainsi mes idées et que j'en reviendrais aux évidences. Je la bus d'un trait, suite à quoi, et j'en fus des plus surpris, le Maître me commanda à son tour un pichet bien plein que je bus de même façon.

– Le canon y pourvoit, répondis-je finalement. L'homme prend femme pour être uni à elle de façon unique et singulière dans l'amour partagé. Mais c'est un amour de *caritas* dans lequel l'homme protège la femme parce qu'elle est faible, et la protège d'elle-même à cause de ses faiblesses. L'homme est comme le château fort de la femme, voilà, j'ai bien dit comme le château fort. En reconnaissance pour cette protection, la femme se soumet à lui comme il se doit. Son corps appartient au mari, son âme à Dieu. Comme un seigneur tient en saisine toutes ses terres pour qu'elles produisent, ainsi le mari a pour tenure le corps de sa femme pour qu'elle le reproduise, lui et son sang. Mais que la femme ne l'oublie pas, elle a deux époux et doit son âme uniquement à son époux divin. C'est pourquoi elle ne doit pas prendre plaisir à se donner. Autant elle ne peut refuser son corps à son mari, autant elle ne peut lui abandonner son âme dans le plaisir. L'homme ne doit en aucun cas échauffer sa femme, il la prend froide selon sa nature pour l'acquittement du *debitum*. Si jamais il éveillait sa sensualité, comment pourrait-il s'assurer de sa fidélité?

Gislebert me tapa sur l'épaule et me servit un autre verre. J'avais bien répondu, et personne ne pouvait rien contre mes raisonnements. Le Maître devait en être heureux puisqu'il souriait à chaque gorgée que j'avalais et à chaque mot qui m'emportait. C'est du moins ce que je croyais.

– Et le rituel? reprit-il.

– Il découle du canon. Au début de la nuit, lorsque l'époux et l'épouse sont réunis dans le même lit, le mari appelle le prêtre, le père de la mariée et ses frères. Les mariés sont encensés, bénis et confiés à Dieu. Le père ou l'aîné invoque ainsi : «Afin que ceux-ci vivent dans son amour divin, persévèrent dans la concorde et que leur semence se multiplie dans la longueur des jours et les siècles des siècles.» Ensuite, il prévient le mari de se prémunir contre la triple insécurité des femmes qu'est le vol, la luxure et la sorcellerie. Ensuite la famille et le prêtre se retirent et attendent derrière la porte le son du *containement* : c'est la douleur de la pénétration dans laquelle un peu de sang doit apparaître sur le drap. Le péché nous a condamnés aux deux jumelles : *dolor* et *labor*. Ce sont les premiers enfants du couple qui les protégeront toute leur vie contre le plaisir et ses péchés. Le mariage est une chose sacrée tant pour le civil que pour le religieux; perpétuer le lignage et s'accorder un amour sans péché exige d'éloigner toute frivolité, toute passion, toute fantaisie, tout plaisir du mariage. C'est pourquoi, même si en principe le consentement doit être libre, la jeune fille qui veut refuser le prétendant choisi par le père doit démontrer qu'il s'agit d'un mauvais mariage et non le refuser par caprice ou saute d'humeur. Il faut se le rappeler sans cesse : il est impossible de jouir des choses de la terre sans perdre son âme. L'amour du mari est dilection et celle de la femme, révérence. Il est préférable que les époux n'éprouvent que peu d'attirance, sinon cela ferait entrer le trouble dans leur vie.

Gislebert était vraiment fier de moi. Il n'avait sans doute compris que ce qui lui convenait. Quant à moi, je transpirais par tous les pores de ma peau car je détestais parler de ces choses si méprisables et craignais, en en parlant, de provoquer une réaction de mes chairs. Je faisais tout mon possible pour conserver mes esprits mais le sommeil me gagnait, d'autant plus que j'avais avalé bon nombre de cervoises. Ida était toute souriante alors que son frère dormait presque sur la table.

– Tu as bien parlé, Conrad, tu décris bien nos coutumes actuelles. Et maintenant, quel est l'idéal du mariage?

– Il doit être à l'image de l'amour entre le Christ et son Église.

Je n'arrivais plus à rassembler mes idées et ne pouvais aller plus loin. Le Maître continua à ma place :

– Tu parles comme un livre, mais les livres eux-mêmes vont plus loin que toi. L'amour naturel est celui de l'émanation créatrice. Dieu est une essence créatrice, la femme qui engendre manifeste cette essence de Dieu. L'idéal de l'amour naturel entre un homme et une femme est en Dieu. Comme dans une femme, Dieu formule toutes les créatures dans son Verbe éternel. Nous devons apprendre comment sa bonté naturelle le contraint à ensemencer le Verbe. L'âme qui s'ouvre à l'amour naturel de Dieu est comme une vierge. Devenue toute vacuité, Dieu s'épanche en elle aussi parfaitement que dans ses séraphins. C'est ainsi qu'un homme et une femme doivent s'aimer en ce monde. L'amour naturel glorifie la création. Il est écrit dans le livre du Cantique des cantiques : «Qu'il me baise des baisers de sa bouche! Car son amour vaut mieux que le vin, tes parfums ont une odeur suave; ton nom est un parfum qui se répand; c'est pourquoi les jeunes filles t'aiment.» Et plus loin : «Il m'a fait entrer dans la maison du vin; et la bannière qu'il déploie sur moi, c'est l'amour. Soutenez-moi avec des gâteaux de raisins, fortifiez-moi avec des pommes; car je suis malade d'amour. Que sa main gauche soit sous ma tête, et que sa droite m'embrasse! Je vous en conjure, filles de Jérusalem, par les gazelles et les biches des champs, ne réveillez pas, ne réveillez pas l'amour, avant qu'elle le veuille.» Dieu ne se livre pas avant que l'homme ne l'ait désiré de tout son cœur, de toute son âme et de toutes ses forces; de même, l'homme ne doit pas toucher à une femme avant qu'elle ne l'ait désiré avec son cœur. L'amour n'est pas d'abord un commandement, c'est plutôt un commencement d'être, de l'être de la femme comme de l'être de l'homme, et ensuite de l'être de leurs enfants.

Gislebert s'était presque complètement endormi, mais moi, je veillais encore et voulus ramener le Maître au bon sens.

– Mais, père Eckhart, repris-je, on ne peut laisser le mariage en proie à l'émotivité féminine.

– En quoi cela serait plus grave que de le laisser en proie aux passions masculines? Le christianisme est là pour drainer progressivement les mœurs vers l'idéal divin et non pour justifier et durcir les institutions d'une époque.

– Que dites-vous là, Maître! Vous risquez de scandaliser ces pauvres gens.

Les aubergistes, tout en nous servant, n'avaient rien perdu de la conversation. Ils semblaient même véritablement intéressés. Ils avaient été jusqu'à demander à Ida si elle désirait quelque chose et lui servirent un lait bien chaud. Décidément, le Maître n'arrivait pas à discriminer entre une discussion de savants et un propos adapté à un public ignorant. Je voulais qu'il se taise et lui faisais signe que nous étions entendus par des étrangers sans lettres et une jeune fille sans instruction.

– Si je scandalise ces gens, je ne serai pas le premier, riposta Eckhart. Quant à cette jeune fille, si cela l'offense, alors elle n'est pas en âge de se marier. Tu te rappelles que Hubert de Romans a été Général de notre ordre de 1254 à 1263. Je ne l'ai pas connu de son vivant. Néanmoins, c'est lui qui, par ses ouvrages, m'a fait comprendre la relativité du temps. Le temps ne doit pas être conçu comme un bloc homogène, où le passé et l'avenir seraient cohérents au présent, entretenant avec le présent des rapports purement anagogiques. Hubert réfléchissait sur l'histoire du christianisme, et il en cherchait l'explication dans un enchaînement de causes naturelles, un peu à la manière de

Guglielmo. Son expérience personnelle des échecs de l'Église, de l'abaissement de la dignité impériale au détriment de la papauté, des replis des établissements latins d'Orient l'empêchait de croire à la nécessité de l'Église catholique d'Occident, l'empêchait de croire que l'univers entier sera forcément catholique par le seul effet du temps. Si l'Église cesse d'éclairer les mœurs par l'idéal que chacun peut percevoir dans l'intimité de sa conscience pour se faire censeur de la morale d'un peuple et d'une époque, elle éclatera en mille miettes avant la fin des trois prochains siècles. L'Église est là pour amener le nouveau dans le temps et non pour perpétuer les institutions, pour continuer la création et non pour fixer les épaves du temps. Entends-tu bien cela, mon ami? Si tu entends cela, tu comprends ce que j'ai fait dans ma vie et ce que je vais faire bientôt; si tu n'entends pas cela, tu ne comprends rien de ma vie et de ce que je ferai bientôt. Alors voilà donc ma conclusion; je m'opposerai au mariage de cette jeune fille tant que je n'aurai pas la conviction qu'elle accepte de tout cœur d'aimer et de vivre avec Bertolf, comme le lui demande son père. Si le civil a ses raisons, la chrétienté est un souffle qui a aussi ses raisons, et il est de mon devoir de rendre chrétienne cette union ou de l'empêcher.

Gislebert n'avait probablement compris que les deux dernières phrases d'Eckhart et cela lui suffit pour s'éveiller d'un bond et répondre vertement :

– Que dites-vous là, vieux moine, vous qui êtes conduit à Avignon pour répondre d'hérésie? Si vous n'étiez pas l'ami de mon père, je n'hésiterais pas à vous abandonner ici. Que je ne vous voie pas vous ingérer dans nos affaires de famille, vous pourriez le regretter amèrement!

– Ce n'est pas de moi qu'il s'agit, mais de ta sœur. Dans la semaine qui vient, le bonheur ou le malheur de toute sa vie se jouera, et si tu l'aimes, tu y veilleras.

– Je ne laisserai pas le commerce de mon père et bientôt le mien aux caprices d'une pucelle de treize ans.

C'est alors que la jeune fille se mit à crier.

– Je ne suis pas pucelle.

Elle s'effondra en larmes dans les bras du père Eckhart. Les yeux de Gislebert jetaient du feu mais il restait bouche bée.

– Ne crains rien, jeune fille, dit le Maître, parle, je t'écoute.

À travers ses sanglots et ses gémissements j'arrivai à comprendre :

– À Pâques on me présenta à Bertolf et on me laissa seule avec lui. Il avait bu beaucoup de vin et il voulut m'embrasser. Je ne voulais pas. Il me faisait si peur, je voulais vomir. Il me jeta sur son lit et me prit de force. J'ai eu si mal, je le déteste.

– L'affaire est donc irréversible, petite idiote, réussit à dire Gislebert dans sa colère, tu ne peux plus maintenant être donnée à personne d'autre.

– Vous avez tort, riposta le Maître, Dieu n'abandonne jamais ses enfants au désespoir. Maintenant allons dormir. Nous y verrons plus clair à l'aube.

– Oui, et je dormirai sur mes deux oreilles, père Eckhart, parce que vous n'y pouvez rien, conclut Gislebert.

Nous dormîmes profondément en effet, nos libations nous emportant plus loin et plus tard que nous ne l'aurions voulu. Au matin, Ida et le père Eckhart n'étaient plus là. Je compris immédiatement pourquoi ils nous avaient encouragés à boire. Ils devaient maintenant être sur leur retour, en direction de Strasbourg. Eckhart connaissait bien Guibert, et sans doute chercherait-il à le convaincre de renoncer à ce mariage malgré tous les bénéfices qu'il pouvait en retirer. Gislebert ne fut pas long à faire le même raisonnement, mais n'entendait pas s'en laisser imposer. Après tout, ce mariage était bien plus son affaire à lui, qui allait bientôt prendre en main le commerce de son père, que de Guibert, encore chef de famille, mais déjà vieux. Néanmoins, c'est le père qui devait décider. Gislebert craignait que les deux vieillards ne se comprennent; à cet âge avancé, on s'attendrit pour des riens. Après avoir ramassé une miche de pain laissée sur la table, il partit précipitamment et je le suivis. Il ne voulut pas m'attendre, mais je réussis à le convaincre que moi seul avais autorité sur le père Eckhart et que j'avais mandat de l'amener à Avignon où il me suivrait sur l'heure par obéissance. Je le talonnais du mieux que je pouvais, mais le jeune homme courait presque et j'avais du mal à reprendre mon souffle.

– Ne marchez pas si vite, lui répétais-je sans cesse. Un vieillard et une enfant ne peuvent aller bien loin en si peu de temps.

Au loin nous aperçûmes notre haquet qui venait vers nous conduit par quatre hommes, peut-être plus. Nous nous cachâmes dans un taillis. Le mieux était de les laisser passer mais, lorsque le chariot fut à notre hauteur, Gislebert y bondit comme une panthère. La bataille fut particulièrement violente. Les chevaux prirent le mors aux dents. Je vis un homme tomber et rester inerte. Je craignais pour Gislebert. Je courus vers lui. L'homme avait un glaive planté au milieu du dos. Heureusement ce n'était pas Gislebert. J'avais perdu de vue le haquet. J'avançais lentement en me dissimulant dans les fourrés qui longeaient le chemin. À tout moment je craignais d'être surpris ou de retrouver le cadavre de Gislebert sur le rebord du chemin. Il faisait terriblement chaud. Le soleil marquait midi. Soudain, j'entendis un gémissement et trouvai Gislebert étendu dans le fossé. Il avait le bras ensanglanté. Je lui fis un bandage avec de la glaise et un morceau de ma soutane. Il avait été fortement sonné et ne put se relever qu'avec grand-peine. Sa colère avait beau être terrible, nous avancions maintenant fort lentement. Nous arrivâmes à Strasbourg épuisés, le lendemain, un peu avant midi.

Le Maître, la jeune fille et Guibert discutaient tranquillement. Les aubergistes avaient été attendris par la déclaration de la jeune fille, et rassurés par les propos du Maître, de sorte qu'ils leur avaient prêté un cheval et un tombereau. La lune étant bonne, ils avaient touché Strasbourg au petit matin. Ida avait tout raconté à son père et Eckhart cherchait à le convaincre.

– Ne l'écoutez pas, père, cria prestement Gislebert en arrivant. Cet homme est un hérétique.

– Assieds-toi, mon fils, et écoute-moi bien. Je t'aime plus que tout au monde et voudrais te donner une bonne affaire en héritage. Je suis vieux et bien fatigué. Alors, je ne suis pas allé moi-même à Chalon pour rencontrer Bertolf et conclure les fiançailles. Je t'ai fait entièrement confiance. As-tu pris toutes les précautions d'usage ? Je crains que non ! Quant à Ida, il ne m'est même pas venu à l'esprit de lui demander son avis. Le père Eckhart a toute ma confiance, il m'a fait voir en quoi je me trompais. Les autorités ecclésiastiques ont raison de mettre au-dessus des affaires le consensus des époux. Le mariage doit d'abord unir deux êtres et non deux parentés, deux héritages, deux réseaux d'intérêts.

Gislebert me regarda, espérant que j'intervienne. J'étais dans la plus grande confusion. Je pensais aux dernières paroles du Général qui m'avait averti de prendre toutes mes précautions vis-à-vis Eckhart ; d'un autre côté je voyais le Maître, si calme et si sûr de lui. Évidemment, je ne regardais pas la jeune fille puisque c'était contre la règle. Je me suis finalement rappelé ma promesse d'obéir au Général quelles que soient les circonstances, et de me conformer en toutes choses à la doctrine la plus commune. Ainsi tranquillisé, je ne fus pas long à répondre :

– Père Eckhart, vous avez oublié que le moine Henri de Lausanne fut pourchassé comme hérétique parce qu'il prétendait libérer l'institution matrimoniale de toutes les obligations civiles. C'est ce qu'il prêchait au Mans ; il voulait que le mariage soit fondé exclusivement sur le consentement mutuel.

– Oui, mon ami Conrad, et c'était en 1116; depuis ce temps l'Église a été mise en devoir d'aller au-delà des coutumes pour faire face aux esprits plus éclairés de notre temps. On ne peut édifier quelque chose d'aussi sacré que le mariage sur la crainte des femmes. Il est naturel pour l'homme de craindre l'indéterminé, le possible et les puissances créatrices de la nature, de son propre cœur et de la femme. Nous avons peur de l'obscurité parce que l'obscurité cache le réel et suggère le possible. De même, nous craignons l'avenir et non le passé. Le passé est défini et nous savons ce qu'il contient, l'avenir nous apporte un possible que nous ne connaissons pas encore. Parce que nous ne la connaissons pas, dans nos esprits la femme est indéterminée comme le sont l'obscurité et l'avenir. Alors nous la craignons. Voilà pourquoi nous nous comportons si brutalement envers elle. Mais le péril repose bien davantage en nous-mêmes, dans notre peur et dans notre cruauté. Ne t'ai-je pas déjà dit : En toutes choses, tout particulièrement dans la nature divine, l'égalité, c'est la naissance de l'Un, et cette naissance de l'Un, dans l'Un et avec l'Un, c'est le principe et l'origine de l'amour qui arde et éclôt. Sans l'égalité il n'y a pas d'amour et sans amour, le mariage n'est qu'outrage et profanation. Mon ami Conrad, je suis si triste qu'après avoir fait tant de chemin, tu te retrouves coincé à nouveau dans tes peurs. Katrei ne t'avait-elle pas fait confiance, insufflé une conversion de l'esprit, une deuxième naissance! D'où te vient aujourd'hui ta méfiance? Et moi, t'ai-je déjà trompé? Me considères-tu, toi aussi, hérétique?

– Suffit, vos spéculations de moines, riposta inopinément Gislebert; Bertolf n'attendra pas indéfiniment ma sœur. De gré ou de force je l'amène.

– Tu ne l'amèneras pas, mon fils, affirma le père avec autorité.

– Mais père, c'est mon unique sœur et elle n'est plus pucelle. Qui voudra d'elle maintenant? Qu'est-ce que je ferai d'elle?

– Le père Eckhart la conduira dans l'un des nombreux béguinages de la ville, et si un jour tu lui trouves un parti qui t'arrange et qu'elle accepte, tu iras la chercher. Les béguines font de simples promesses annuelles qui ne les engagent pas forcément pour la vie.

– Je m'y oppose formellement, riposta Gislebert.

– C'est pour cette raison, mon fils, que je dois m'assurer qu'Ida soit conduite à un béguinage bien protégé, avec ordre de n'en sortir que sur son consentement à elle.

Sur ce, nous laissâmes Gislebert à sa colère et partîmes pour le béguinage. Sur le chemin, Guibert devint profondément triste. Il avait de plus en plus de difficulté à marcher, au point que nous dûmes nous arrêter au bord d'une fontaine. Ils se mit à verser de grosses larmes silencieuses. Les vieillards perdent beaucoup de chaleur, ce qui affecte leurs facultés, diminue leur résistance et exacerbe leur sensibilité. Ils se diluent peu à peu dans l'état de féminité, c'est pourquoi leurs fils peuvent se trouver en devoir de prendre les affaires avant même leur décès. J'espérais que Gislebert le fasse. Ida s'approcha de son vieux père et lui enveloppa les épaules.

– Je prends conscience aujourd'hui plus que jamais jusqu'à quel point j'ai vécu seul, lui confia-t-il. Ta mère était bonne épouse et bonne mère, en tout conforme à ce que l'on peut attendre d'une femme. Je ne lui parlais pratiquement jamais, vu qu'elle devinait mes moindres désirs et y répondait avant même que je les lui fasse connaître. Ta naissance fut particulièrement difficile et elle perdait beaucoup de son sang. Voyant qu'elle allait rendre l'âme, je lui ai demandé : «Dis-moi sincèrement, est-ce que tu m'as aimé? – Ne t'ai-je pas bien servi? me répondit-elle. Cela ne te suffit donc pas?» Ses yeux conservaient la froideur que je lui avais toujours connue. C'est à ce moment que j'ai compris qu'elle ne m'avait jamais ni connu ni aimé, et que moi non plus, je ne l'avais ni connue ni aimée. Les moines dans une communauté sont plus près les uns des autres qu'un mari de sa femme. Et pourtant, elle était belle, ta mère, elle possédait une belle âme, un cœur tendre et doux. Elle est morte au moment même où j'aurais souhaité la connaître. Elle est morte seule, terriblement seule. Je ne voudrais pas que tu sois à ce point abandonnée, Ida.

La jeune fille éclata en sanglots dans les bras de son père. Elle l'entoura sans retenue et le vieillard se laissa faire. Il mit la main sur sa tête en fermant les yeux. Le soleil brillait sur leurs cheveux entremêlés, mi-dorés, mi-argent. Le temps fit un petit cercle, et l'image resta comme figée dans une goutte suspendue. Le Maître restait à l'écart et savourait cet instant privilégié où le passé apparaît chuchoter à l'avenir des secrets visant à le rendre meilleur. Un moment je crus que l'émotion allait m'emporter, mais je réussis à garder le cap. J'avais maintenant hâte que l'incident soit clos car il nous fallait arriver à Avignon avant la fin de la deuxième semaine.

C'est en entrant dans le béguinage que je compris pourquoi les murs étaient aussi épais, les fenêtres si bien carrelées, les portes si lourdes et la garde toujours aux aguets. Il s'y réfugiait des filles et des femmes en difficulté de mariage, en brouille avec leur famille ou en fuite de leur mari. Il arrivait que l'on déplaçât ces femmes d'un béguinage à l'autre pour leur éviter une justice de famille ou même un tribunal ecclésiastique. Quelques hommes leur prêtaient main forte et il n'était pas rare, disait-on, que l'un d'eux s'amourachât librement d'une de ces jeunes filles. Comment pouvait-on laisser faire de telles choses ? Plusieurs prônaient, à la manière de Marsile de Padoue, de Guillaume d'Ockham et de Jean de Jandun, dans *Le Défenseur de la paix*, une décléricalisation complète de l'Église qui devrait selon eux se contenter de sa mission purement spirituelle. L'exercice de son autorité s'y limiterait aux fonctions proprement pastorales, et toute forme de pouvoir coercitif, même pour le maintien de la discipline matrimoniale, passerait aux mains des princes, défenseurs de la paix civile et religieuse. C'était une honte. Ils avaient oublié les six pouvoirs du *Dictatus Papae* de Grégoire VII : Premièrement, l'Église romaine est fondée par Dieu seul et non par quelques princes. Deuxièmement, seul le pape peut utiliser les insignes impériaux de Rome. Troisièmement, du pape seul tous les princes doivent baiser les pieds. Quatrièmement, une décision rendue par le pape ne peut être annulée par personne sauf par le pape lui-même. Cinquièmement, le pape ne peut être jugé par personne. Sixièmement, l'Église romaine ne s'est jamais trompée et ne se trompera jamais, éternellement, l'Écriture lui portant témoignage. Et voilà que ces femmes, aidées d'amoureux sans sou et de moines désorientés se creusent des alcôves d'insoumission dans lesquelles elles prétendent que la chrétienté, la vraie, disent-elles, fait peu à peu irruption. Elles y développent des artisanats lucratifs de couture, de broderie, et même de tissage et de teinture. Elles cultivent un jardin et disposent de quelques animaux. Elles reçoivent dans leur repaire des gueux et des malades qu'elles soignent sans rien connaître. Elles donnent l'apparence de l'honnêteté mais ne sont que des larronnes en marge de l'ordre social. Elles volent à leur père et à leurs frères un sang et un lait qui ne profitent plus qu'à elles seules. L'Église a raison de n'en rien tolérer.

Le Maître était connu dans tous les béguinages. La Grande Demoiselle qui nous accueillit le reçut comme un grand ami et alla jusqu'à l'embrasser sur la joue. Elle assura Guibert que sa fille serait sous bonne protection et que son frère ne pourrait rien contre elle. S'il y a des larrons dans les campagnes, il y a des larronnes dans les villes. Celles-ci ne volent rien d'autre qu'une des plus grandes richesses des familles, leurs plus belles filles, et si elles s'étaient promises au monastère, elles les volent à l'Église. On n'a pas tort de les brûler sur la place publique comme on écorche les brigands de chemins ou arrache les doigts aux détrousseurs publics. Et voilà qu'un dominicain, et pas le moindre, l'un de ses plus grands maîtres, qui fut prieur et provincial, qui prit la chaire de saint Thomas, qui enseigna jusqu'à Paris, les supporte, leur confie des filles, les instruit, leur apporte des livres et quoi d'autre ! Je sais bien qu'il n'y a pas mauvaise volonté de sa part, le Général me l'a confirmé, mais que de naïveté dangereuse ! Il est heureux que cela cesse, qu'il soit amené à Avignon où, j'espère, il saura se défendre là où il a raison, et s'agenouiller là où il a tort.

Nous avons ramené le tombereau et le cheval aux aubergistes et, le lendemain, continué le voyage à pied. Le Maître marchait à pas de tortue et nous avions plus de deux cents kilomètres à franchir à travers les Vosges et la Haute-Saône avant de toucher Chalon. Nous n'avions plus un sou ni pour un cheval, ni pour un gîte. Nous avions ordre d'éviter les monastères pour notre subsistance, parce que l'affaire attisait le tumulte et provoquait de graves mouvements de sédition chez les moines. Nous devions dépendre, comme les Mendiants, de la générosité des campagnards. Si cela réjouissait le Maître, l'inquiétude me gagnait. À tout moment le Maître pouvait tomber d'épuisement, ou manquer de souffle, ou simplement se décider à mourir, me laissant seul dans cette forêt épaisse et grouillante d'animaux corporels et d'étrangetés immatérielles. Qu'allait-on manger pour le dîner, pour le souper ? Où allions-nous dormir ? Peut-être dans un fossé à surveiller les loups, ou dans la demeure d'une sorcière qui profiterait de notre sommeil pour vendre nos âmes au diable.

– Ne t'affole pas, disait le Maître, nous sommes dans l'Intellect de Dieu. Le pire qui puisse nous arriver est de nous retrouver sur le bord du purgatoire avec Béatrice.

Il se mettait à rire en citant quelques-unes des tortures décrites par Dante aux âmes qui venaient de traverser le Styx.

– Il se peut que Proserpine, la femme de Pluton, dieu des Enfers, te fasse des incantations et te donne à boire des filtres grisants...

Mais je n'entendais pas à rire. Alors il alla du côté du ciel.

– Tu n'y craindras plus les femmes, me disait-il, puisque qu'au ciel ton amour dépassera ta concupiscence. Tu te réjouiras de leur beauté et de leurs chants et seras surpris de la pureté de leur adoration. Tu tiendras la main de Katrei et verseras des déluges de larmes tendres en reconnaissance de ce que nous sommes tous invités au plaisir de la Trinité : la communion d'amour.

Je n'arrivais pas à le faire taire. Heureusement, un charretier s'approcha et accepta de nous amener avec son équipage, disant que nous allions lui apporter bonne étoile contre les pillards et les malandrins. Deux hommes de mains et trois goliards en route pour Bâle l'accompagnaient. Le charretier allait jusqu'en Haute-Saône avec des barils d'huile. Il faisait superbe journée et tout le monde était de bonne humeur. Ils chantaient et bavardaient comme des crécelles. Mais le Maître était si fatigué qu'il s'endormit tout bonnement sur les tonnelets, aspergé d'une lumière tamisée qui semblait le griser. Moi, je devais endurer les propos vulgaires de ces hommes rustres. Quant aux goliards, qui se disaient artistes-philosophes, ils se servaient du peu qu'ils avaient appris à Paris pour parodier les choses les plus sacrées.

Je n'étais guère sorti du monastère et ne connaissais pas la misère des campagnards et la vulgarité des citadins de bas étage. J'avais bien soigné les maux et les blessures de notre paysannerie lorsqu'elle venait au couvent, mais ne connaissais rien de ses mœurs et de sa vie. Tous les fûts du chariot ne contenaient pas de l'huile ; le vin abondait et on en prenait beaucoup, ce qui avait pour conséquence de dissoudre le peu de retenue de ces gens. Et leurs chansons gaillardes faisaient fuir tous les oiseaux, sauf peut-être les pies et les corneilles :

– Et boit la dame et boit le Maître, boit le soldat et boit le clerc… L'homme leste et le paresseux et le blanc boit et le noir, et le constant et l'inconstant, le paysan et l'enchanteur et le pauvre comme le malade, l'exilé comme l'ignoré… Et les moines aussi, c'est ce qui nous unit…

Ils se mettaient à rire grossièrement en imitant les taureaux en saison par des gestes auxquels je ne croyais pas que l'homme puisse s'abaisser.

– Ne craignez-vous pas l'Enfer ? leur lançai-je pour les refroidir.

– C'est belle place, me répondit l'un des goliards, et toujours chaud où il y a beaucoup de femmes et de liesse. On n'y meurt pas d'ennui comme au Ciel. J'avoue préférer Perséphone à la Vierge Marie. Comment peut-on s'y rendre ?

Je refusais de répondre à leurs provocations.

– En faisant comme cela, proposa-t-il à un copain.

Et il monta sur celui qui s'était mis à quatre pattes. Je détournai le regard.

– Ne lève pas le nez ainsi, bonhomme, tu n'existerais pas si ton père ne l'avait fait, et à défaut de femme, il vaut mieux se pratiquer entre nous que seul dans une cellule de moine.

Je voulus les instruire sur le péché contre nature, le pire et le plus grave :

– Il vaut mieux pécher avec une femme qu'entre vous. Si vous ne craignez pas l'enfer, vous pourriez craindre votre évêque qui peut vous faire arracher les paupières pour un tel péché. C'est inscrit aux pénitentiels.

– Que de naïveté, bon moine! Vous ne vivez pas sur terre. Si cette loi était appliquée à la lettre, grand nombre d'évêques seraient aveugles et, toi, tu ne vois déjà plus rien! Crois-tu que tous les hommes sont à genoux aux pieds de leur évêque? Dante n'a pas écrit seulement sur les Enfers, il a écrit *De monarchia*. Les évêques, voulant que l'autorité de l'empire soit subordonnée à l'Église, racontent que «selon la Genèse, Dieu a créé deux luminaires, un grand et un plus petit, l'un pour gouverner au jour, l'autre pour gouverner à la nuit». Cela, prétendent-ils, est une allégorie des deux types de pouvoir : le spirituel et le temporel. Ensuite, ils affirment que, tout comme le plus petit luminaire, la lune, le civil n'a pas de lumière propre mais seulement celle qu'il reçoit du soleil. Ainsi le pouvoir temporel n'a d'autre autorité que celle qui découle du pouvoir spirituel. Ils disent aussi que les apôtres ont dit à Jésus, au moment où on venait l'arrêter : «Voici, il y a ici deux glaives.» Jésus aurait répondu : «C'est suffisant.» Sur ce texte, ils fondent la doctrine des deux glaives, l'un pour le civil et l'autre pour le religieux. Mais nous, les goliards, nous n'avons pas seulement l'instruction des universités, nous savons en plus réfléchir. Croyez-vous que les hommes seront indéfiniment dupes? La noblesse possède depuis longtemps les deux épées : en tant que seigneur civil, elle est architecte du visible avec ses institutions, ses impôts, ses droits, ses lois qu'elle arrange selon ses intérêts. Et, en tant qu'évêque catholique, elle construit l'invisible, ses lois selon les dividendes qu'elles peuvent lui rapporter. Cependant, forger la terre et forger le ciel, c'est toujours et seulement forger des images et des craintes. C'est là tous leurs pouvoirs. Les hommes devraient redouter la cité visible pour ses lois et son glaive, et la cité invisible pour ses règles et ses Enfers. Adressez-vous à d'autres, pas à nous! Nous, ce que nous craignons, c'est le poison qu'ils ont mis dans nos esprits!

Et eux, ce qu'ils craignent au fond d'eux-mêmes, c'est que nous cessions d'avoir peur.

– L'Église a le pouvoir de lier au ciel et de lier sur terre, répondis-je.

– Eh bien! liez, liez, répondit le goliard, sauf que vos liens ne sont que du vent et n'ont d'appui que dans la peur et l'ignorance. Mais l'ignorance ne sera pas toujours avec vous; elle s'en va, l'ignorance, elle est fatiguée, l'ignorance, elle ne supporte plus que l'on se serve d'elle.

– Croyez-vous, ajouta un autre, que les hommes mariés ne forniquent jamais le dimanche, ni les jours de fête, ni durant le carême, ni les jours maigres? Croyez-vous que les jeunes gens observent les pénitentiels et s'accusent chaque fois qu'ils gerbent...

– Mais ne craignez-vous pas la mort? répliquai-je.

– Elle est moins à craindre qu'une vie sans péché, reprit-il. Mais vous, mon père, ne me dites pas que jamais... Non, moi je sais la différence entre un moine et un goliard : le premier ne sait pas ce que fait sa main gauche pendant que sa main droite tient l'évangile, alors que le deuxième sait toujours ce que font ses deux mains. La différence, c'est le degré d'hypocrisie. Le moine pèche deux fois, une fois contre la chair et une fois contre la vérité, alors que nous, nous ne péchons qu'à vos yeux. Mais sous votre soutane tout le monde sait ce qui se passe.

Et ils se mirent à rire si fort que le Maître se réveilla.

– Quelle belle journée, marmonna-t-il en ouvrant les yeux, et que de gaieté!

– Dont vous ne savez pas l'objet, répliquai-je au Maître pour le ressaisir.

– Qu'importe l'objet, père Conrad, c'est le sujet qui importe. Par un soleil aussi superbe, un peu brumeux, si doux, si bon pour mes os, entendre rire, c'est bon.

– Mais ces jeunes gens souillent la pudeur et l'Église à pleine bouche, rétorquai-je.

– Généralement, la souillure comme la violence sont des choses que l'on se passe de l'un à l'autre, et peut-être ne font-ils que tenter de remettre cette souillure et cette violence à qui représente ceux qui les leur ont données.

J'étais des plus choqué de l'allusion, mais il disait cela avec une naïveté et un charme si déconcertants que les goliards restèrent un moment silencieux et, profitant de ce silence, le Maître continua son idée :

– Je me demande qui vous a scandalisés. Peut-être portait-il une soutane? Moi, le premier qui m'a scandalisé fut l'évêque d'Erfurt qui ne fit rien, rien de rien sinon sourire, lorsque mon frère et ses deux complices brûlèrent un pauvre paysan et ses deux filles. C'est lui qui, le même jour, sacra mon frère chevalier, protecteur de la veuve et de l'orphelin! Que de cruauté, que de mensonges, que d'hypocrisie! Il est heureux que j'aie pu croiser un peu plus tard un saint moine, bon dans son cœur, et qui connaissait Dieu. Sans lui, il est possible que je me serais sauvé à Paris à l'école des Arts et qu'aujourd'hui je serais en relâche avec vous à pester contre les moines et les évêques. Mais dites-moi, bonnes gens, cette souillure que l'on vous a donnée, qu'allez-vous en faire? La donner à d'autres? Pourquoi pester contre le clergé qui vous a scandalisés en jetant sur d'autres le même scandale?

– Mais nous ne jetons sur personne cette malice. Nous ouvrons les yeux en riant, et nous comptons montrer aux aveugles qu'ils suivent d'autres aveugles pires qu'eux.

– La chose est louable, mais je crains que le moyen ne vous trahisse.

– Et comment cela?

– Pour entrevoir l'injustice, il ne suffit pas de la décrier. À preuve, la plupart des seigneurs évêques vilipendent, encore plus que vous, contre des injustices dont ils sont eux-mêmes coupables et, pour la plupart, ils ne se rendent même pas compte de leur duplicité. Pour saisir l'injustice, il faut entendre la justice, l'écouter au fond de nous et la laisser pénétrer dans toute notre vie jusqu'à ce qu'elle nous sorte par les pores de la peau. On ne peut jamais chasser l'injustice autrement qu'en introduisant la justice dans nos vies. Cela dit, racontez-moi, chacun à votre tour, ce qui vous est arrivé. Qui vous a blessés et qui vous a édifiés, le pire et le meilleur?

Le reste de l'après-midi se passa dans une atmosphère légère, mais rarement déplacée. Un à un, les jeunes hommes racontèrent les anecdotes les plus significatives de leur vie. Le Maître les écoutait et orientait la discussion par de petites questions bien dosées. Il semblait tout oublier du voyage et n'avait d'attention que pour ces clercs étourdis qui prenaient un peu de sérieux à mesure que l'on s'approchait du relais de la route.

Ils n'avaient pas plus de sous que nous n'en avions, de sorte que nous couchâmes tous les cinq dans une étable avec les chevaux. Nous avons épluché un peu d'avoine et d'orge qui traînaient dans les mangeoires pour tenter vainement de nous sustenter. Le lendemain, nous voyageâmes sous la pluie et, le soir, il nous fallut sécher nos vêtements dehors près d'un feu. Ce fut pénible, nous étions presque nus avec ces garçons sans pudeur qui giguaient et sautaient en criant. Le Maître ne semblait pas accorder d'attention à leurs pitreries, mais il soulignait immédiatement toute indice de bonté qu'il pouvait filtrer à travers la brutalité de leurs gestes et de leurs propos.

La nuit suivante, des paysans nous reçurent dans leur chaumière et acceptèrent de partager leur repas, à condition qu'on leur raconte des historiettes et que l'on montre des chansons aux enfants. Nous mangeâmes du lapin sauvage avec des racines et des champignons. Les enfants s'en donnaient à cœur joie en compagnie des jeunes goliards tandis que le Maître racontait aux parents les aventures d'un valeureux chevalier qui réussit à sauver tout un village contre un seigneur fourbe qui s'apprêtait à détruire les récoltes. Le Maître parlait sur un ton familier et très doux, de sorte que les parents furent mis en confiance. À la fin de la soirée, alors que les enfants dormaient dehors près du feu, et que le silence ronronnait dans les murmures de la forêt, ils nous racontèrent la mort de l'un de leurs enfants durant l'hiver. Le Maître voulut les consoler, mais ils confessèrent à demi mot qu'ils l'avaient tiré au sort et sacrifié pour le salut des autres. Les paysans de la région avaient pour coutume, en cas de grande famine, de choisir l'un des enfants qu'ils laissaient mourir afin de sauver les autres. On me raconta plus tard que, parfois, certains le mangeaient afin de survivre jusqu'au printemps. Le Maître ne leur imposa aucune pénitence, prétextant qu'ils l'avaient mille fois faite dans leur cœur, et les consola du mieux qu'il put. Ils étaient contents de la nouvelle année qui était bonne, et les soirs de la semaine jusqu'à tard, lorsqu'ils étaient libres du ban, ils cultivaient une petite parcelle à l'orée du bois qui rendait bien. De plus en plus familier, le père de la famille osa nous demander ce qu'il fallait faire pour éviter l'enfer.

— Il n'est pas possible d'éviter le péché, dit-il avec angoisse, il y a trop de règles et nous ne les connaissons pas toutes. Un moine est venu au village et nous a raconté les tourments de l'enfer : toujours brûler, jamais perdre conscience. C'était effrayant. Je vous en prie, dites-nous ce qu'il faut faire.

Ils semblaient vraiment désespérés.

— N'ayez crainte, répondit le Maître. Dieu ne peut voir que le bien; à ses yeux le mal n'existe pas. Le mal passe si vite qu'il n'a pas le temps de le voir. Vous lui ressemblez, vous ne savez pas tout ce qui est mal, cela n'a pas beaucoup d'importance puisque vous savez ce qui est bien. Il suffit de vous aimer l'un et l'autre comme je vois que vous le faites, et d'aimer vos enfants du mieux que vous pouvez. Lorsque vous regardez les montagnes, les champs, la magie de la vie, que ressentez-vous?

— Nous pensons que Dieu est grand, répondit le père.

– Alors, dites-vous qu'un Dieu aussi grand et qui fait de si belles choses ne peut être méchant et envoyer en enfer des pauvres gens qui font leur possible. Quoi que l'on vous dise, regardez autour de vous la beauté du monde et dites-vous que, malgré les souffrances qui ne durent qu'un temps, il y a de la bonté dans l'univers et que cette bonté vous recevra dans ses bras avec plus d'amour que vous pouvez l'imaginer.

Le Maître prit une petite feuille de peuplier dans ses mains et il nous fit observer tous les détails :

– La vie qui fait cela si bien ne peut nous réserver quelque chose d'aussi horrible que l'enfer.

Et il prit un morceau de bois, une pierre, un grain de blé, tout ce qui se trouvait sous sa main, et s'émerveillait. Il y avait des étincelles dans ses yeux et il finit par transmettre un peu de sa confiance aux parents. Nous nous endormîmes dans une tranquillité si douce qu'il n'était plus possible d'imaginer l'enfer.

Le voyage continua encore deux jours où nous dûmes mendier notre logement et notre nourriture pour quelques bonnes paroles ou quelques services. Le Maître y mettait tout son cœur et vivait chaque instant avec toute l'intensité de son esprit. Il dormait cependant de nombreuses heures sur la charrette pendant que j'essuyais de mon mieux les gaudrioles et les grivoiseries des goliards. À un moment, le Maître fut réveillé par une cloche qui rappelait l'angélus. Il se mit à réciter mot pour mot l'histoire qu'un vieux paysan lui avait répétée la veille même et qu'il disait tenir de ses ancêtres :

– «Ma vie sur terre n'a que quatre saisons. Je surgis de l'hiver, me dégourdis en février, au printemps travaille de toutes mes forces à faire produire mon champ et mon jardin. À l'été je reste courbé et me durcis les mains et le dos. À l'automne je flétris peu à peu et mesure les fruits de ma saison. L'hiver me recouvre et m'emporte, je l'espère, dans le jardin de Dieu. Chaque année de ma vie n'a que quatre saisons. Quand avril de ses averses douces a percé la sécheresse de mars jusqu'à la racine, quand Zéphyr, de sa douce haleine, a ranimé les tendres pousses et quand les petits oiseaux font mélodie, c'est le temps de labourer, de bêcher, de déchirer la terre pour y déposer la semence. Tout faire avant Pâques, et puis c'est la fête qu'il faut préparer pour le seigneur. En mai, quand la verdure est foncée et le ciel blanc, réparer la maison et la grange, les barrières, les haies et les canaux d'écoulement. Sarcler les jardins du seigneur et soigner ses terres. S'il nous reste du temps, désherber notre parcelle. L'été, nous arrachons le chardon sur les terres du seigneur pour que le Seigneur des seigneurs nous donne la célérité de le servir. À la Saint-Jean, il faut courir les champs avec des torches pour éloigner les dragons ; le lendemain c'est la fenaison. Il fait chaud sur tes terres, seigneur, et on moissonne en trempant les champs de nos sueurs. En novembre, nous battons le lin avec de lourds écangs, nous séparons la ligneuse de la filasse. C'est le mois sanglant, nous tuons les bêtes pour que le fourrage ne manque pas. En hiver, quand les étourneaux s'en vont, au temps de la froidure, je n'ai plus qu'une histoire à dire : les cerfs bramment, la neige tombe, nous attendons le printemps. Puisse-t-il revenir car la grange est vide et il fait si froid. Chaque journée de vie n'a que quatre saisons. Le matin est printemps, le midi, été, au soir arrive l'automne et l'hiver tombe à la nuit. Nos jours s'en vont comme la balle au vent ; il reste parfois des grains qui tombent en terre, prennent racine et font une autre saison. J'ai eu six enfants, quatre pour engraisser la terre, deux pour la faire rendre. C'est ainsi que roule l'écume du paysan sur les prés de son seigneur. Si tu entends rire un enfant, c'est qu'il est au printemps et moi, tu ne m'entends pas parce que j'entrevois déjà l'hiver qui s'approche.»

– Tous les paysans de cette contrée racontent cette histoire comme une prière, fit remarquer le charretier.

Il n'avait pas vu les larmes d'émotion du père Eckhart.

– Mais pourquoi pleurez-vous? demanda le plus jeune des goliards.

– Je m'approche de l'hiver et je n'arrive plus à souffrir l'Église. J'ai tellement voulu l'éveiller, j'ai tellement désiré sa conversion. Mais elle ne se convertit pas, au contraire, elle s'éloigne des paysans. Comment une maison peut-elle tenir si elle ne réchauffe plus personne?

– Quel serait le signe de cette conversion? demanda-t-il.

– La conversion est le retournement de la lumière dans ce qu'il y a de plus humble sur terre. On reconnaît la conversion par le fait que ce qui est en bas se retrouve en haut. Lorsque, hier, le paysan a raconté son histoire, c'est le tréfonds de la chrétienté que j'ai entendu. La simplicité de ses journées de labeur nous enseigne l'essentiel et nous devrions tous goûter à sa prière. Mais il n'est pas nécessaire de profiter de lui. Nous vivons à l'envers, c'est le noble qui fait pitié en n'éprouvant aucune compassion.

– Mais quel est justement l'essentiel? voulut-il savoir.

– N'as-tu pas remarqué que le rythme d'un poème, d'une chanson, d'une cloche peut dissoudre le temps? La répétition du même instant, son battement lorsqu'il s'harmonise avec le battement de toute la nature, celui du cœur et des saisons noie la succession dans un même instant. C'est ainsi que l'âme entre dans sa maisonnette. Cette maisonnette de rien du tout est le plus magnifique des châteaux forts. C'est à partir de ce château que l'âme produit le monde comme la modulation d'un chant sur la rythmique de l'éternité. La vie n'est qu'une pulsation de l'Éternité, mais quelle pulsation! Il s'en dégage, à travers la couche de douleur et de labeur qui en fait l'humus, un sentiment d'humanité qui fait toute la gloire de Dieu. Car la gloire de Dieu, c'est l'homme noble, et l'homme noble c'est le paysan, le fond et le souffle de la vie. Le paysan dépend du vent et des pluies, et sa vie dure la moitié de celle du seigneur, mais il est plus vrai que lui. Le noble ne sait pas qu'il dépend de la terre, le paysan le sait. Le noble ne sait pas qu'il dépend du paysan, le paysan sait qu'il dépend de lui-même. Le noble n'existe que par le paysan mais il ne le sait pas, le paysan n'existe que par la nature et il le sait, c'est pour cela que le paysan sait bien plus de choses que le noble. Il connaît la profondeur de sa vulnérabilité, de sa fragilité, et dans le frémissement qui en résulte, il se fait ouverture et, dans cette ouverture, se fait la pénétration du divin, et dans cette pénétration, il y a tant de jouissance que le cœur s'évanouit dans son propre fond. Voilà l'essence de la chrétienté. Lorsque l'Église se sera convertie, elle comprendra enfin que le Verbe est l'égalité. Mais moi, hier, en écoutant le chant du paysan, j'ai entendu la vraie chrétienté, celle qui dort encore, car l'hiver n'est pas fini. Je ne verrai pas le printemps, je ne le verrai pas de mes yeux. J'ai tant travaillé pour ce printemps, et je ne le verrai pas. L'Église s'est enterrée vivante dans un tombeau de pierre, de doctrine et de pouvoir, je crains pour sa vie. Conrad, mon ami, sens-tu le fil fragile, délicat, frêle, ténu de la chrétienté et voudras-tu en maintenir l'intégrité encore quelque temps? Pourras-tu la protéger un pas de plus? Il arrivera bien un jour où la terre sera assez chaude pour la recevoir. Non, tu ne comprends pas! Je le vois bien, tu ne comprends pas! Mais ta chrétienté dort sous la couche de glace qui recouvre ton cœur, elle n'est pas morte, je le sens, elle n'est pas morte. C'est mon espérance.

Il y eut un grand silence, et dans ce silence il s'endormit comme épuisé. Personne n'arrivait à parler, et moi je méditais sur les paroles qu'il m'avait laissées. Je ne savais plus où mettre la tête. Par moments je me disais, c'est un saint, à d'autres, c'est un fou. Par moments je voyais tout de haut en bas, à d'autres, tout de bas en haut. Lorsque je croyais le Maître sage, je voyais que ce monde était fou; lorsque je croyais que ce monde était sage, je voyais que le Maître était fou. Je me sentais totalement perdu.

La dernière marche

Dépendre des pauvres paysans pour ma subsistance m'était insupportable, et tous ces champs et toutes ces forêts m'angoissaient terriblement. J'avais furieusement hâte de retrouver les murs d'une église, d'un monastère, d'une cité. Les murs me manquaient épouvantablement. La terre se défait sous la pluie, mais la pierre reste solide et passe les siècles. Dieu ne peut pas être ce qui reste lorsque toute civilisation disparaît. Mais la civilisation ne peut pas non plus contenir Dieu, elle n'en contient qu'une définition mouvante. Alors qu'est-ce que Dieu? Dieu, je te perds, reviens-moi! Et si Dieu bondissait du silence et de la nuit, et si Dieu n'était possible que lorsque l'on cesse d'en produire l'image!

À Bâle, les goliards nous firent le plaisir de tourner plein sud pour Milan. Après quoi ils espéraient gagner Venise. Ils avaient entendu parler de Marco Polo et de ses fabulations, ils y croyaient et voulaient tenter semblable aventure. Monstres, chimères et sauvages ne les effrayaient pas; ils étaient même convaincus qu'il pouvait y avoir meilleure civilisation ailleurs, sur des terres inconnues, loin de Rome et de Jérusalem. Ils disaient que, si le Christ était fils de Dieu, il avait dû prêcher son évangile partout où il y avait des hommes. Pour eux, il n'était pas manifeste que Paul et Pierre en avaient fait la meilleure interprétation; d'autres, disaient-ils, l'ont sans doute mieux compris. Non seulement le Maître ne s'opposait pas, mais il les encourageait presque en disant que, de toute façon, le Verbe est à l'intérieur de tous les hommes et de toutes les femmes et que cela donne grande espérance que, partout dans l'univers, peut émerger le christianisme.

Tout le long du voyage ces jeunes gens s'étaient rapprochés du père Eckhart. À travers leur apparence rustre, on pouvait de plus en plus saisir une certaine tendresse dans laquelle le Maître semait une graine pour des jours plus inhabités. Certains s'étaient davantage attachés à lui que d'autres. En nous quittant, le plus jeune dit au père Eckhart avec des yeux étincelants et rieurs :

– Je me souviendrai toujours de vous. Si plusieurs moines m'ont scandalisé, vous êtes le premier que je crois intègre et digne de respect. Si jamais vous avez froid au ciel, venez donc vous réchauffer quelques heures en enfer. Nous vous aménagerons un petit coin et nous nous rappellerons les meilleurs souvenirs de notre drôle de vie sur terre.

Ils éclatèrent de rire de si bon cœur, qu'oubliant toute convenance j'entrai moi-même pour un instant dans leur juvénile hilarité. Le Maître les salua avec une si grande bienveillance qu'on aurait pu croire qu'il était leur père. De leur côté, je pense que, dans les chants criards qu'ils se mirent à entonner en parfaite harmonie avec les corneilles, ils cherchaient gauchement à cacher l'inquiétude de leurs adieux.

À Bâle, nous pûmes nous joindre à un convoi qui se rendait jusqu'à Chalon. Le Maître semblait avoir pris de la vigueur et de l'assurance dans la cuve de la paysannerie, de la jeunesse libertine, du soleil d'été et de la forêt sauvage ; il semblait avoir subi une cure de jeunesse qui l'avait ramené bien avant tous les tracas du procès. Procès qu'il semblait d'ailleurs avoir totalement oublié. À Chalon, le Maître n'avait cependant pas oublié Bertolf et voulut absolument le rencontrer. J'avais beau m'y opposer, tenter de le perdre dans la ville, il trouva sa demeure et frappa sans hésitation à sa porte. Après des présentations fort courtes, le Maître interpella l'homme en ces termes :

– J'ai à vous annoncer que vos fiançailles ont été rompues de votre propre main le jour où vous avez pris une fille qui ne vous était pas encore donnée ; nulle dot ne procure de droit sur une personne humaine, sachez-le. Guibert vous fait grâce de la compensation qu'il serait en droit d'exiger pour le déshonneur causé à sa fille et à sa famille. Il souhaite cependant que vous respectiez le contrat déjà signé, ce qui l'obligerait. Si le contrat devait trouver lettre morte, il serait dans l'obligation de faire entente avec un autre vigneron. L'affaire pourrait s'ébruiter et nuire aux deux familles. Pour le reste, Guibert vous laisse le choix de suggérer les causes de rupture qui vous entacheront le moins. Voilà pour le message de Guibert. À moi maintenant ! Vous n'avez sans doute ni la sensibilité ni l'honneur nécessaires pour mesurer votre geste, mais craignez le jour où vous rencontrerez le reflet de votre vie avec une conscience plus libre. J'espère que vous aurez alors assez d'expérience de Dieu et de sa miséricorde pour vous pardonner vous-même. Car il peut être pénible, au soir de sa vie, lorsque la conscience se déleste malgré nous de l'épaisseur de mensonge qui la recouvre, de rencontrer la vérité. Nous arriverons tous à un moment où l'âme sera laissée nue avec elle-même, puissions-nous alors avoir assez pardonné pour nous absoudre nous-mêmes. Si vous entendez encore vous marier, je vous souhaite une femme de caractère et, si vous êtes un homme, vous la prendrez parmi les femmes mûres et fortes, de celles qui peuvent vous tenir tête. Un homme laissé sans critique court à sa perte. Jamais nous n'avons assez d'yeux pour nous passer de ceux des autres ; une famille a besoin du regard de tous ceux qui la composent. Que Dieu vous vienne en aide, monsieur, et au bonheur de vous revoir, je l'espère, dans un monde meilleur !

Et il partit sans attendre, ce qui n'était pas impertinent, vu les couleurs vives qu'avait prises notre hôte durant ce discours. Il y avait longtemps que je n'avais pas vu le Maître parler avec tant d'autorité. C'est de cette façon et plus vertement encore que j'aurais dû interpeller Herman de Summo et Guillaume de Nidecke lorsqu'ils étaient sous ma férule. Je regrettai amèrement encore une fois ma lâcheté.

De Chalon nous pûmes trouver un chaland en partance pour Avignon qui accepta de nous embarquer en échange de travail. Nous devions faire l'inventaire des marchandises sous le ponton, préparer les contrats de vente, comptabiliser les lettres de change et rédiger le courrier d'affaires. Ce que je fis presque entièrement seul, le Maître étant fort occupé à converser avec l'équipage qui maugréait sans cesse contre le capitaine.

Nous arrivâmes finalement à Avignon totalement fourbus, mais si heureux de toucher au cœur de la chrétienté. Du moins, c'est ce que j'exprimai spontanément au Maître qui m'en fit reproche :

– Le cœur de la chrétienté, me dit-il, c'est le Verbe, la dynamique de l'intelligence qui travaille dans chaque homme, dans chaque femme et même dans les pierres, les montagnes, les vallées, les astres et les sphères les plus élevées. Le cœur de la chrétienté est au milieu de chaque être dans un même centre pour tous.

N'empêche que je me sentais comme un enfant perdu qui, enfin, touche à l'enceinte de sa demeure. Je sortais enfin des campagnes, du limon dans lequel tout homme risque de couler indéfiniment comme dans un limbe tiède et lugubre. En effet, sous la pellicule de l'être marmonnent des puissances et des possibles si étranges et incompatibles avec ce monde qu'ils sont refusés par l'être, mais néanmoins l'effleurent et le hantent. C'est là notre origine terrestre, notre ventre, nos racines féminines, le chaos premier dont il faut toujours craindre les retours. C'est dans cette chair que prennent pied le végétal et l'animal qui ne peuvent s'épanouir qu'en y échappant, sinon c'est la pourriture, la décomposition dans l'indéfini. La paysannerie, les campagnes, leur ignorance profonde, leurs superstitions, leur tragique promiscuité avec les plantes et les bêtes forment comme le ventre de l'Église : par le haut, certes, ils la touchent au cœur et aux poumons, mais par le bas ils se perdent dans les ouvertures et les boues qui ne sont que l'humus de l'humanité. Lorsqu'on est dans cette fange, on a l'impression que notre esprit se vide des fibres qui la fixent, des repères qui la guident et des buts qui l'orientent. Tout semble se perdre dans l'animalité, à la recherche des satisfactions de la chair, piégés par elle, emportés dans ses entrailles immondes. Les paysans sont enfoncés jusqu'à mi-corps dans la glu maternelle de la terre et sont aveugles aux cimes célestes que montre le doigt des hauts clochers de l'Église. Lorsque mon pied s'appuya sur les pierres du quai et que je vis tous ces clercs drapés de bleu, de vert et de rouge, je me sentis Virgile touchant le premier cercle du paradis.

Dans un méandre du Rhône s'élevaient très haut les murs de la ville. Depuis 1309, Avignon abritait les papes, la substance pensante de l'Église, la bienheureuse tête de la civilisation. C'était une transformation radicale si l'on se souvient qu'Avignon avait pris partie en faveur des Albigeois, les cathares anticléricaux de la France. Louis VIII la conquit et la fit démanteler. Aujourd'hui, on raconte que le pape serait sur le point de l'acheter à la comtesse de Provence, Jeanne de Naples. On allait bientôt ériger un grand palais, déjà les ouvriers s'affairaient aux fondations. Les marbres les plus beaux arrivaient par bateau; les bois rares, l'or et l'argent les plus purs, les architectes les plus savants, les maîtres artisans les plus expérimentés, les docteurs les plus érudits, la crème de la chrétienté venaient dresser ici la forteresse de Dieu en plein centre de la civilisation chrétienne. À l'ouest : le comté du Portugal, Leone et Castille, Cordoue, Navarre, Aragon et Barcelone; au nord : l'Irlande, l'Écosse, le pays de Galles, l'Angleterre et la France. À l'est : la Lituanie, la Pologne, la Poméranie, la Hongrie, la Bohême et les Allemagnes. Au sud-est : la Serbie, la Croatie, Venise. Au sud : l'Italie et la Sicile. Le pape allait prendre souche au cœur même du monde et rayonner sur toute la terre comme il rayonne déjà au Ciel. Je trouvais là une sécurité dont le Maître semblait se moquer, me répétant sans cesse :

— Cela non plus, tu ne l'emporteras pas en terre, tu ne l'emportes même pas au fond de ton anxiété, là où il ne reste que le silence de Dieu. Que ferais-tu si les Maures te capturaient et te faisaient esclave chez eux ou bien, plus au sud encore, chez les Noirs et les monstres sauvages ?

Mon esprit n'osait même pas effleurer cette éventualité dans mes plus terribles cauchemars. Et le Maître qui aimait me torturer sur ce point continuait :

— C'est pourtant là que tu saurais ce que tu as de vraiment chrétien dans le cœur. On ne sait rien de l'eau lorsqu'on voyage dans la cale d'un navire, et plus le navire est stable, plus le capitaine est rassurant, moins il est aisé de connaître l'eau, sa profondeur, sa largeur et son dynamisme. Mais ne t'y trompe pas, le Verbe qui est en nous file comme une onde dans tous les sens, et n'hésite en rien à se traverser lui-même de part en part. Un jour tu déborderas de toi-même et te déverseras dans cette eau et tu devrais davantage t'y préparer.

Et il se mettait à pétiller de ses deux yeux qui savaient pénétrer partout. Il avança un pas de plus :

— La vieillesse, crois-moi, défait tous les échafaudages de l'esprit ; on n'arrive même plus à s'en souvenir. La seule chose qui semble survivre, c'est le sentiment, l'état global de l'intelligence humaine dans l'abîme tranquille de la ténèbre de Dieu. Si tu ne te régales pas de ce qu'il y a de plus obscur en toi, comment crois-tu atteindre la vision des bienheureux, la réjouissance des esprits pacifiés, de ceux qui ne sont pas en fuite ? Tu vois cette ville, mais ce n'est qu'une illusion du temps ; dans mille ans, dans dix mille ans, il n'en restera plus rien, pas plus que dans dix secondes il ne restera quelque chose de cette onde qui s'éloigne maintenant du quai. Chaque chose du visible n'est qu'une respiration que l'on retient un temps avant de la laisser partir. Ce qu'il y a de beau, ce n'est pas une chose, mais la majesté du temps qui passe, sa révélation, sa théophanie. Le temps plonge sans cesse dans la mort pour en ressortir encore plus plein de vie et rien ne peut y mettre l'ancre; rien, Conrad, pas même le pape. Le Christ n'est pas venu arrêter le temps mais l'exalter, il n'est pas venu arrêter la mort mais, au contraire, il est venu la traverser. Les paysans connaissent le temps, ils en suivent les saisons, ce sont eux l'Église vivante. Quant aux doctrines, si elles ne suivent pas le voyage des hommes dans leur culture changeante, elles ne sont que des pierres qui coulent à pic dans des fonds dont elles ne reviendront jamais. Malheur à celui qui veut se faire un esquif de pierre, il est perdu. Qui se perd se trouve, qui cherche à se maintenir se perd.

– Mais Jésus n'a-t-il pas dit que c'est sur Pierre qu'il construira son Église?

– Il n'y a qu'une pierre, Conrad, alors qu'il y aura encore mille autres papes.

Il refusa de m'expliquer cette dangereuse proposition.

Nous pûmes retrouver Gérald de Podahns à la résidence temporaire des Dominicains. Nicolas de Strasbourg avait déjà rencontré le cardinal Fournier qui le reçut, nous dit Gérald, très cordialement, et écouta avec attention tout ce qui avait été dit au procès de Cologne. Il rassura si bien Nicolas que celui-ci accepta une autre mission de visiteur du pape en Allemagne, où il était reparti sans plus attendre. Mais à Avignon le Maître semblait perdre chaque jour ce qu'il avait gagné dans les campagnes. Il apparaissait maintenant si épuisé qu'il ne sembla pas se réjouir outre mesure de ce succès. Au contraire, il apparaissait particulièrement soucieux de ce revirement. Le cardinal avait demandé qu'on préparât pour le Maître une cellule convenable au coin nord de la résidence parce que la vue y était particulièrement agréable. Je voulus un instant m'y opposer, entendu que le Maître avait besoin de soleil et que le froid et l'humidité l'affectaient beaucoup, mais il n'était pas question de refuser une offre aussi généreuse de la part du cardinal.

Nous dûmes attendre tout un mois avant d'être reçus par le cardinal. L'hiver approchait à grands pas, et le froid commençait à affecter gravement le Maître qui avait de plus en plus de peine à marcher et à respirer. Il arriva au manoir du cardinal moite et transi. Nous fûmes introduits dans une pièce très haute, largement éclairée par des vitraux azur d'une grande beauté. Tout était de pierre sauf l'immense table de bois massif qui nous séparait du pacifique cardinal plein de politesse et de raffinement. Il portait de la soie rouge très finement brodée d'or et tachetée de diamants. D'immenses candélabres d'argent ajoutaient à l'éclairage. Le dossier de son trône en cuir écarlate montait presque trois coudées au-dessus de sa tête. Les marbres roses qui recouvraient le plancher étaient d'une propreté si parfaite qu'on se serait cru hors de cette vallée de larmes. Rien dans ce palais ne pouvait nous rappeler les immondices des campagnes. C'était la civilisation à l'état pur. Le cardinal lui-même n'avait rien d'un homme ordinaire : sa peau était parfaite et semblait douce comme celle des anges, ses yeux étincelants comme des astres, sa bouche vermeille comme un coucher de soleil. Il n'était qu'à moitié de ce monde, tout un versant de son être volait du côté du ciel. Il nous sourit fort élégamment et s'inquiéta de la santé du Maître :

— On me dit que votre phtisie vous donne beaucoup de mal.

— J'ai souffert de bien d'autres maux, retourna le Maître.

— J'ai été mis au courant de vos adversités à Cologne, répondit le cardinal. C'est là terrible traverse.

— L'adversité est bien plus grande pour l'Église, riposta Eckhart.

— Les temps sont difficiles, mais l'Église possède assez de longueur et de largeur pour glisser sur les écueils sans perdre globalement l'équilibre ni s'échouer irrémédiablement. Néanmoins, je vous accorde que nos difficultés avec certains princes qui se prennent pour des empereurs absorbent beaucoup de notre temps. Il nous en reste bien peu. J'ai tenu cependant à vous entendre de vive voix. J'ai été positivement impressionné par vos procureurs, Nicolas de Strasbourg et Gérald de Podahns, et j'étais impatient de vous écouter.

Le Maître prit le temps de fixer l'homme afin de bien mesurer ce qu'il pouvait lui dire.

– Je ne répéterai pas ce qu'ils ont dit, ni mon plaidoyer à Cologne, je vous sais intelligent, vous en savez amplement pour comprendre et trancher. D'ailleurs, ce n'est pas ce que l'on me reproche qui a beaucoup d'importance, je n'ai fait qu'insister sur quelques points fondamentaux déjà bien éclairés par Denys l'Aréopagite. Le point le plus fondamental étant qu'il est nécessaire que le Fond de l'âme humaine, le Fond de l'univers et le Fond de la Trinité soient le même Fond, et que dans ce Fond, l'Intelligence du Verbe se produit, se fait entendre et agit. Toute ma vie a consisté à expérimenter et divulguer la voie de la pauvreté et du détachement qui mène à ce Fond. Mais tout cela est si connu, si évident, si orthodoxe que, s'il n'y avait pas autre chose ailleurs, on ne me reprocherait certainement pas ces propos. Ce qui inquiète, ce n'est donc pas les mots que l'on me reproche, mais la crainte des conséquences de ces paroles. Voilà à quelle conclusion je suis arrivé : l'essence du christianisme est en soi terrifiant pour tout ordre social qui vise à assujettir les hommes à des intérêts locaux. L'église juive a craint le Christ parce qu'il démontrait en lui-même que la vérité surgissait de l'intérieur de l'âme. Les empereurs romains craignaient et craignent encore le christianisme parce qu'il fournit un antidote à la peur et ouvre la conscience à une lucidité supérieure. Toute organisation, quelle qu'elle soit, craindra le christianisme dès qu'elle misera sur l'obscurantisme et l'ignorance pour assujettir les hommes. Certains hommes dans l'Église sont fortement tentés par le césarisme et, donc, le christianisme les terrifie. Or je vis et je prêche le christianisme, et de ce fait ils veulent me détruire. Mais ce n'est pas moi qu'ils veulent détruire, c'est le christianisme, le Logos, l'Intelligence qui sourd dans l'âme humaine vivifiée comme elle sourd dans l'univers illuminé.

Le véritable christianisme, celui qui a été vécu par les saints, n'est pas quelque chose que l'on met dans les hommes, mais quelque chose que l'on fait surgir des hommes. Or pour certains, le christianisme ressemble à un code de lois et de principes qu'il faut rendre rigide comme une épée afin de l'enfoncer aussi profondément que possible dans le cœur des hommes. Mais un tel christianisme tue, il ne vivifie pas. Il ne faut pourtant pas me craindre, moi, je n'ai pas lutté contre ce pseudo-christianisme et ne le ferai jamais; il saura se détruire lui-même. Dès qu'une institution tient par le seul pouvoir de l'épée, il arrive toujours une autre épée pour la détruire. Non! je n'ai pas besoin de lutter contre cette rigidité qui se brise déjà sous les vents d'Orient; le schisme cogne à notre porte, et les vents d'Afrique, les Maures nous avalent par le sud. Non, beaucoup plus simplement, et j'espère plus purement, j'ai professé, amplifié, exalté le véritable christianisme, celui qui surgit naturellement de l'intelligence humaine du seul fait qu'elle se fait sincère, honnête avec elle-même et détachée de tout ce qui tord sa lumière propre. Le christianisme dont j'ai parlé subsistera, bien qu'il puisse prendre toutes sortes de modes. Même si toute civilisation disparaissait de la surface de cette terre, même si tous les hommes, par une peste absolue, disparaissaient, ce christianisme continuerait à se faire entendre dans la beauté des arbres, des montagnes, des étoiles, de tout ce qui se meut dans l'éternité. C'est le seul christianisme qui saura traverser l'ère de la raison et puis l'ère de l'émotion, car il faudra bien un jour les traverser. Craignez le dogmatisme!

J'ai entendu des gens qui m'ont dit que la foi dépasse la raison et que le Christ est mort dans un acte de folie amoureuse. Qu'ils se méfient! Car s'il existe une foi qui dépasse la raison et qui va même au-delà de l'intelligence, tous ceux qui m'ont parlé ainsi ne la connaissaient nullement! Ils ne connaissaient que les croyances qui sont en dessous de la raison et non la foi qui est au-dessus de la raison. Ils ne pratiquaient qu'une paresse intellectuelle fort commode. Ces gens ouvrent la porte au fanatisme, à une obéissance sans lucidité à des chefs qui pourraient bien abuser d'eux. Il vaut beaucoup mieux garder sa foi dans la simplicité et la prudence de ce qui est admissible à la raison ou résulte d'une intelligence éclairée, que de s'abandonner à une folie qui a bien peu de chances d'être un dépassement de la sagesse naturelle. Craignez le fanatisme!

D'autres m'ont dit qu'ils ne fallait pas enseigner ces choses aux cœurs simples. C'est un étrange reproche à Jésus, qui l'a fait. C'est aussi une insulte à la foi elle-même. Car si le Fond de l'âme est un avec le Fond de l'univers et le Fond de Dieu, ce sont toutes les âmes qui peuvent entendre la divinité dans leur cœur et non uniquement certains. Aussi je n'ai pas enseigné des subtilités aux pauvres et aux femmes. Ce sont les pauvres et les femmes qui m'ont instruit de ce qu'ils saisissaient au fond de leur cœur. Non, la chrétienté n'est pas introduite dans les hommes par les hommes. La chrétienté émerge des hommes et des femmes naturellement, et c'est infiniment vrai, et c'est si vrai qu'aucune autorité de ce monde ne pourra jamais l'écraser complètement. Pour l'écraser, il faudrait détruire l'Intelligence qui se cache dans ce monde, ce qui n'est pas possible. Il y aura toujours de la lumière dans ce monde et s'il vient à ne plus y en avoir, c'est qu'il n'y aura plus de monde du tout. Craignez l'ignorance!

Mais, mon seigneur le cardinal, il n'est pas nécessaire que l'Église se fasse l'ennemie du christianisme qu'elle a mission de cultiver! Il serait plutôt souhaitable que l'Église se mette au service du christianisme qui grandit depuis l'orée du monde et qui ira son chemin jusqu'à son apogée. Elle le fait dans ses saints, pourquoi ne le ferait-elle pas dans ses fonctionnaires? Si l'Église persiste dans cette rigidité, si elle coupe l'artère qui tente d'unifier la philosophie et la théologie, si elle détruit le lien entre les sciences de la nature, les sciences de la raison et la science du Tout, si elle devient une doctrine plutôt qu'un souffle, il est inévitable qu'elle éclatera en miettes. L'Orient se détachera d'elle définitivement, l'histoire la fera éclater en une multitude de sectes, la raison l'écrasera du pied, et l'égoïsme redevenu sauvage retournera un temps aux religions de mystères et à l'athéisme d'Alexandre d'Aphrodise. Certes, le véritable christianisme renaîtra encore plus fort de ses cendres, mais malheur à ceux qui auront été complices d'un tel détour. Le Verbe-Intelligence démontre chaque jour son pouvoir de résurrection et de résurgence. Était-il nécessaire de le crucifier? Craignez la violence!

Le Maître avait peine à continuer et dut prendre dans ses maigres réserves pour ajouter ce qui suit :

– Je sais que vous avez bien entendu et bien compris tout ce que j'ai dit, mais je sais aussi que, si vous n'êtes pas détaché, délié de vos commettants, vous me condamnerez, du moins vous condamnerez ce que vous croyez dangereusement libérateur. Évidemment, vous avez assez de finesse pour éviter que je sois brûlé sur le bûcher. En ce moment, un martyr ne vous rendrait pas service. Il serait tentant de nous laisser mourir doucement, moi et mes œuvres, dans une patiente indifférence. C'est peut-être ce que vous avez déjà décidé. Mais cela ne vous lave pas du sang. Personne ne pouvait décider à la place de Pilate. Pilate n'a pu se détacher de ses peurs, c'est pourquoi il a condamné le Verbe. En chaque homme, la crainte et la lâcheté tuent le Verbe. Mais il y a des plantes qui poussent malgré les pierres que l'on jette dessus, elles contournent tous les galets et vont leur chemin ; le christianisme est ainsi. Cependant, malheur à celui qui jette le pavé, car c'est sur sa propre âme qu'il le jette.

Le Maître n'arrivait plus à parler, ni même à se tenir debout. Il s'écroula presque sur sa chaise, mais réussit à se retenir grâce à sa solide empoigne sur la table.

– Est-ce que cela complète votre défense, père Eckhart ? demanda tranquillement le cardinal.

– C'est terminé, mon seigneur le cardinal.

– Alors laissez-moi le temps de décider. Vous me comparez à Pilate, mais Pilate décida sous pression. Ne me reprochez pas de faire preuve de prudence. Vous représentez bien l'esprit de l'Église, mais l'Église n'est pas qu'un pur esprit. Elle dispose d'un corps dont l'ossature doit être solide. L'équilibre n'est pas facile, père Eckhart, et vous êtes bien placé pour le savoir. Soyez assuré de ma sincérité et que Dieu vous vienne en aide.

Il me fut difficile de ramener le Maître tant il était faible, fatigué et brisé. Ce fut son dernier grand effort.

L'hiver se mit à traverser la pierre des murs ; peu de neige, mais combien de pluie, de froid et de vent. Personne, sauf l'hiver, ne venait dans notre retraite. Il n'y eut pas d'autres auditions. Nicolas ne revenait pas de mission. Gérald de Podahns était occupé ailleurs. Nous n'avions aucune nouvelle des couvents d'Allemagne, aucun courrier de Bruges, rien que le silence et le sifflement de l'hiver. Voilà le bûcher que l'on avait préparé pour le Maître : une condamnation de vent, une foule absente, un tumulte de silence, une avanie d'indifférence, une torche de néant, un bûcher de glace, un feu de frimas, un brasier de pierres givrées et du temps, une lente traversée, un languissant exode. Le Maître ne dormait plus, son corps n'était plus qu'un glaçon, et pourtant il brûlait de l'intérieur, les poumons en feu et en sang. Il étouffait de longues minutes, puis faisait irruption sur un souvenir qu'il n'arrivait pas à dire, faute d'air. Il ne mangeait pratiquement plus, sa peau mince moulait son visage qui devenait peu à peu un crâne vivant. C'était effroyable à voir, et pourtant une lanterne veillait dans ses yeux et réchauffait son sourire qui parfois prenait presque les proportions du rire. Il semblait goûter l'arrivée plutôt que de pleurer le départ. Il aurait voulu me décrire les beautés qu'il voyait mais il ne le pouvait pas.

Ce fut un bûcher à combustion infiniment lente, si lente que personne ne se rendait compte que l'on brûlait ici un grand Maître sur un bûcher bien calculé. Certes, c'était un homme étrange, incompréhensible, mystérieux, que l'on ne peut donner en modèle au peuple, mais c'était un homme qui va devant, une sentinelle, un éclaireur, donc un homme de courage qui prend sur lui le risque d'un chemin, le risque de l'inconnu. Si les curieux s'approchent habituellement des bûchers, à la fois horrifiés et fascinés, de celui-là on s'éloignait plus que s'il y avait eu la peste dans ses fumées. Quelle solitude! Je voyais le Maître s'en aller lentement, peu à peu lâcher prise. Je le sentais émerger ailleurs sur une rive qui le réjouissait outre mesure. Il agonisait, il naissait à tout cela en même temps. C'est comme s'il ne voulait pas abandonner ce monde avant d'avoir agrippé la frange de l'autre. Il y avait tant de souffrance sur ce bûcher que chaque heure je priais pour qu'il soit emporté. Mais l'homme était fort, d'une résistance exceptionnelle, d'un cœur indéfectible, d'un esprit tenace. Il disait dans ses moments d'intenses souffrances :

– Je ne suis plus capable de prier. C'est mon corps qui prie, c'est ma souffrance qui prie.

Mais, en même temps, des étincelles jaillissaient de ses yeux : c'était un débordement de vie, d'intelligence et de joie comme il disait qu'était l'univers. Non pas de cette sorte d'intelligence qui s'en va avec l'âge parce qu'elle est linéaire, temporelle et relative, l'intelligence que l'on nomme rationalité et qui n'est rationnelle que pour un peuple et pour un temps; non pas de cette rachitique faculté de l'esprit, celle-là s'en allait et tant mieux, parce qu'elle laissait pur et simple le fond de l'intellect qui saisit le dynamisme divin. Elle ne le saisit pas en le ramenant à elle, ni elle à lui, non, elle le saisit en dansant avec lui, en se laissant emporter par son mouvement, en produisant avec lui le Verbe et en produisant avec le Verbe tout un univers mû, ému et remué. C'est cette intelligence qui scintillait dans son regard toujours radieux, une intelligence qui est un voir, un savoir et un pouvoir véritable. Il arrivait à dire, dans ses moments de joie :

– Si tu savais l'intelligence de Dieu! C'est une beauté, c'est une bonté, c'est une vérité pour laquelle tout l'univers chante. Prête l'oreille à la louange du monde et si tu ne pleures pas de joie c'est que tu ne l'entends pas encore. «Dieu est amour, dit tout l'univers. Dieu est amour.» L'entends-tu?

J'essuyais les larmes de joie et de douleur qui glissaient sur ses joues creuses. C'étaient une douleur et une joie unies en un seul sentiment offert et reçu, une réverbération de la divinité dans l'âme humaine. Je recueillais dans mes mains cette réverbération, je ne pouvais rien faire d'autre parce que je ne savais plus prier, plus réfléchir, plus me souvenir. Je ne pouvais que recueillir cette perle qui s'était formée si lentement dans cette vie de totale consécration, d'amour sans réserve et surtout sans crainte. C'était un homme qui avait assez de foi et de confiance en Dieu pour sourire aux peurs; un homme donc sur lequel personne ne peut avoir d'emprise, ni empereur, ni archevêque, ni pape. Pas de menace qui ne le touche, pas de difficulté qui ne lui fasse rebrousser chemin, parce qu'il s'est laissé ensorceler par un amour infiniment supérieur, celui qui déborde de l'intelligence divine.

Il fut pourtant éprouvé jusqu'à la lie. L'Église ne l'avait pas rejeté ; bien pire, elle l'avait dédaigné. Elle ne l'avait pas tué, mais abandonné. Elle ne l'avait pas brûlé, mais isolé dans son propre feu. Elle ne s'était pas lavé les mains comme Pilate plus lâche que lui, elle s'était contentée de ne pas paraître les avoir salies. Comment avait-elle pu crucifier de cette façon une autre fois le Verbe, le Logos, l'Intelligence, l'Amour véritable ? L'Église va-t-elle ainsi perpétuellement crucifier sa propre Source ? Et le Maître répondait :

– Ce n'est pas l'Église qui crucifie l'intelligence, le Verbe, non ce n'est pas l'Église qui tue sa Source et sa propre Vie, ce sont des individus qui se sont perdus, simplement des individus qui ont abandonné l'Église véritable, l'Église des saints. Ce ne sont pas deux moines qui m'ont incriminé, ce sont deux criminels. Ce ne sont pas deux évêques qui me tuent, ce sont deux larrons. L'Église, c'est la chrétienté et, la chrétienté, c'est la vie intellectuelle et amoureuse de l'univers qui déborde des plaisirs de Dieu. Nous sommes poussière et, quand la poussière des étoiles se met à penser, c'est qu'elle réfléchit la pensée de l'univers et on dit qu'elle a une âme, qu'elle participe à l'âme du monde. L'âme est la saveur de l'amour lorsqu'elle passe dans une conscience de soi afin de pouvoir jubiler dans son propre moi une jubilation qui la dépasse : la béatitude de Dieu. Amour et Intelligence sont un même débordement, une même bonté, une même vérité.

Et puis l'hiver reprenait son travail, renfonçait le Maître dans sa prison de glace, défaisait les mots et les choses, les ramenait à leur chaos premier, aux nombres primordiaux, au souffle des relations fondamentales, là où l'unité se joue d'elle-même. L'homme se défaisait, se désarticulait, pendant qu'un ange, une âme pure prenait place. La métamorphose était fascinante. Dans le cocon de l'agonie, le papillon allait prendre la place de la chenille. Le cocon s'asséchait, s'effritait, tombait en lambeaux ; le papillon prenait vie, croissait et déjà cherchait à s'enfuir. Et un jour particulièrement sombre où l'orage voulait tout déchirer, il glissa comme hors de sa douleur, il entra dans le pourtour de la paix qui permet aux âmes de dire leurs adieux. Il se mit à prier avec force comme une âme libérée définitivement des serres du corps :

– Ô Source de toute intelligence qui m'a pris dès que tu m'as conçu, tu m'emportes, je le sens, encore plus près en toi. Plus ce cœur est libre, plus la prière et l'œuvre sont fortes, dignes, utiles, louables et parfaites. Aujourd'hui mon cœur se fait libre de tout et donc peut tout. Alors je suis avec toi et en toi; je suis créateur. Nous déployons ensemble la création pour que soit révélé notre amour. Nous produisons les arbres et les fleurs, nous faisons bondir les montagnes, nous abaissons les vallées, les lacs et les mers, nous faisons courir les animaux et donnons à l'humain des déserts de liberté et tout cela rayonne notre amour. Nous ne faisons pas les hommes pour qu'ils reflètent parfaitement le Verbe du premier coup, nous leur donnons le temps pour qu'ils reflètent le Verbe plus que parfaitement dans la magie perpétuelle de leur créativité illimitée. Car le perfectionné est bien plus parfait que le parfait, et la créativité perpétuelle plus grande que toute création. Si nous éloignons l'humain de nous, de lui-même, c'est pour qu'il goûte librement le retour, c'est pour qu'il saisisse le bonheur de se retrouver. Si nous l'abaissons et puis le relevons, c'est pour qu'il connaisse toute la hauteur, la grandeur et la profondeur du lieu de notre amour. Car l'amour ne peut être créé, il ne peut venir que d'un mouvement, d'une rencontre libre et infiniment désirée. Un univers facile aurait privé l'homme de tout sentiment, de toute joie. Nous avons fait le monde plus que parfait, c'est-à-dire avec un commencement imparfait, un temps imprévisible et un aboutissement intangible. Nous nous appelons liberté, on nous nomme dépassement, nous sommes l'essence de l'Amour.

Qu'est-ce qu'un cœur libre? Un cœur libre est celui qui n'est troublé par rien et n'est attaché à rien, qui n'a lié le meilleur de lui-même à aucun mode et n'a jamais en vue son bien immédiat. Un cœur libre connaît le temps et aime que la fin soit toujours un peu plus loin. Ce que je n'ai pas voulu perdre, mon Dieu, vous me l'enlevez aujourd'hui. Vous me libérez de tout fardeau et me voici plus léger que l'air. J'ai tant marché, combien je goûte aujourd'hui la joie de voler, joie que je ne connaîtrais pas si vous me l'aviez donnée dès le point de départ. Béni soit le temps. Combien est heureux celui qui a découvert que la joie ne s'impose pas, qu'elle est la non-imposition absolue!

Cette mort qui vient ne m'enlève rien que le néant qui me reste. Elle ne détruit pas, elle donne. La grâce ne détruit jamais la nature, elle la parachève. La transfiguration ne détruit pas la grâce, elle la parachève; car la transfiguration est la grâce à l'état d'achèvement. Il n'y a donc en Dieu rien qui détruise quoi que ce soit; il est celui qui parachève toute chose. Qu'il est heureux, celui qui a compris qu'il ne peut perdre qu'un peu de néant et qu'il peut gagner tout l'amour de Dieu! Combien je suis heureux d'aller plus avant dans ton Verbe! Le plus haut point de l'élévation se trouve justement au plus profond des abîmes, car plus l'abîme se creuse, plus haute et plus grande s'élève aussi la hauteur; plus le puits est profond, plus il est haut : hauteur et profondeur ne font qu'un. Quelle hauteur est la mienne, moi qui ne suis rien et donc qui suis tout? Est-il quelqu'un de plus noble que celui qui est né pour moitié de ce qu'il y a de plus haut et de meilleur dans la création, et pour moitié dans le tréfonds de la nature et de sa solitude? Voilà ma noblesse, c'est la noblesse de l'Homme. Si l'âme entre alors dans la Lumière sans mélange, elle est transportée en son Rien, et dans ce Rien, elle est tellement loin de son moi créé que sa puissance propre ne suffit plus à la ramener à son moi créé. Elle se détache et vogue librement dans son eau. Mais alors, Dieu, lui qui n'est pas créé, saisit le rien de l'âme et accueille cette âme en lui-même. L'âme a osé s'anéantir et ne peut plus maintenant retourner d'elle-même en elle-même. Il doit nécessairement en être ainsi. C'est dans ce mouvement que nous faisons la création.

Voilà ce qui m'arrive, Conrad. Alors ne pleure pas, ne sois pas triste. Tu es le seul qui m'aies accompagné dans ma solitude, et tu as eu la délicatesse de me laisser cette solitude. Il n'était pas nécessaire d'avoir si peur de moi. Il faudra que tu dises à tous ceux qui m'ont laissé ainsi à moi-même combien je leur suis reconnaissant. Toute ma vie j'ai souhaité mourir doucement, tranquillement et en retraite. J'ai souhaité avoir le temps de passer du mode lent au mode rapide, de l'amour lourd à l'amour léger, de la contemplation trouble à la contemplation claire, de l'intelligence morne à l'intelligence vive. Dieu m'a accordé cette grâce. Béni soit-il!

Rappelle-toi, Conrad, et répète-le à tous ceux qui ont du cœur et de l'amour, c'est l'essence de ma vie en ce monde : «En Lui-même, l'Acte intellectif n'est rien d'autre que la déiformité de l'arche spirituelle, l'émanation de l'Amour. En énonçant le Verbe, le Père s'énonce lui-même, il énonce toutes choses en une autre personne et donne au Verbe la nature qu'il a lui-même; et il énonce dans le Verbe, toutes les intelligences comme lui étant essentiellement semblables en tant qu'elles contiennent ce Verbe. Et le Père l'a énoncé complètement tel qu'il est en lui-même. Il a énoncé le Verbe et tout ce qui est dans le Verbe en tant qu'égalité à lui-même. Entends-tu cela? L'égalité c'est la condition et la conséquence de l'Amour.» Voilà l'œuf que j'ai couvé toute ma vie, je te le donne, prends-le, envole-toi sur ses ailes.

Un homme ne peut nager tant qu'il garde le pied sur le quai. Toi, mon ami, tu as toujours voulu te lancer dans la mer, mais tu n'as jamais voulu retirer ton pied du quai. Ne reste pas ainsi écartelé, tu risques de te briser et tu te prives du bonheur. Pour aller il faut partir, pour partir il faut quitter ; on ne peut s'élancer tout en restant en sécurité dans une maison. Regarde fixement la mer que je vois maintenant. Regarde-la dans mes yeux. Elle finira par te charmer, te charmer jusqu'à ce que tu en oublies tes craintes et te jettes en elle.

Tu es le dernier souvenir que j'emporte avec moi, et dans tes yeux j'emporte Katrei et Jutta et Barnabé et Suso et Tauler et Berthold et Nicolas et tous ceux qui font l'expérience d'un amour véritable qui brise la peur. Comme je t'ai aimé...

Il sombra dans cette nuit qu'il aimait tant, puisqu'il la comparait à une mère qui laisse la vie entrer en elle, venir en elle et faire plus qu'elle.

Conclusion

En cette année de l'an mil trois cent quarante-cinq, comme je m'apprête à partir, j'ai retiré le manuscrit de sa châsse de pierre afin d'y griffonner ces dernières notes...

Personne ne voulut creuser dans la terre boueuse du début de mars pour enterrer un homme suspect d'hérésie. Je dus promettre de nombreux pains à deux gamins sans famille, mais disposant d'une charrette, pour qu'ils acceptent de m'aider à transporter le corps hors de la ville. Nous l'avons enterré sans cérémonie à l'orée d'un bois derrière le champ des morts d'une paroisse de campagne. L'homme n'avait droit ni à la crypte, ni au cimetière, ni aux ablutions, ni aux onctions, qu'à l'indifférence et au mépris. Je plaçai sur le sol une petite croix de bois blanchi à la chaux que mes larmes délavaient en même temps que la pluie. Je n'arrivais pas à m'arracher à ce lieu; je dus y rester plusieurs heures. J'étais si troublé, effaré et perdu, comme assommé, et il se peut qu'au fond de moi-même j'espérais qu'on vienne avec un message de la curie m'annonçant que le Maître était gracié et qu'on l'attendait à la cathédrale pour une cérémonie. Je restais là à attendre. Il me semble même y avoir passé toute la nuit dans une sorte d'état léthargique. Mais cela n'est pas possible, la saison était déjà trop avancée de sorte que le froid m'aurait pétrifié. Pétrifié, je l'étais néanmoins! Je restais figé devant le ventre de terre plein et chaud du Maître. J'aurais voulu m'enraciner comme un arbre et le couvrir de ma prière comme le fait encore aujourd'hui la forêt. J'aurais voulu tenir la main du temps et former une coupole au-dessus du Maître, des arceaux de hêtres et de chênes. Les arbres ont une vaillance sans limites pour les morts. Hélas, je suis un homme, et dans le cœur des hommes il n'y a pas assez de vaillance pour sucer toute la lumière du ciel sans bouger de terre; dans l'homme surviennent inévitablement des petites fractures qui déchirent le fil du temps, des hiatus dans la mémoire, dans l'intelligence et dans la volonté qui tailladent son attention. Il se retrouve alors comme hors de son corps, il constate qu'il s'est éloigné de lui-même sans l'avoir tout à fait décidé, il se retrouve au loin. Il nous est impossible, à nous les hommes, de nous tenir là où nous sommes. Alors que les arbres savent se tenir dans le temps, nous, nous fuyons avec lui. Pourtant une partie de moi est restée dans la moelle des arbres et penchée sur le Maître, de sorte qu'après avoir déposé quelques fleurs, je me suis retrouvé sur le chemin de Cologne tout en surplombant le sol qui recouvre toujours le Maître.

Jamais le corps du Maître ne fut exhumé et transporté en terre bénie. Lorsque Gérald de Podahns et Nicolas de Strasbourg furent de retour et qu'ils réalisèrent qu'ils avaient été éloignés par tromperie, ils coururent furieux chez le cardinal pour demander que le corps soit enterré convenablement. Mais le cardinal leur fit entendre que la curie s'était rangée du côté de Virnebourg, de sorte que le corps est toujours à l'orée du bois et moi, je veille continuellement près de lui. Je le sais, je le sens. Je perçois encore aujourd'hui, dans ce sol, la vie chaude et nourrissante du Maître. J'ai l'oreille collée sur cette terre avec la même attention que lorsque j'ausculte une femme grosse d'un enfant qui vient. Cette nuit même, par exemple, couché sur ma paillasse, j'ai été réveillé par le mouvement du Maître qui s'étirait une jambe dans la terre; on aurait dit la vieille racine d'un chêne qui se contracte avant d'élancer encore plus haut dans le ciel sa branche la plus élevée. Il y a sur cette branche une feuille qui frissonne de plaisir aux caresses du soleil. C'est un peu de moi-même, car si mon cœur erre toujours dans des craintes et des inquiétudes bien inutiles, quelque chose de moi repose en paix et pour toujours avec le Maître. Je crois que j'ai enterré le père Eckhart dans la partie la plus charnue de mon cœur et qu'il ne pleuvait pas ce jour-là, au contraire le printemps grouillait de vie. C'est pour cela que la terre était molle et qu'il me fallut bien peu d'efforts pour creuser, le mettre en terre, et le couvrir de moi-même. Il était déjà ressuscité comme une vie qui redresse sa colonne intérieure et entraîne l'âme avec elle. Il m'entraîna un peu avec lui. Aussi y a-t-il une brèche sur la trame de mes doutes et de mes craintes par où petit à petit s'infiltre le meilleur de mon âme, de sorte qu'il m'arrive de goûter aux saveurs éblouissantes de la confiance des enfants.

Après l'audience où le Maître avait présenté sa dernière défense, et bien que le cardinal Jacques Fournier semblât avoir prêté l'oreille aux thèses du prévenu, il soumit, pour discussion en curie, vingt-six articles qu'Eckhart avait reconnus siens plus deux autres qu'on lui reprochait. Personne n'était pressé de conclure, mais je sus plus tard que Herman de Summo et Reinher Friso y avaient présenté les conclusions de Cologne appuyées par une enveloppe scellée du sceau de la maison de Virnebourg. Le palais que l'on construisait à Avignon coûtait fort cher et les dons y étaient bienvenus! La bulle de condamnation fut finalement rendue quelque temps après sa mort : le 27 mars 1329. Je l'ai lue à Cologne affichée sur le mur de la cathédrale, car je n'avais pas eu la force de l'entendre prononcer la veille par l'archevêque. Je n'aurais pu supporter son masque de fer et son sourire de sang. Il y était écrit :

«Moi, Jean XXII, évêque, serviteur des serviteurs de Dieu, en éternelle mémoire de l'affaire... Dans le champ du Seigneur, dont, par disposition du Ciel et sans l'avoir mérité, nous sommes le gardien et l'ouvrier, nous devons apporter tant de soin et de prudence à la culture spirituelle que, si jamais un homme ennemi y sème l'ivraie en sus de la semence de la vérité, elle soit, avant de se multiplier en un pullulement nocif, étouffée dans son origine, afin que la semence des vices soit détruite et les épines des erreurs arrachées. C'est avec grande douleur que nous faisons savoir que, ces temps derniers, un certain Eckhart, des pays allemands, docteur ès Écritures saintes, à ce qu'on dit, et professeur de l'ordre des Frères prêcheurs, a voulu en savoir plus qu'il ne convenait. Il ne l'a pas voulu avec modération en suivant la mesure de la foi, puisque, détournant son oreille de la vérité, il s'est tourné vers des fables. Séduit par le père du mensonge, qui souvent prend la figure d'un ange de lumière afin de répandre les noires et profondes ténèbres à la place de la clarté de la vérité, cet homme a fait lever des épines et des tribules dans le champ de l'Église au mépris de l'éblouissante vérité de la foi. S'efforçant d'y produire des chardons nuisibles et des ronces vénéneuses, il a enseigné bien des dogmes qui obnubilent la vraie foi dans les cœurs de nombreux fidèles. Il a exposé sa doctrine principalement dans ses prédications devant le vulgaire crédule. De l'enquête faite à ce sujet contre lui, d'abord par ordre de notre vénérable frère Henri de Virnebourg, archevêque de Cologne, et finalement reprise sur notre ordre à la curie romaine, nous avons appris, et il est établi de façon évidente par les aveux du même Eckhart, qu'il a prêché et enseigné vingt-huit propositions méprisables. Les quinze premières propositions et les deux dernières sont expressément réprouvées par l'Église : elles contiennent des erreurs et sont entachées d'hérésie, et par le son que rendent les mots employés, et par l'enchaînement des idées. Les onze autres sont considérées malsonnantes, très téméraires et suspectes d'hérésie, quoique, avec beaucoup d'explications et de compléments, elles puissent prendre un sens catholique.»

La commission avignonnaise avait donc jusqu'à un certain point donné raison à Eckhart en répétant ce qu'il avait souvent avancé lui-même dans ses défenses : tel ou tel article paraît erroné selon la lettre, mais si l'on se donne la peine de le comprendre en toute bonne foi, il prend un sens plus élevé et plus juste. La bulle ajoutait qu'Eckhart, «... confessant à la fin de sa vie la foi catholique, révoqua et désavoua les vingt-six articles... ainsi que tout ce qu'il avait écrit ou enseigné dans les écoles ou dans ses sermons qui pourrait faire adopter par les esprits des fidèles un sens hérétique ou erroné contraire à la vraie foi». Il aurait fallu dire qu'il avait concédé à l'aveu rédigé par le Général Barnabé de Cagnoli et signé par deux prieurs de nos couvents... Ce qui ne diminue en rien son adhésion à l'Église véritable.

Le 15 avril, le pape écrivait à Henri de Virnebourg pour l'inviter à promulguer la bulle solennellement dans le diocèse de Cologne. Ce qu'il fit avec pompe tout en cachant son plaisir au-dedans de lui-même. Mais il fut le seul évêque à la promulguer car la bulle ne fut jamais prononcée ailleurs. Il faut comprendre que la commission d'Avignon n'a jamais condamné le père Eckhart ni sa doctrine, mais simplement quelques formules extrêmes, paradoxales, qu'il exprimait dans des moments d'enthousiasme afin, dit la commission, «que ces articles ou leur contenu ne contaminent pas davantage les cœurs des simples auxquels ils ont été prêchés». Virnebourg n'avait gagné qu'en partie. Il faut dire que, malgré l'effacement d'une partie importante de ses dettes grâce à la lettre de change apportée par Guglielmo pour la libération de Katrei, l'homme ne pouvait donner à Avignon tout ce qu'aurait coûté un procès plus affidé.

La bulle ne diminua en rien le prestige du Maître auprès des savants et encore moins auprès du peuple et des femmes. Les gens connaissaient très bien le caractère des personnages qui avaient fomenté l'affaire. L'histoire de Katrei circulait comme une légende dans laquelle Herman de Summo et Guillaume de Nidecke apparaissaient comme deux misérables au côté d'un archevêque que l'on craignait bien plus qu'on ne le respectait. Les légendes ont plus de force que les bulles, et voyagent plus vite et plus sûrement si bien que le vieil archevêque mourut recouvert de soie et de velours dans une solitude mille fois plus grande que celle du Maître. En réalité, il passa sa vie dans une glace qui finalement le recouvrit entièrement. Aucun des bûchers qu'il allumait à coups de béguines et de supposées sorcières ne réussit à réchauffer son cœur déjà mort, étouffé dans ses propres appétits. Certes, sa cour lui offrait des courbettes et des mimiques, mais ce n'était que plaques de fer actionnées par une mécanique d'intérêts tout autant prévisibles que perfides. Aucun homme ne peut survivre aux machines qu'il met en place pour le tenir hors de lui-même!

Virnebourg avait cherché à couvrir la lumière parce qu'elle aurait pu éclairer son visage et qu'il n'aurait pu le supporter. Le Maître avait consacré sa vie à l'avènement d'une lucidité du cœur par le Verbe. Ils formaient ensemble les deux côtés du paradoxe humain. Le scintillement de la lune et sa face obscure étaient tous deux morts. Ce furent des jours sombres suivis de jours plus sombres encore. Depuis la mort du Maître, famines, pestes et guerres s'étaient jetées sur l'Allemagne et c'est bien plutôt ces calamités qui ramenèrent certains à l'intérieur des églises et des dogmes que la condamnation du Maître. Il semble que la peur engendre chez les hommes un besoin de sécurité facile à exploiter, qui amène les églises à se transformer en haltes pour les cœurs tièdes plutôt qu'en catapultes aptes à pousser les âmes plus loin dans l'aventure de Dieu. Prisonniers de ces escales, les hommes se mettent à réciter des formules à la manière de manivelles grinçantes, à encenser des couronnes comme le font les courtisans, à se transformer en tapis pour des chefs sans autre noblesse que leur pédanterie. Mais il ne faut jamais abuser de la crainte humaine.

La lutte entre le pape et Louis de Bavière se poursuivit. Ce dernier ayant mécontenté les Romains dut repasser les Alpes et revenir en Allemagne. Les villes, pour la plupart, se montrèrent assez fidèles au roi tandis que les familles nobles lui restèrent hostiles. Le pape mit l'interdit sur les villes qui se rangèrent du côté du roi. Il prohiba la messe publique ainsi que l'office divin et les autres sacrements, sauf aux mourants. Le pape mourut en 1334 et fut remplacé, tel que prévu, par le cardinal Fournier. Sous le nom de Benoît XII, il continua la politique de son prédécesseur. Il donna plus d'ampleur encore à l'édification du palais pontifical, comme si la papauté avait abandonné définitivement Rome et cherchait à ériger l'empire en Gaule. Le pape voulait s'élever... donc les nobles et les évêques soutinrent Louis de Bavière. Comme le disait Guglielmo, vaut mieux la division dans les pouvoirs qui sont au-dessus de soi et l'unité dans ceux qui sont en dessous. Fort de ces appuis, Louis de Bavière brava le pape et interdit de suivre les interdits du pape. Ce fut une grande période de trouble et de division. La plupart des dominicaines conduites par Magaretha Ebner se montrèrent indulgentes envers l'empereur tandis que Henri de Nördlingen, prêtre engagé et très influent, quitta sa Souabe natale pour se rendre à Bâle où l'on obéit toujours au pape. Malgré l'interdit du pape, à Constance, les franciscains donnèrent les sacrements et enterrèrent les morts avec les cérémonies d'usage, mais les chanoines restèrent attachés à la cause pontificale. Les dominicains de Constance et ceux de Strasbourg émigrèrent à Bâle auprès de Henri de Nördlingen jusqu'en 1343. C'était le désordre et, lorsqu'il nous fallait quitter un instant le couvent, il était à craindre de se retrouver dans une escarmouche, une émeute, ou en devoir de secourir des mourants qui gémissaient dans leur sang, leur faim, ou leurs maladies. Comme médecin, j'eus beaucoup à faire. Mais la terreur hantait encore davantage que la misère.

En 1337, une comète et des éclipses de soleil effrayèrent les foules. En 1338, une invasion de sauterelles s'abattit sur toute l'Allemagne suivie de fortes inondations. Afin de contrer le courroux qui s'abattait, des processions de flagellants se multiplièrent, provoquant des émotions indéfinissables et incontrôlables, si bien que le pape finit par les interdire. C'est alors qu'un grand nombre embrassèrent la cause des Béghards.

Si pour beaucoup, les souffrances et les angoisses les amènent à se réfugier dans les maisons de pierre de l'Église, pour d'autres cela les pousse à bondir dehors et à prendre leur envol. En période de douleur et de souffrance, toutes les demeures de pierre s'enfoncent dans leur propre vide : ceux qui les quittent ont meilleure chance de salut. En de tels temps, il n'y a plus de place pour la médiocrité. En Bavière, en Alsace, en Suisse, mais surtout dans les basses terres du Nord, à Bruges principalement, les âmes pures éprouvèrent le besoin de se rapprocher les unes des autres. Pour éviter les persécutions qui s'abattaient sur les Béghards, ils s'appelèrent les Amis de Dieu. Ils désiraient simplement et désirent toujours avec la même ardeur, se soutenir réciproquement et s'encourager dans leur voie. Ils se communiquent des manuscrits, échangent des livres pieux, des textes anonymes du Maître et d'une certaine Katrei, Grande Demoiselle à Bruges. Peu associent cette femme à l'hérétique de Cologne qui, selon la légende, fut enlevée par des anges en pleine nuit au moment où elle priait avec le Maître. J'aimerais tant la revoir. Aujourd'hui que mon cœur s'est apaisé, peut-être serais-je capable de l'entendre comme le Maître le pouvait. Si je l'entendais, peut-être pourrais-je sortir de mon éternelle ambivalence et jaillir enfin dans la vie avec tout mon être uni et voulant.

Les Amis de Dieu pratiquent les plus grandes vertus, s'appliquent au travail, entre autres, à l'enluminure de manuscrits ; ils pratiquent la charité réciproque, l'assiduité du cœur et l'amour de la prière intérieure. Évidemment, plusieurs théologiens de Paris parlent avec mépris de cette «piété féminine», mais de ce que j'ai lu moi-même, ils devraient ravaler leurs paroles, car ils sont peu à atteindre leur hauteur intellectuelle et spirituelle. On raconte que John, qui était en route pour Pise, après avoir eu un songe dans les Alpes, rebroussa chemin et se rendit à Bruges où il enseigne la médecine aux béguines. Je crois qu'il y est toujours car de mauvaises langues m'ont raconté dernièrement qu'il aurait pour compagne une béguine dont la conduite ne serait pas des plus chaste. Je me tiens loin de ces caquetages, je crois davantage les paroles de Guglielmo qui vient parfois à Cologne et me rapporte qu'un grand nombre des Amis de Dieu se consacrent, avec science, à soigner les pauvres et les misérables. À la grande honte des franciscains, Guglielmo colporte partout où il va et avec force détails que John enseigne la doctrine du Maître, et qu'il démontre avec une logique toute aristotélicienne les erreurs de Guillaume d'Ockham et des tenants de la séparation de la foi et de la science.

La parole du père Eckhart passe à travers toutes les bouches et utilise tous les parchemins. Il y a tant de manuscrits du Maître qui se promènent sous le manteau qu'il devient difficile, même pour les doctes, de discriminer les authentiques des faux. Surtout qu'Eckhart le jeune, un autre dominicain que je crois de Constance, a rédigé il y a quelque temps des commentaires qui sont confondus avec ceux du Maître. Néanmoins, ses vrais disciples arrivent inévitablement à redresser la vérité.

Lorsque je revins à Cologne, Tauler était retourné à Strasbourg. Il émigra à Bâle en même temps que ses frères. Cependant, il voyagea beaucoup, semant l'esprit du Maître un peu partout. J'ai su qu'il allait toujours chez les Amis de Dieu qui l'accueillent avec bonheur. Il s'est donné pour mission de rendre assimilable la pensée du Maître. Il enseigne que l'âme doit abandonner le point de vue du créé pour trouver le point de vue de Dieu. Il prêche qu'il y a trois naissances véritables : la génération éternelle du Fils dans le Père, celle de Jésus dans l'Univers et celle de Dieu dans l'âme humaine. Dans cette dernière naissance, Dieu appartient tellement à l'âme et se donne tellement à elle qu'elle le possède plus que tout ce que l'on peut posséder. «Car, dit-il, l'âme est créée entre le temps et l'éternité. Par sa partie supérieure, elle appartient à l'éternité, par sa partie inférieure elle appartient au temps.» C'est entre les deux que se développe, selon lui, le très grand mystère de l'âme sublimée dans son fond divin. Pour cela il faut y mettre tout son être. «Quand un archer, dit-il, veut atteindre une cible, il ferme un œil pour que l'autre vise plus exactement; celui qui veut connaître une chose à fond y applique toutes ses pensées et force ses puissances à rentrer dans l'âme. Lorsque deux doivent devenir un, il faut que l'un soit passif et l'autre actif : pour que mon œil perçoive les images, il doit être dépouillé de toute image. Nul ne comprend bien l'Unité que ceux qui sont parvenus à elle. On la nomme Dieu, mais elle est une ténèbre ineffable, et c'est pourtant la lumière essentielle. C'est un désert sauvage où personne ne trouve ni voie ni mode car la voie et les modes, elle les fait avec l'être. On y a accès en surpassant toute intelligence, en se glissant jusqu'à la Source de toute intelligence.»

Un jour qu'on lui demanda s'il ne craignait pas d'être contaminé par l'erreur de son Maître, il répondit :

– Personne ne peut répondre pour une autre personne, chaque personne répond d'elle-même.

Il ne fut jamais importuné par l'Inquisition et enseigne encore aujourd'hui sans ambages la pensée du Maître. Non, la réputation la plus controversée revient plutôt à Suso, cet être si intérieur, si mystérieux et si engagé. J'ai su, bien après la mort du Maître, qu'il avait été ravi dès l'âge de dix-huit ans et introduit dans les arcanes de la sagesse; il pouvait, plus que tout autre, saisir la pensée du Maître par son fond. Et cela le Général le savait. Il était si comblé de faveurs spirituelles, il débordait de tant d'onctions qu'il ne pouvait s'en soulager que par la pénitence et l'austérité. Dès qu'il fut mis au courant de la bulle de condamnation, il prit courageusement la défense du Maître et rédigea *Le Livre de la vérité*. Il voulait opposer aux tromperies des délateurs les enseignements authentiques du Maître.

Il paya et paie encore aujourd'hui très cher sa position. Il fut rapidement accusé d'avoir écrit des livres suspects. Il dut aller aux Pays-Bas pour se disculper devant le chapitre général. Il souffrit la censure interne de l'ordre. Par la suite, il parcourut la Suisse, l'Alsace et toute la vallée du Rhin. Il entretint des relations très intimes avec les Amis de Dieu. Lorsque les dominicains fidèles au pape se réfugièrent à Bâle, il fut malgré tout nommé prieur de la communauté en exil. Il s'attira bien des ennemis dans la communauté parce qu'il eut le courage de ramener à l'ordre bon nombre de moines peu dignes de l'être. Il ne tolérait ni les Herman ni les Guillaume, aussi fut-il abondamment calomnié. Il a été dernièrement envoyé à Ulm afin de permettre aux rumeurs de retomber. Il eut une fille spirituelle du nom d'Elsbeth Stagel, dominicaine de Töss. Il lui écrivit un jour : «J'étais l'objet, non par ma faute, mais du fait d'autres personnes, de bien des mépris. Assis dans ma cellule, je voyais un chien qui courait au milieu du cloître et jouait avec un lambeau d'étoffe pour les pieds; tantôt il le jetait en l'air, tantôt il le jetait en bas. Alors je poussai un profond soupir et je dis : "En vérité,

Seigneur du ciel, je suis dans la bouche de mes frères comme ce lambeau d'étoffe dans la bouche de ce chien." Je me disais en moi-même : Constate-le donc, le lambeau d'étoffe laisse le chien faire de lui ce qu'il veut, qu'il le jette en haut ou qu'il le jette en bas, ou encore qu'il le piétine. Dans l'étoffe, il n'y a rien à manger pour le chien, c'est pourquoi en définitive il ne la dévorera jamais.»

Comme Suso, Tauler reprit essentiellement les idées d'Eckhart en les tempérant et en y réduisant les explications paradoxales. Son *Livre de la Sagesse éternelle* se répand dans toutes les communautés, chez les Amis de Dieu, et par les prêches jusqu'au plus simple des paysans. J'y relis presque chaque soir cette prière : «Aimable Seigneur, si je ne suis pas digne de te louer, mon âme désire pourtant que le ciel te loue lorsque, dans sa beauté la plus ravissante, il est illuminé en sa pleine clarté par l'éclat du soleil et la multitude innombrable des étoiles lumineuses. Que les belles campagnes te louent lorsque, dans les délices de l'été, elles brillent selon leur noblesse naturelle dans la multiple parure de leurs fleurs et leur exquise beauté... Seigneur, lorsque je regarde de gracieux êtres vivants, d'aimables créatures, ils disent à mon cœur : "Ah! regarde comme il est aimable, celui dont nous sommes issus, de qui provient toute beauté!" Je parcours le ciel et la terre, l'univers et l'abîme, la forêt et la campagne, les monts et les vallées : tous ensemble, ils font retentir à mon oreille l'immense concert de ta louange infinie... Mais lorsque je pense que c'est toi, le bien digne de louange, que mon âme a élu entre tous, que mon âme a choisi pour elle-même afin qu'il fût son amour unique et bien-aimé, mon désir de louange est tel que mon cœur voudrait se briser en lui-même.»

Quant à Berthold de Moosburg, il est toujours maître au Studium de Cologne. Il compléta dernièrement un gigantesque et brillant commentaire de l'*Elementatio theologica* de Proclus. C'était la stratégie du Studium de continuer l'œuvre d'Eckhart sans attirer les foudres des esprits bornés. Le nom d'Eckhart y est évidemment absent... Cependant, il hante partout. En fait, Berthold y démontre point par point la thèse éckhartienne de l'homme divin. On pourrait même dire que son traité prend, par moments, l'allure d'un règlement de comptes entre la pensée limitée d'Aristote et l'ouverture au superessentiel des platoniciens. En choisissant Proclus, Berthold annonce clairement la rupture du Studium avec la scolastique parisienne. Proclus est le païen qui est monté jusqu'au sommet de la contemplation de Dieu par l'exercice assidu de la philosophie et, par le fait même, il témoigne des potentialités étonnantes sommeillant dans l'homme. Cela prouve que l'âme a accès à Dieu par son intellect dans la mesure où elle transcende cet intellect en le pénétrant jusque dans son Fond. Il a démontré que la philosophie et la théologie peuvent se lier ensemble pour rejoindre Dieu. Le chemin de la pensée totalement sincère et entièrement consacrée est sûr; c'est même le seul chemin possible, tant pour la science de Dieu que pour les autres sciences.

Berthold est connu dans tous les béguinages de la région. Il est l'intime père spirituel d'une de leurs plus sages demoiselles : Bela Herdevust. Chez nos ennemis, il est considéré jusqu'à Paris comme le véritable père du Studium, celui qui a fondé une école qui existait avant lui. On dit cela, parce qu'il a unifié l'intégrale de la pensée du Studium dans une entité intellectuelle et spirituelle si puissante qu'on tente de la dénigrer plutôt que de la combattre. Mais d'autres savants croient qu'elle saura traverser le temps et même le chaos qui vient et dans lequel devra se renouveler l'Église. En effet, le religieux ayant opté pour le maintien d'une dogmatique qui échappe à la pensée réfléchie, et le civil ayant adopté un mode de réflexion qui rejette la plus grande sphère de l'intellect, il ne peut s'ensuivre qu'une division de l'homme et une perte du sens général de l'univers. Ayant perdu sa propre finalité, l'homme est condamné à un vague à l'âme qui ne peut que l'emporter dans une folie dont on n'a pas idée des souffrances qu'elle peut engendrer. Ne disposant plus que d'une religion sans intelligence et d'une intelligence sans religion, l'homme est perdu. Mais l'œuvre du Studium, beaucoup le croient, est ainsi faite qu'elle pourra traverser cette saison. Quand les ténèbres seront lourdes au point d'emporter l'âme des hommes... l'œuvre brillera d'autant plus qu'il fera sombre. Berthold a conçu l'arc et la flèche de façon que la vérité puisse redonner espoir aux hommes perdus de l'avenir. Sa flèche emporte le meilleur des siècles passés jusqu'au fond des siècles à venir, du moins c'est ce qu'espèrent le général et tout l'ordre des Dominicains.

Berthold apparaît au général comme l'homme-livre qu'il avait souhaité pour le Studium. « C'est un érudit qui a tout lu et qui, avec le matériel des grands, est arrivé à construire un édifice d'une solidité remarquable. Non pas un édifice, mais un véritable organisme vivant, capable d'avaler, de digérer et d'intégrer la pensée qui l'a précédé et celle qui le suivra, tout en déjetant au loin l'erreur et le futile. Cette bête philosophique qui va de Platon à Eckhart en se nourrissant essentiellement du Jésus intérieur, après avoir avalé les bibliothèques du passé, fera sa substance de celles de l'avenir. Elle est préparée comme une bête-Verbe qualifiée pour dévorer les bêtes de l'Apocalypse et réapparaître, dès les premières lueurs de l'aurore, géante de tout ce qu'elle aura absorbé, magnifique et apte à transporter l'homme jusque dans sa béatitude. » Voilà ce que répétait le Général, et moi, j'écoutais avec espérance.

Un jour particulièrement froid de l'hiver, où j'accompagnais Berthold au béguinage de Bela Herdevust, la communauté s'était rassemblée dans la cour et Berthold commença à leur parler ainsi :

– L'âme, dit-il, est une substance qui perçoit et goûte les illuminations et les jouissances de Dieu. La partie la plus intérieure de l'âme est contemporaine de tout ce qu'elle produit puisque l'âme est une seule substance. Rien dans l'âme n'échappe à l'âme : elle est tout ce qui est avant elle et tout ce qui est après elle.

Il n'en disait pas plus, c'était sa manière de prêcher; il lançait une énigme et attendait les questions. La première ne fut pas longue à venir :

– Si nous contenons notre passé et notre avenir, proposa une sœur, si l'âme du monde contient son passé et son avenir, à quoi sert de jouer la pièce qui de toute façon est écrite d'avance?

– Qu'en penses-tu? demanda Berthold à Bela.

– Je propose l'image suivante, répondit Bela dont les yeux brillaient constamment de joie. Le Premier fit en lui un lac de lumière, dans sa profondeur insondable et toujours active, il engendra un bassin de feu. Cette lumière reposait dans son Verbe qui sans relâche la remuait, l'empêchait de se contenter d'elle-même. Cette étrange sphère n'avait pas d'extérieur et tout lui était intérieur; c'était une eau de lumière. Il y avait en elle un frisson, une ébullition, une exultation, une vie qui la poussait à se déverser, à danser, à se métamorphoser, à se transfigurer. C'était une gloire, une joie, une force, une énergie qui ne peut jamais se rattraper entièrement, ni par son intelligence ni par ses créations. Cette eau de lumière éclata comme un volcan avec des laves de feu qui s'élançaient dans toutes les directions. Elle était comme un soleil et chaque rayon brillait de lumière, ne pouvant être que de la lumière. Et cette lumière qui se répandait dans un extérieur qu'elle gardait dans son intérieur se mit à bouger, à faire des formes, à faire des mélodies, à faire des jeux parce que, en chaque partie d'elle-même, elle bouillait d'amour et de vie. C'était une intelligence, c'est-à-dire une transparence créatrice, un éternel au-delà de soi, un refus de s'arrêter même à son propre infini, un goût inexorable de se connaître sans jamais se saisir, de s'exprimer sans jamais se contraindre, de se diffuser par en dessous de soi et par-dessus soi, plus intérieur et plus extérieur. On vit apparaître des étoiles, des sphères, des éléments, des combinaisons ; on vit croître des arbres, courir des animaux, et s'émouvoir des hommes et des femmes. On peut dire ce que l'on voudra, ajouter des causes, étirer des chaînes de causes et d'effets, il reste qu'une vie s'amuse avec sa propre matière devant nos yeux ébahis. Dès que l'on ose regarder, on voit que l'invisible se plaît à se vêtir de toutes les couleurs et de toutes les formes avec un charme inexplicable, que l'inaudible joue une mélodie qui nous fait danser, nous emporte dans sa joie, nous attire en son intérieur. Alors je ne sais pas ce qu'est le monde, mais il ne peut pas être autre chose que les élans d'une même source. Cette source est si active, si libre et si créative que chacune des parcelles qu'elle contient comporte cette même contagion, cette même liberté et cette même créativité. Alors oui, je sais d'ores et déjà que tout ce qui a été, est et sera, ne peut être que de la Lumière, du Verbe et de la Vie, mais je ne sais rien de ce que sera cette vitalité puisque j'y participe. Elle m'étonnera toujours dans son être alors que déjà je l'aime dans son essence. Il n'y a qu'une essence, mais cette essence a pour propre de se multiplier et de se stupéfier elle-même par ses modes d'être. Je pense que la vie et la créativité qui est dans cette lumière bouillonnante ne peut se connaître qu'en éclatant, qu'en exultant, qu'en chantant, qu'en dansant, et c'est cela notre cosmos, et c'est cela l'être. L'eau de lumière est comme la femme aimée du Cantique des cantiques. On goûte déjà son charme essentiel sans rien connaître des danses qu'elle exécutera. Qui peut annoncer ce qu'elle nous découvrira ? Personne ! Et pourtant nous la connaissons et l'aimons plus que nous-mêmes.

– Bela a tout à fait raison, continua Berthold, et tant que l'on n'a pas le sentiment de participer pleinement à cette ébullition, on ne connaît pas la béatitude du Verbe. L'intelligence qui bouillonne en nous est celle qui bouillonne dans tout l'univers. Si nous la libérons comme elle se libère dans l'univers, elle nous traverse comme un fleuve et nous transporte dans sa joie de créer. Notre béatitude consiste à se laisser emporter dans ce mouvement. Se laissant emporter par lui, on le connaît comme essence dans toute son intimité tout en le découvrant chaque jour comme être. Nous avons notre sécurité dans la consistance parfaite de cette essence et nous sommes stupéfaits de la multiplication des êtres qui l'expriment. J'ai foi en son essence et espérance en son être. Cette aventure comporte assez d'intrigues pour nous captiver et de certitudes pour nous rassurer. Comme vous le voyez et l'expérimentez, Dieu a jeté en nous un certain vestige de lui-même qui nous pousse à exercer le métier de Dieu : bouillir d'amour.

L'image de Bela est restée marquée dans mon esprit non pas comme la clef d'une joie, mais au contraire comme une pierre d'achoppement. En effet, cette image venait mesurer le poids énorme de doutes et de résistances que contenait encore mon cœur et qui me privait du bonheur de m'ébrouer sans retenue dans les eaux de lumière, la chair et le sang de Dieu. Je la regardais, elle, rayonnante de vie, de splendeur, de beauté. Rien en elle ne résistait à cette coulée, à ce déversement, à ce torrent qui l'emportait. Rien en elle ne luttait en direction contraire. Elle s'étirait dans la lumière comme un cerf sans crainte dans un univers sans loup, elle glissait dans le fleuve comme un voilier sans ancre. Elle était une onde, j'étais une pierre, un œil dans une pierre abandonnée et laissée pour compte sur la rive. Je n'étais qu'un spectateur dont le regard restait en diagonale, un spectateur qui ne veut pas se jeter dans le spectacle, qui refuse le spectacle par une sorte de révolte incompréhensible et totalement irrationnelle. Toutes les objections qui émanaient de moi n'étaient logiques que pour cette révolte primaire et intrinsèque à ma raison. Toute la rationalité de mon scepticisme reposait entièrement et uniquement sur ce refus d'appartenir à une Vie qui vient avant moi et va en se passant de moi. En fait, je refusais que le monde contienne quelque chose. C'était d'autant plus terrible que je ne voulais pas non plus qu'il ne contienne rien.

J'aurais voulu me sentir tout petit dans un monde tout à fait incompréhensible et indénouable. J'aurais voulu être perdu sur une pierre cubique inepte et stupide. J'aurais voulu pouvoir démontrer une magnanimité absolue en criant à cette pierre vide : «Je vais faire le tour de toi, je vais prouver à tout le monde que tu n'es rien que du hasard, de l'ineptie, un fait bête et méchant. Et moi, vois-tu, je peux survivre dans ton absurdité». Voilà la magnanimité que j'aurais voulu démontrer. Alors, lorsque je contemplais la beauté de cette femme et que j'étais renvoyé à Katrei et au Maître et à leur foutue béatitude, il y avait quelque chose en moi qui refusait, qui rejetait, qui terrassait la carte du bonheur avant même de l'avoir tentée. Parce que ce bonheur m'aurait réduit à n'être qu'un enfant, et moi je ne voulais pas être un enfant, je voulais être un dieu capable de me sustenter d'un monde entièrement et irrévocablement fou et absurde.

Un jour que j'osai m'ouvrir de ces terribles sentiments à Berthold, il me répondit simplement :

— Il faut bien que la lumière se cache si elle veut être trouvée, il faut bien que l'être nous soit refusé si nous voulons y participer. La résistance que tu portes est là dans tout l'univers, elle en fait partie, elle est même une de ses composantes les plus nécessaires. Il n'y a pas d'espace sans cette distance, il n'y a pas de temps sans cette résistance. Tu es essentiel à l'émancipation de la lumière. L'âme existe parce que Dieu a fait un creux en lui-même; sans ce creux, il n'y aurait aucune âme. Imagine un instant que l'âme s'abandonne totalement et sans réserve à ce bien, elle serait si noyée en lui qu'elle n'existerait plus. Nous voyageons dans l'ombre de la lumière, mais cette ombre comporte toute la lumière possible. C'est la lumière possible qui réagit à la lumière vive, c'est elle qui lui donne son espace, sa chair à manger, son sang à boire. Nous nous nourrissons de cette lumière possible, c'est notre matière première. La révolte est le premier pas de l'amour, j'ai confiance que tu feras le suivant.

La consolation de Berthold resta coincée, comme bloquée par cette révolte qui était devenue mon habitude, et je refusais de quitter cette habitude. Alors moi, Conrad de Halberstadt, qui suis-je dans cette histoire que j'ai notée par obéissance pour un Général qui voulait la détruire? Qui est donc celui qui ne pouvait que noter sans plonger, décrire sans vivre, transporter sans ouvrir? Pourquoi le Général m'avait-il imposé d'accompagner et de noter les faits, gestes et paroles d'un homme qu'il m'interdisait de pénétrer, sinon parce que j'étais une souche qui restait sur la rive? Pourquoi m'avait-il attribué la seule place que je pouvais prendre et le seul rôle que je pouvais jouer, sinon parce qu'il connaissait ma nature? Je suis le doute, je suis la suspension de l'acte d'aimer, la crainte de me perdre dans un acte d'aimer. Je suis, surtout et par-dessus tout, l'obéissance à cette crainte. Le Général ne voulait pas que le Maître fût accompagné d'un plongeur, mais d'une souche muette butée sur le bord par une sorte d'orgueil intrinsèque à son existence. Il ne m'a jamais vraiment confié d'autres missions que celle d'accompagner et de noter la vie des autres tout en m'interdisant d'y accéder. Non, il n'avait pas besoin de m'interdire cette plongée, il n'avait qu'à entretenir ma nature. Ce n'est pas moi qui obéissais, c'est le général qui obéissait à ma nature, qui me condamnait à ma nature, et si à la fin il m'imposa de détruire la seule chose que j'avais faite, un récit, c'était pour me placer pour la première fois devant un véritable choix. Il voulait que je quitte cette insipide obéissance pour parvenir à une obéissance supérieure. Il espérait que je conserve et garde secrète une copie, une copie qui représenterait ma première vraie désobéissance à la peur, ma première vraie obéissance à la vie. En fait, lorsqu'il me demanda de détruire mes feuillets, il m'invita à me consacrer, par moi-même, à ma vraie mission. Il a confié à Tauler la pédago-gie, à Suso la mystique, à Berthold la philosophie, à moi, il a confié le soin de rester suffisamment dehors pour témoigner. Et il voulait que cette mission fût un acte de libération et de vie, voilà pourquoi il m'avait demandé de détruire le manuscrit. Tauler se répand dans tout l'Occident, Suso traverse le temps, Berthold transperce l'histoire, mais tous les trois ont dû utiliser divers camou-flages pour aller selon leur chemin propre. Mes notes à moi, ce manuscrit que je m'apprête à cacher derrière une pierre, bondit vers l'inconnu sans aucun travestissement, à l'état brut. Finalement, c'était moi qui devais lancer la flèche par-dessus les siècles jusqu'au-dedans de l'inévi-table chaos futur afin que la semence du Maître en féconde l'inquiétude et l'angoisse.

Ma désobéissance fut donc une obéissance, et le souffle du Maître ne comportait aucune pestilence, de sorte que je ne suis pas aujourd'hui dans le fond des Enfers, mais au contraire disponible au bonheur et à la béatitude. Vais-je rester ici harnaché à cette crainte, à cette limbe qui n'est plus qu'une habitude, qu'une misé-rable identité de pierre? Chaste, moi? Non, j'ai simple-ment craint la femme. Détaché, moi? Non, j'ai simplement craint la vie. Je n'ai donc craint qu'une seule et même chose, la vitalité qui relance sans cesse l'être hors de lui-même, la ténèbre de lumière : la béatitude. Je suis maintenant très âgé et ce que j'ai à perdre est devenu tout petit, si bien que, malgré le doute, je me pré-pare à plonger. Je pars pour Bruges, à la rencontre de Katrei. Le voyage sera long, j'espère assez long pour qu'il ne me reste plus de résistance lorsque je la prendrai dans mes bras. J'aimerais mourir sur son cœur.

Conclusion

Le Maître est mort dans l'ambivalence du monde; j'ai été d'une certaine façon son bourreau. Manipulé par des gens qui ne voulaient même pas s'en approcher, c'est moi qui ne lui ai pas donné à manger, c'est moi qui ne l'ai pas réchauffé, c'est moi qui ne l'ai pas soigné, c'est moi qui ai allumé son bûcher de glace, c'est moi qui lui ai fermé les yeux et qui l'ai enterré entre le cimetière et le bois. À force d'obéir, je désobéissais jusqu'à tuer, et le Maître et moi. Il est mort comme moi dans l'indifférence du monde, mais il n'est pas encore mort en moi parce que je lui ai conservé un peu de chaleur. Si un jour un homme ou une femme découvre ce texte, je prie pour qu'il ne reste pas à cette distance : jamais assez près, jamais assez loin. Qu'il détruise ce texte ou le pénètre, mais qu'il ne le laisse pas mourir de froid sur un rayon de bibliothèque. Se pourrait-il que le siècle qui découvrira ce texte le place simplement sur un étalage entre des romans et se retienne à jamais d'y plonger! Se pourrait-il que le Maître meure une autre fois dans les glaces de l'indifférence, et cela dans une époque de feu, à l'aurore de feu du dernier versant du chaos! N'attendez pas que l'âge vous ait brisé avant d'aimer. Moi, je vais à Bruges mourir dans les bras d'une femme. J'y ferai cette prière :

Ô Toi, Source impétueuse, entends-moi. Certains naissent plus et mieux que d'autres, moi, je suis resté sur le bord de la vie. La naissance est une occasion d'affiliation que je me suis retenu de signer. Tout est possible, rien n'est obligatoire, l'existence reste à jamais optionnelle. J'ai craint l'indéterminé du contrat. Mais j'ai toujours eu l'oreille fine et l'œil vif. J'ai tout entendu et tout vu : dans le possible, où des tourbillons fous jettent les hommes les uns contre les autres avec fracas de mort et cris d'angoisse, murmure une voix fine qui invite à s'y jeter.

J'ai été témoin de quelques-uns qui ont bu de cette eau. Je n'ai pas tout compris de ce qu'ils en ont dit, mais l'étincelle de leurs yeux me disait que c'était bon. Alors qu'aujourd'hui je meurs, je choisis enfin de naître. Je veux l'égalité de la Vie. Je plonge de tout cœur dans l'Indéterminé, sans réserve et tout entier, je sais maintenant qu'on y germe et s'y multiplie dans le bouillon de l'Un pour la béatitude universelle.

Lexique

Alleu : Terres ne relevant d'aucun seigneur, par opposition à «fief».

Alwadi : Humeur invisible expulsée du méat urinaire chez l'homme.

Amessement : Cérémonie obligatoire, au cours de laquelle un clerc purifiait la jeune mère avant les relevailles.

Anneau de salut : Anneau scellé dans le mur extérieur d'une église qu'il suffisait de saisir pour échapper à la justice séculière.

Ban : Droit de commander, de contraindre et de punir. Ensemble de feudataires tenus envers le roi ou le seigneur.

Banalité : Monopole consistant dans l'usage obligatoire et public d'un objet appartenant au seigneur local (exemple : le moulin).

Barbacane : Ouvrage situé en avant d'une porte de château et servant à la défense de celui-ci.

Begehardi : Béguinage.

Béhourt : Joute, tournoi.

Blioud : Tunique de laine aux manches très courtes et serrée à la taille par une ceinture.

Brassier : Paysan louant ses bras.

Brigandine :   Petite cotte de mailles ou corselet de plaques rivées sur cuir.

Brogne :   Justaucorps bardé de métal ou de cuir.

Caroler :   Danser.

Cens :   Redevance annuelle pour une tenure.

Centaine :   Division territoriale du comté administrée par un centenier.

Champart :   Redevance d'une quote-part de la récolte.

Chevage :   Redevance annuelle pesant sur la tête de chaque serf.

Conduit :   Garantie de protection accordée par les seigneurs aux commerçants.

Douaire :   Bien que le mari assignait à sa femme pour en jouir si elle lui survivait.

Faïda :   Vengeance privée.

Fraticelles :   Mouvement général comprenant les ordres mineurs et différents groupes, dont les béguines.

Fredum :   Partie de l'amende qui revenait aux pouvoirs publics.

Goliards :   Jeunes étudiants libertins.

Mainmorte :   Droit en vertu duquel les paysans étaient empêchés de disposer par testament des biens qu'ils tenaient de leur seigneur.

Manse :   Exploitation agricole qui doit permettre à une famille paysanne de vivre.

Ost :   Armée.

Lexique

Paumée : Confirmation de l'adoubement par un coup sur la nuque.

Péripatéticien : Disciple d'Aristote.

Pouillé : Liste des bénéfices dépendant d'une cure ou d'une abbaye.

Quadrivium : Quatre arts libéraux : arithmétique, géométrie, musique, astronomie.

Sainteur : Homme libre qui, délibérément, se faisait serf d'une église.

Sayon : Casaque de guerre en cuir.

Studium : École monastique qui exerce une influence importante.

Swestrione : Béguine.

Tonlieu : Droit de péage et de marché sur les marchandises transportées par terre et par eau.

Trébuchet : Sorte de catapulte.

Trivium : Grammaire, rhétorique et dialectique.

Viateur : L'homme dans son passage dans le temps.

Viridité : Mot inventé par Hildegarde de Bingen qui signifie l'énergie spirituelle dans les plantes.

Bibliographie sommaire

Ancelet-Hustache, Jeanne. *Maître Eckhart et la mystique rhénane.* Paris : Seuil, 1985. 190 pages.

Aristote. *Météorologique.* Traduit par P. Louis. Paris : Les Belles Lettres, 1982.

Brunner, Fernand. *Maître Eckhart.* Paris : Seghers, 1969. 170 pages.

D'Aquin, Thomas. *Contre Averroès.* Traduit par De Libera, Alain. Paris : GF-Flammarion, 1994. 395 pages.

de Libera, Alain. *Albert le Grand et la philosophie.* Paris : Vrin, 1990. 295 pages.

de Libera, Alain. *Penser au Moyen Age.* Paris : Seuil, 1991. 405 pages.

de Libera, Alain. *La Mystique rhénane, d'Albert le Grand à Maître Eckhart.* Paris : Seuil, 1994. 484 pages.

Decret, François. *Mani et la tradition manichéenne.* Paris : Seuil, 1974. 189 pages.

Delort, Robert. *La vie au Moyen Age.* Paris : Seuil, 1982. 309 pages.

Duby, Georges. *Histoire de la France des origines à 1348.* Paris : Larousse, 1987. 481 pages.

Eckhart. *Traités et Sermons.* Traduit par F.A. et J.M. avec une introduction de Candillac. Paris : Éditions d'aujourd'hui, 1943. 270 pages.

Eckhart. *Traités et Sermons.* Traduit par De Libera, Alain. Paris : GF-Flammarion, 1993. 543 pages.

Éliade, Mircéa. *Histoire des croyances et des idées religieuses.* Paris : Payot, 1976. 492 pages.

Foissier, Robert. *Le Moyen Age, le temps des crises 1250-1520.* Paris : Armand Colin, 1990. 548 pages.

Gorceix, Bernard. *Hildegarde de Bingen : le livre des œuvres divines (Visions).* Paris : Albin Michel, 1982. 195 pages.

Imbach, Ruedi et Maryse-Hélène Méléard. *Philosophes médiévaux des XIIIᵉ et XIVᵉ siècles.* Paris : Union Générale d'Éditions, 1989. 401 pages.

Jacquart, Danielle et Thomasset, Claude. *Sexualité et savoir médical au Moyen Age.* Paris : Presses Universitaires de France, 400 pages.

Jeauneau, Édouard. *La Philosophie médiévale.* Paris : Presses universitaires de France, 1967. 126 pages.

Jerphagnon, Lucien. *Histoire de la pensée. Philosophies et philosophes. Antiquité et Moyen Age.* Paris : Éditions Tallandier, 1989. 537 pages.

Lemaire, sœur Agnès. *Saint Bernard et le Mystère du Christ.* Sainte-Foy : Anne Sigier, 1991. 161 pages.

Pernoud, Régine. *Hildegarde de Bingen. Conscience inspirée du XIIᵉ siècle.* Éditions du Rocher, 1994. 193 pages.

Proclus. *Dix problèmes concernant la Providence.* Paris : Les Belles Lettres. 223 pages.

Table des matières

Cet ouvrage à été composé en Plantin corps 12
par In Folio à Paris

Impression réalisée sur CAMERON par
BRODARD ET TAUPIN
La Flèche

pour le compte des Éditions Stock
27, rue Cassette, Paris VIe
en mai 1998

Imprimé en France
Dépôt légal : mai 1998
N° d'édition : 9380 – N° d'impression : 1613U-5
54-02-4901-02/2
ISBN : 2-234-04901-6

2-10-2